MARGES, SEXE ET DROGUES A DAKAR

Couverture : Fixé sous verre, femme, Sénégal.
Photo : Renaudeau/Hoa-Qui.

© Éditions KARTHALA et ORSTOM, 1993
ISBN (KARTHALA) : 2-86537-463-7
ISBN (ORSTOM) : 2-7099-1170-1

Jean-François Werner

Marges, sexe et drogues à Dakar

Ethnographie urbaine

Préface d'Abdoulaye-Bara Diop

Éditions KARTHALA
22-24, boulevard Arago
75013 Paris

Éditions de l'ORSTOM
213, rue La Fayette
75010 Paris

PRÉFACE

Dans cet ouvrage, Jean-François Werner explore l'espace de la marginalité urbaine. *Il étudie les consommateurs de drogues dans la banlieue dakaroise, l'agglomération de Pikine.*

Très peu de recherches ont été menées en Afrique sur ces marginaux, d'un point de vue anthropologique ; celles qui existent sont plutôt d'ordre psychopathologique et réalisées en milieu hospitalier.

L'importance du sujet est néanmoins évidente, dans la mesure où la marginalité, dans la plupart de ses manifestations, est révélatrice de mutations socioculturelles provoquées par des phénomènes comme l'urbanisation, qui se développe à un rythme rapide partout en Afrique.

L'explosion démographique urbaine et l'aggravation de la crise économique marginalisent des couches de plus en plus nombreuses de la population, cependant que les études sur celles-ci demeurent relativement rares.

De ce point de vue, c'est un travail de pionnier qu'a réalisé Werner. Il est pionnier, aussi, dans la manière dont il l'a conduit et par les résultats obtenus, sur lesquels nous reviendrons.

L'intérêt de l'ouvrage réside notamment dans la place importante que la vie d'une jeune femme y occupe ; la construction de sa biographie révélant son destin dramatique, sa prise en charge par l'auteur se sont réalisées à travers une aventure scientifique et humaine singulière, faisant la force de cette œuvre.

Dans l'élaboration et l'accomplissement de sa recherche en vue d'une thèse, Werner s'est voulu résolument empirique. Ce n'est certainement pas, comme il l'avance à cause d'un « appareil théorique réduit », au départ, mais c'est plutôt par tempérament et par conviction scientifique qu'il adopte cette démarche heuristique.

Il inscrit néanmoins son travail dans un cadre théorique *; il en explicite constamment les soubassements du même ordre. Mais, se méfiant des artifices de la théorie et des reconstructions académiques, il note le déca-*

lage fréquent existant entre celles-ci et la pratique, entre la recherche concrète et son modèle abstrait, universitaire.

Parmi ses références les plus appréciées, figure l'École de Chicago dont il s'inspire et qui a conforté ses intuitions et orienté ses conceptions. Les apports les plus pertinents de celle-ci, pour sa recherche, sont reconnus comme étant : l'orientation culturaliste mettant l'accent sur la diversité des cultures, l'empirisme méthodologique, la perspective interactionniste considérant les acteurs sociaux urbains comme doués de liberté et capables de « bousculer » la structure ; la visée holiste prenant la ville, malgré son hétérogénéité et son effervescence, comme une totalité permanente est aussi retenue.

Dans la même direction fondamentale de sa démarche, c'est la vocation herméneutique de l'anthropologie qu'il considère et dont il découvre les rapports avec la phénoménologie.

La prise en compte de l'intersubjectivité est au cœur de la recherche anthropologique, « où il s'agit, en définitive, d'intégrer dans "l'objet" la subjectivité comme élément de connaissance et élément à connaître », selon l'expression de Werner.

Cette conception ne lui permet d'adhérer ni au positivisme de Durkheim ni au structuralisme de Lévi-Strauss dont il critique, l'un et l'autre, la réification du social ou sa fixation dans des structures, niant les dynamismes et « turbulences » de la société et de ses acteurs.

En ce qui concerne, plus spécifiquement, la méthodologie, Malinowski constitue une référence de première importance, pour avoir été l'un des pionniers de l'observation-participante, dont il usera largement lui-même.

Pluralisme et éclectisme sont les termes utilisés par Werner pour qualifier ses méthodes d'investigation. Mais celle-ci apparaît essentiellement comme une recherche-action, allant de la participation-intervention, à l'observation in-situ.

Pour s'intégrer au milieu, il va loger chez l'habitant, partageant ses repas. Il a appris aussi bien sa langue, les gestes fondamentaux de la vie quotidienne, qu'à s'orienter de manière autonome dans ce vaste labyrinthe qu'est Pikine. L'apprentissage de l'usage de l'argent dont l'importance est cruciale dans les rapports sociaux urbains, fortement monétarisés, n'a pas été négligé non plus.

Cet effort d'intégration, qui l'a fait considérer par certains comme un espion, a été réussi et payant ; il lui a permis d'avoir une bonne connaissance de cette société suburbaine, jusque dans ses couches les plus marginales et, partant, les plus difficiles à pénétrer.

Sa profession de médecin a servi efficacement cette volonté de se faire adopter par la population. La prise en charge thérapeutique de cette jeune

*femme à la dérive, atteinte dans son corps et dans son âme par les stig-
mates profondes d'un sort cruel, si elle relevait de la déontologie, lui donnait aussi l'occasion de faire sa biographie.*

*Il nous décrit les techniques utilisées dans cette méthode du récit de vie,
celles qu'il a pratiquées, après avoir discuté les conceptions que des spé-
cialistes s'en font comme moyen privilégié d'investigation anthropologique.*

*Le pluralisme méthodologique s'est traduit aussi par des observations
in-situ dans les bars dont le recensement a été fait, comme parmi de jeunes
fumeurs de chanvre indien ; une enquête quantitative par questionnaires,
auprès de consommateurs de drogues, a été réalisée.*

*L'éclectisme dans les méthodes avait pour but reconnu d'explorer cette
marginalité urbaine, dans ses aspects les plus divers, et d'en donner une
image aussi riche et fidèle que possible, tout en essayant de l'appréhender
dans le contexte de la société globale. L'ambition holiste est demeurée tout
au long de la recherche.*

*Le terrain où opère Werner confirmera largement la pertinence de ses
choix méthodologiques et théoriques, si l'on en juge par les résultats
atteints, concernant aussi bien les descriptions des choses et des êtres, de la
société, les observations à leur propos, d'une grande justesse, ainsi que les
analyses et réflexions, pour en rendre compte, les connaître ou les comprendre.*

*Elles concernent, d'abord, les aspects du champ d'investigation, la des-
cription de l'immense agglomération surpeuplée de Pikine, avec ses rues
sableuses, jonchées d'ordures et inondées, pendant l'hivernage, dans ses
quartiers déshérités, celle de ses maisons dont les plus pauvres sont des
baraques insalubres.*

*Le milieu social, marginal notamment, est peint avec une exactitude
remarquable. Il est peuplé de gens modestes dont la majorité sont démunis
et vivent de ressources incertaines, voire d'expédients.*

*Parmi eux, les marginaux constitués de drogués, de dealers, de prosti-
tuées, de petits voleurs ont été décrits dans leurs comportements quotidiens
entre eux et avec leur entourage qui les abrite, les tolère et, aussi, dans
leurs démêlés avec les gardiens de l'ordre public : policiers et gendarmes.
Ils se caractérisent par une grande fragilité et vulnérabilité et une extrême
mobilité pour survivre et échapper aux dangers permanents.*

*L'ambiance triste des bars, l'attitude de leur clientèle : drogués et pros-
tituées, en mal d'évasion ou d'aventure, sont évoquées avec réalisme. Dans
cette société périphérique, émergent des personnages familiers du chercheur, ou simplement rencontrés au hasard, et dont il nous livre la peinture
ou l'esquisse qui les révèle comme des types sociaux de la marginalité ou de
la société urbaine.*

Parmi eux, figurent les prostituées ou marginales, Xady et Ndeye S., amies et initiatrices de M. dans la voie de la déviance. Chiix, l'amoureux sincère et désintéressé de celle-ci, mais incapable de l'aider ; lui-même, totalement dépendant des autres, a été arrêté pour vol. Il y a cette maîtresse femme, mère d'une progéniture de neuf enfants issus de six mariages qui apprécie les cadeaux de Werner, son « fils adoptif » ; le chef de quartier dont la tolérance envers les marginaux est intéressée et qui est capable d'escroquerie ; El Adji, vendeur de drogues et voleur à l'occasion, pour survivre et entretenir sa famille, incapable de se marier, faute de ressources.

Sans oublier les collaborateurs du chercheur. Ib, l'assistant dévoué, célibataire par nécessité, à la charge de sa mère ; ancien drogué devenu enquêteur, il cède à la tentation de goûter à nouveau du chanvre indien. Il retrouve le chemin du salut, grâce à la compréhension de son employeur et à la détermination de sa fiancée au bon sens solide. Il y a Rama, la collaboratrice et la confidente dont la perte soudaine du mari a constitué une épreuve partagée et, par là même, une révélation sur l'intercommunication humaine, la possibilité de la compréhension de l'Autre par le Même, de leur communion ; révélation aussi sur la nature de la recherche-participation aux limites indéfinissables a priori.

Parmi ces individualités, se détache nettement la figure de cette jeune femme, appelée M., dont Werner a construit la biographie. Elle est inoubliable par la description qu'il en donne, qu'il fait de son comportement, de son milieu, de son destin qui la situe à l'extrême périphérie de la société. Quand il l'a rencontrée, elle était dans l'isolement presque total, n'ayant pas de quoi vivre, couchant dans la rue.

Handicapée sociale à la naissance, du fait de son appartenance familiale défavorisée, de sa situation d'orpheline précoce, sans repère paternel, physique ou symbolique, sans parenté capable de la soutenir, elle partait gravement défavorisée dans l'existence.

Confiée à sa vieille grand-mère, dès l'âge de deux ans, elle était employée comme bonne à neuf ans. Renvoyée de la maison de son beau-père, où elle avait rejoint sa mère remariée, elle prenait la rue à seize ans, devenait prostituée pour survivre et se droguait.

Par la suite, mariée et divorcée à deux reprises, elle fut constamment maltraitée par son premier mari ivrogne et se retrouvera dépouillée par la famille du second, à la mort brutale de celui-ci, n'ayant pu être considérée comme sa veuve. Elle retombait alors dans le dénuement absolu.

Destin dramatique, s'il en fut, que Werner tente de cerner avec précision et circonspection. Il le prend en charge, aussi, dès qu'il croise son chemin, avec beaucoup de détermination et de lucidité à la fois. Il est allé, ainsi, aussi loin qu'un anthropologue pouvait le faire dans sa recherche-action. Il s'est engagé corps et âme dans cette entreprise qui sortait du domaine strictement scientifique pour atteindre l'horizon humain, éthique.

Il a couru de vrais risques, ayant perdu plus d'une fois le contrôle de la situation. Il s'est demandé, souvent, s'il ne faisait pas fausse route, outrepassant son rôle de chercheur, et s'il était même capable d'assumer ce lourd fardeau de sortir de la perdition et de l'anéantissement cette personne marginale à l'extrême, et considérée par certains comme rebut social ou folle.

Cette aventure scientifique et humaine de recherche-action, de prise en charge du destin désespéré de cette jeune femme, méritait d'être vécue, selon l'appréciation de l'auteur même.

Elle a été révélatrice d'aspects essentiels d'une société en mutation et de l'attitude de ses acteurs confrontés, pour la plupart, à des problèmes de survie à la périphérie, mais dont certains occupent, au centre, des positions de pouvoir dont ils peuvent abuser. Sont apparues la déchirure du tissu social, favorisée par la crise économique, l'atteinte des valeurs traditionnelles, sacrées, de solidarité, d'honnêteté, d'honneur, ainsi que les déficiences, d'ordre technique et éthique, du système de santé et de l'appareil judiciaire, comme les contradictions entre la société civile et l'État.

L'aventure a servi aussi de laboratoire d'expérimentation de la recherche, permettant de révéler les failles entre théorie et pratique, de montrer l'artificialité des reconstructions méthodologiques et conceptuelles académiques.

Elle a été, enfin, l'occasion de mise à l'épreuve des conceptions et valeurs, de l'éthique du chercheur, de l'homme opposé aux préjugés, au racisme, à la ségrégation, à la théorie d'une altérité profonde entre des sujets appartenant tous, cependant, à la même condition humaine. Elle a permis de satisfaire, chez Werner, ce besoin passionné, vital de rencontre avec l'Autre, de dialoguer avec lui, de le comprendre, nécessité pour mieux se connaître soi-même.

Cette attitude humaniste, fondamentale, lui a fait parcourir l'itinéraire professionnel, allant de la biomédecine à l'anthropologie, et à la géographie, le menant d'Europe en Afrique, par le détour de l'Amérique nordique et centrale.

Elle nous a valu cet ouvrage d'une grande qualité scientifique et humaine qui ne peut se résumer ni même bien s'analyser, à cause de son extrême richesse. Il est passionnant. Pour le découvrir, il faut le lire nécessairement.

Abdoulaye BARA DIOP
IFAN - Ch. A. Diop
Université de Dakar

Avant-propos

Cet ouvrage est le compte rendu circonstancié d'un travail ethnographique dont l'objectif principal est de rendre intelligible à un public aussi large que possible « l'expérience d'êtres humains telle que leur appartenance à un groupe social contribue à les déterminer », pour reprendre la définition du rôle de l'ethnographe proposée par Sperber (1982 : 47). Dans cette optique, le travail de l'ethnographe est à visée essentiellement interprétative tandis que la tâche de l'anthropologue serait davantage d'expliquer les représentations culturelles de tel ou tel groupe social.

Chemin faisant, pour tenter de transmettre au lecteur une connaissance d'autrui qui reste en partie intuitive, il m'a fallu remettre sur le métier l'ouvrage ethnographique et tâtonner à la recherche d'une solution discursive qui, si elle me paraît adaptée à mon propos, n'a pas fini de faire grincer des dents parmi les tenants de l'orthodoxie scientifique. Car la science dite « sociale » n'est pas seulement rigueur et méthode, elle est aussi (et peut-être avant tout) discours obéissant à des normes rhétoriques qu'il est risqué de transgresser. C'est ainsi que les critiques les plus acerbes adressées à une première version de ce travail (une thèse de doctorat en anthropologie) ont pris pour cible le « narcissisme » excessif dont j'aurais fait preuve dans l'exposé de ce travail. A ces détracteurs et à leurs épigones, je répondrai que le recours délibéré au pronom personnel « je », en lieu et place des tournures impersonnelles employées d'habitude dans le discours scientifique, a été déterminé par la volonté d'assumer ma subjectivité au niveau du discours après l'avoir largement mise à contribution lors du travail de terrain.

Et que l'on ne s'y trompe pas, il s'agit bien ici d'un « je » ethnographique, même si, comme on s'en rendra compte à la lecture de certaines pages, la distinction entre celui-ci et le moi « privé » n'a pas toujours été aisée à faire.

J'ajouterai que cette tentative de renouvellement de l'écriture ethnographique n'aurait sans doute pas été possible sans le soutien de ces enseignants (français ou sénégalais) qui ont encouragé et soutenu un travail réalisé d'emblée avec l'intention de toucher un public plus large que le milieu universitaire. Ainsi, d'un point de vue discursif, si l'importance accordée à la mise en scène des acteurs (ethnologisants/ethnologisés) répond, avant tout, à la nécessité d'expliciter les fondements intersubjectifs du travail de terrain, elle s'est révélée aussi un moyen efficace d'amener le lecteur directement au cœur de notre problématique en sollicitant sa propre subjectivité.

Pour en terminer avec cette mise au point rhétorique, encore un mot sur la construction « rhapsodique » (étymologiquement, « cousue ») de ce texte qui assemble (selon un principe qui vise à rendre compte du caractère désordonné du monde) les descriptions, commentaires et interprétations de l'ethnographe, les fragments d'une biographie ou encore des citations empruntées à des individus ayant participé, à un titre ou à un autre (informateurs, collaborateurs, témoins, auteurs...), à l'élaboration de ce savoir ethnographique.

Enfin, en choisissant d'accorder une place centrale et déterminante à l'herméneutique (1) dans ma démarche, je ne faisais pas que définir un point de vue, un « epistémé » à partir duquel le langage de l'Autre apparaît comme incommensurable et non traduisible dans mon langage, mais surtout je faisais mon deuil d'une altérité culturelle radicale (la rencontre avec un Autre absolument autre) telle qu'elle a pu être fantasmée par des générations d'anthropologues. Et je dois reconnaître que le champ d'investigation proposé à ma curiosité d'ethnologue débutant a servi admirablement un projet de nature exploratoire voire expérimentale.

Car, en abordant le continent africain par un terrain en milieu urbain (la banlieue de la capitale d'un pays du Sahel), je ne pouvais rêver meilleure introduction à une problématique centrée autour des rapports entre le Même et l'Autre que cet « immense chantier de survivances qui, par son interaction avec la distribution inégale du pouvoir et des ressources au niveau planétaire, donne lieu au développement de situations marginales, qui sont la vérité même du primitif dans notre monde » (Vattimo, 1987 : 164).

Dans ce cas, en appliquant jusqu'à ces limites la méthode dite d'observation-participante, je me suis confronté directement à l'entrelacement complexe de l'altérité et du Même : « l'Autre est le Même » et « Je suis un Autre ». Car cette société sénégalaise, que j'ai eu le privilège d'obser-

---

(1) « L'herméneutique ressemble plus à quelque chose comme "faire la connaissance de quelqu'un" qu'à la poursuite d'une démonstration logiquement construite » Vattimo (1987 : 155).

ver, est en train de sécréter son propre mode d'insertion dans la modernité de type occidental selon des modalités qui sont tout aussi authentiques
que les cultures « traditionnelles » qu'elle englobe. En ce sens, le monde
contemporain, appréhendé à partir de ses manifestations urbaines, se révèle sous les aspects d'un continuum social et culturel modelé par l'occi-
dentalisation sans que celle-ci implique la disparition des autres cultures.
En bref, faire du terrain dans la banlieue de Dakar revenait à étudier en
quelque sorte la marge de ma propre société (comme j'aurais pu le faire
dans les banlieues de Montréal ou de Marseille) et à dialoguer avec l'eth-
nologiquement Autre sous l'unique forme en laquelle il peut se donner à
notre époque, la forme de la survivance, de la marginalité, de l'invention
et du bricolage.

Dans cet ailleurs lointain qu'a constitué Pikine, cette ville jumelle de
Dakar, je me suis penché sur un objet jusqu'à présent rarement étudié en
Afrique par les ethnographes contemporains, à savoir l'usage des psychotropes illicites par une fraction de la jeunesse urbaine. Phénomène
récent, en croissance rapide, le développement d'un marché des drogues
illicites, dans la majorité des sociétés africaines, est un des symptômes de
la crise majeure qu'elles traversent. Une crise qui ne doit pas être réduite,
comme c'est trop souvent le cas, à sa dimension économique, mais qui
mérite d'être appréhendée également en termes de transformations
sociales et de changements culturels. Dans cette optique, l'usage des
drogues conçu comme un « fait social total » procède du besoin de mettre
en relation non seulement les différentes catégories du social telles
qu'elles peuvent s'incarner dans une expérience individuelle mais aussi,
pour reprendre l'expression de Lévi-Strauss (1980 : XXV), d'envisager
cet objet simultanément du dehors (comme une chose) et du dedans
(comme une signification).

Ce faisant, j'ai tenté d'appréhender la complexité foisonnante du réel
en respectant ses diverses dimensions mais sans prétention à en rendre
compte de façon totale. Au contraire, on peut dire que l'expérience du
manque (celui du savoir, de la maîtrise, de la certitude) et son acceptation sont au cœur de l'entreprise ethnographique car « le problème de la
complexité n'est pas celui de la complétude mais celui de l'incomplétude
de la connaissance » (Morin, 1986 : 80).

Ce champ d'investigation qu'il fallait défricher, j'ai choisi de l'aborder
en mettant en œuvre une méthode dont la caractéristique principale a été
un « engagement » intense du chercheur sur son terrain. Un chapitre entier
(le chapitre IV) est ainsi consacré à la description détaillée d'une méthode
qui a fait la part belle à la participation-observante, au risque pour l'ethnographe de se perdre dans le labyrinthe de la solitude. A ce propos, je

laisserai la parole à Gilles Bibeau, mon directeur de thèse, qui m'écrivait en avril 1990 : « C'est sans doute la dialectique du dialogue et de la solitude, de la présence et de l'absence, de la proximité et du retrait, qui décrit le mieux ta vie d'ethnologue à Pikine. Une solitude à entendre dans sa richesse des contraires : d'un côté, l'exclusion, l'anéantissement, de l'autre, le retrait volontaire ; un lieu où l'on se perd et où l'on se trouve ; les risques de la solitude et ceux de la rencontre ; seul dans une société fondamentalement plurielle ; exilé dans un espace où tu n'es que toléré... »

Pour terminer ces remarques liminaires, j'invite le lecteur à s'aventurer sur mes pas dans cette ville dense, touffue parfois jusqu'à l'obscurité, et à tournoyer jusqu'au vertige (« *wëndellu bë miir* » (2), en wolof, selon les paroles d'une chanson à succès de Youssou Ndour) dans cette circulation ininterrompue des êtres. Au lecteur patient, il sera donné de contempler l'image, décomposée en mille reflets, d'une jeune femme dont le récit de vie est au centre de ce travail. Dans le texte, elle s'appelle M. ce qui est une manière de protéger son anonymat et de rappeler à quel point sa situation est marginale.

Avant d'entrer dans le vif du sujet, une dernière précision s'impose. Elle concerne la technique utilisée pour transcrire les termes wolof qui apparaissent dans la suite du texte. A cette fin, j'ai choisi le système des correspondances phonétiques entre l'alphabet officiel du Sénégal et l'alphabet latin tel qu'il a été établi par le Centre de linguistique appliquée de l'université de Dakar (CLAD). En dehors des lettres dont la prononciation est commune avec le français, les lettres suivantes ont une valeur phonétique différente :

a) *Consonnes* :

    c - *caabi* (clé) : approximativement ce qu'on entend en français dans « tien ».

    j - *jabar* (épouse) : approximativement ce qu'on entend en français dans « dieu ».

    ñ - *ñaw* (coudre) : existe en français dans « agneau ».

    x - *xalam* (guitare) : correspond à la « jota » espagnole. S'écrit « kh » dans l'orthographe coloniale.

---

(2) Tous les termes wolof sont transcrits en italique dans le texte selon le système officiel en vigueur au Sénégal (voir ci-dessus). Apparaissent entre guillemets, tous les termes empruntés à une autre langue (français, anglais...) et prononcés d'une manière relativement fidèle à l'original par nos interlocuteurs.

q - *àq* (faute) : ce son n'existe pas en français mais correspond au *qaf* arabe.

w - *woo* (appeler) : correspond au w anglais comme dans
water.

b) *Voyelles* :

a - *lal* (lit) : ce son est plus fermé qu'un « a » français, mais
plus ouvert que « ë ».

à - *làkk* (parler une langue étrangère) c'est le son « a » du
français.

e - *set* (propre) : c'est le son « è » ou « ê » du français
« père », « tête ».

ë - *bët* (œil) : c'est le son « e » du français comme dans
« demain ».

o - *gor* (abattre un arbre) : c'est le « o » ouvert de « pomme ».

ó - *jóg* (se lever) : c'est le « o » fermé de « beau », « chose ».

u - *bukki* (hyène) : c'est le son « ou » du français « trou ».

(c) *Les sons transcrits par une double lettre* :

Les doubles voyelles transcrivent des voyelles longues : *suuf* (sol).
Les doubles consonnes transcrivent des consonnes fortes : *bakkan*
(nez).

Mais rien n'est simple au Sénégal dans le domaine linguistique et il
m'a fallu déroger à ces règles quand il s'est agi de transcrire des noms
propres de personnes ou de lieux. Dans ce cas, j'ai opté pour la transcription phonétique généralement utilisée dans les « médiats » *(sic)* sénégalais et par la plupart des auteurs. C'est ainsi, par exemple, que j'ai choisi
d'écrire « Abdoul » et non « Abdul » et « Pikine » au lieu de « Pikin ».

PREMIÈRE PARTIE

LE LABYRINTHE DE LA SOLITUDE

CHAPITRE PREMIER

ETHNOGRAPHIE I

(Journée du 13 novembre 87)

C'est un vendredi 13 que j'ai rencontré M., au mois de novembre 1987. Une belle journée ensoleillée parcourue de grands mouvements aériens qui gonflaient les boubous des femmes comme voiles au vent. Les alizés avaient recommencé à souffler, dissipant la chaleur moite d'un hivernage qui avait commencé avec retard et s'était prolongé jusqu'à la fin du mois d'octobre. Les pluies avaient été relativement abondantes, *Alxamdulilay* (« Grâce à Dieu »), et les récoltes seraient bonnes. En ville, l'œil se divertissait de tant de verdure. Avant l'arrivée du froid et des vents de sable, on jouissait d'une température agréable et d'un ciel dégagé.

Ce troisième et dernier séjour à Dakar avait mal commencé. Différentes démarches entreprises pour me faire rembourser les dégâts occasionnés à mon véhicule par un automobiliste maladroit n'avaient donné aucun résultat et j'avais abandonné la partie, vaincu par l'inertie bureaucratique. D'autre part, par l'entremise de l'Inspection du Travail, j'étais en train de régler un conflit avec une employée domestique que j'avais été obligé de licencier. A la ville comme sur le terrain, je ressentais de nouveau avec acuité cette souffrance liée à mon statut d'exilé (solitude et impuissance mêlées) et à un profond découragement :

> « Après seulement deux mois de séjour, je suis à bout de forces et surtout incapable de contrôler un violent phénomène de rejet, ce qui m'affecte profondément (...) Cette société est un mur opaque n'offrant pas de prise. Elle est pourvue de mécanismes de défense remarquablement efficaces contre toute intrusion étrangère... » (Journal du 12-11-87).

Après une matinée passée à travailler d'abord à mon domicile puis au bureau, j'avais décidé de me rendre à Pikine pour un « terrain libre », comme je le faisais de temps à autre pour échapper un moment à la lourdeur des enquêtes systématiques. Je mettais à profit cette disponibilité pour entretenir mon réseau, activité qui consistait à rendre visite à des connaissances momentanément négligées et à me tenir informé des derniers événements de leur existence. Cette fois-ci, j'avais l'intention de retrouver la trace de Xadi et de faire, chemin faisant, quelques photos.

Au départ de mon domicile, situé à la lisière orientale de l'agglomération dakaroise, j'ai emprunté machinalement le trajet familier parcouru des centaines de fois depuis mon arrivée : un bout d'autoroute jusqu'au carrefour de la Patte d'Oie où je tourne à droite en direction de la route de Rufisque, filant sur cette longue ligne droite bordée de filaos. La circulation y est dangereuse à cause des « cars rapides » (1) qui, pressés de délivrer leurs cargaisons humaines, foncent au mépris de la sécurité. En résidant à Dakar et travaillant à Pikine, je me déplace habituellement en sens inverse du flot des Pikinois qui, quatre fois par jour, encombre les deux uniques voies routières qui relient Dakar à Pikine et, au-delà, à son arrière-pays.

Puis je vire à gauche pour rentrer dans l'agglomération pikinoise en empruntant la rue Dix. Il s'agit à présent d'éviter les trous qui parsèment la chaussée et de faire attention aux enfants qui jouent sur les bas-côtés : emportés par le jeu, il leur arrive de perdre toute prudence et de se précipiter sous les roues des voitures. Renverser un enfant, c'est une des pires choses qui pourrait m'arriver sans parler du préjudice causé à l'enfant. Une hantise alimentée par les rumeurs qui circulent parmi les Toubabs (2) : foule en colère, lynchage possible, prendre la fuite et se réfugier au premier poste de police.

Je m'arrête à trois reprises pour photographier des mosquées et ma mauvaise humeur augmente lorsque je suis interpelé par un homme qui me demande si j'ai une autorisation pour photographier ces édifices religieux. Déconcerté par une réaction que je n'avais pas prévue, je suis confronté une fois de plus à l'extrême sensibilité de la population pour tout ce qui touche au domaine religieux. Refroidi par cette méfiance, je range mon appareil et continue mon chemin en direction de la route des

---

(1) Véhicules de transport en commun de taille moyenne (une vingtaine de passagers) peints en bleu et jaune.

(2) Toubab est le terme générique employé dans une bonne partie de l'Afrique de l'Ouest pour désigner les Blancs. D'après Mauny (1952 : 66), ce terme pourrait provenir de l'arabe *Thawwab* (marchand d'habits) ou *toubib* (médecin et, par extension, homme savant). Son usage, signalé dès le début du XVIIe siècle par des voyageurs européens, est attesté notamment par Mungo Park lors de son passage en Gambie, à la fin du XVIIIe siècle (Park, 1982 : 42).

Niayes qui marque la limite entre les quartiers « réguliers » de Pikine Premier et la partie « irrégulière » de l'agglomération.

Brève visite à ma logeuse du quartier Médinatoul Mounawar à qui je loue, depuis plusieurs mois, une pièce qui me sert de bureau. Elle vient de donner naissance à un enfant en même temps que sa fille : les deux nourrissons dorment, allongés côte à côte sur le grand lit, dissimulés au regard par des pagnes (ils ne sont pas encore baptisés et, pour cette raison, particulièrement vulnérables). A leur demande, je prends quelques photos. C'est le deuxième enfant hors mariage de la fille. Le père serait ce marabout, ex-locataire, qui occupait la chambre à côté de la mienne et qui a disparu après avoir « enceinté » la jeune femme.

Si j'en avais le temps, je m'intéresserais à ce type d'hommes dont j'ai eu l'occasion, à quelques reprises, de croiser les trajectoires. Célibataires (ils ont probablement laissé femme(s) et enfants au village) venus à la ville pour tenter leur chance, ils affectionnent la discrétion, sont très mobiles, prêts à saisir n'importe quelle occasion, un peu escrocs, un peu guérisseurs, multiplicateurs de billets ou marabouts. J'essaie d'imaginer la ville à travers leurs yeux : sans doute un immense terrain d'expérimentation pour ces habiles manipulateurs de la nature humaine.

Je ne m'attarde pas et repars en direction de l'« essencerie » Icotaf (3). Le « goudron » de la route des Niayes est encombré de camions, gros bus Sotrac, taxis « clandos » et « cars rapides » dont les « apprentis » font, sans ménagement, la chasse aux clients parmi les véhicules en circulation. De nouveau, la plus grande vigilance est de rigueur : malheur à l'automobiliste imprudent qui tomberait dans une de ces profondes crevasses qui entaillent la chaussée.

Arrivé au carrefour de l'« essencerie », je tourne à gauche dans Tali-Nietti-Mbaar et gare ma voiture un peu plus loin. J'inspecte les environs : les jeunes qui vendent d'habitude chanvre indien et « pions » (4) aux alentours du carrefour sont absents. Une « ramasse » (rafle policière) a eu lieu, à moins qu'ils ne fassent la sieste chez eux en attendant une heure plus favorable à leur commerce. D'autant plus que c'est vendredi : les activités reprennent lentement après la prière collective du début d'après-midi.

---

(3) Le terme d'« essencerie » est un de ces néologismes savoureux qui confèrent une originalité certaine au français du Sénégal. Icotaf (le sigle d'une entreprise locale qui fabrique des tissus) est le nom donné à l'une des quatre grandes voies goudronnées (ou *tali*) qui traversent Pikine Ancien.

(4) Les « pions », dans l'argot des usagers de drogues, désignent des comprimés d'hypnotiques ou de tranquillisants utilisés dans le but d'altérer leur état de conscience. Ils sont vendus de manière clandestine dans la ville.

Je continue à pied, avec pour objectif de retrouver Xadi... D'abord passer chez ses parents qui pourront peut-être me renseigner et pour cela, il me faut couper à travers le quartier Djidda Un, cet entrelacs de ruelles sablonneuses bordées de maisons basses toutes identiques derrière les murs qui les cachent... Si je me souviens bien, il faut prendre la petite ruelle, à droite juste après le restaurant, et puis de là marcher jusqu'à un « robinet » (5) situé en face d'un marchand de charbon de bois. Les enfants accompagnent ma progression en criant joyeusement : « Toubab ! Toubab ! » Ils m'agacent. Je fais la sourde oreille. Tiens, en voilà une qui ne se doute pas que je comprends le wolof. Elle est en train de dire à son enfant : « Si tu n'es pas sage, le Toubab t'emportera »... Je hausse les épaules : pas étonnant que, parfois, des enfants se sauvent à ma vue en hurlant de terreur.

Des femmes qui discutent, installées sur des nattes dans la rue, m'interpellent. Elles ont vu mon appareil et veulent être prises en photo. Je m'en débarrasse en leur annonçant mes tarifs : « Deux cents francs (6) pour une photo en noir et blanc ». C'est trop cher ! De toutes façons, elles veulent des photos en couleurs. Quelques mètres plus loin, des femmes m'appellent par mon prénom, de l'intérieur d'une cour : « François ! François ! » C'est Faye, ma colocataire du temps où je résidais à Pikine Ancien, en face du marché Waxinan. Elle est en visite chez sa mère, installée dans la cour au milieu d'un groupe de femmes et d'enfants. J'entre, je salue à la ronde et prends quelques photos en échangeant des nouvelles. Je promets de repasser bientôt et prends le large : « *Dama yakampti ! Bë bennen yoon !* » (« Je suis pressé ! A la prochaine ! »).

Après le croisement du « robinet », j'emprunte un chemin sablonneux qui monte en pente douce vers le cimetière de Thiaroye. Aujourd'hui, je m'oriente sans hésiter mais il m'a fallu des mois de pérégrination épuisante à travers la ville, guidé par Ib (mon assistant), avant d'être capable de retrouver seul mon chemin dans ce labyrinthe où les rues ne portent pas de nom, où le regard cherche en vain des points de repère. A présent, j'ai l'impression que le corps tout entier, assisté par les sens de la vision, de l'odorat et de l'audition, a mémorisé l'espace. Lorsque ma conscience me fait défaut, c'est lui qui prend le relais. Mémoire spatiale littéralement « incorporée », cinesthésique peut-être...

---

(5) Robinets publics (ou bornes-fontaines) qui servent à l'approvisionnement en eau d'une partie de la population de Pikine.

(6) Il s'agit – comme dans la suite du texte – de francs CFA. Avant la dévaluation du 11.01.93, un franc CFA valait 0,02 francs français, soit 100 FCFA pour 2 FF. Pour passer du franc CFA au franc français, multiplier par deux et diviser par 100.

Je me souviens... La première fois que je suis venu dans le coin, c'était il y a un peu plus de deux ans, pendant la saison des pluies, à l'occasion d'une enquête sur les itinéraires thérapeutiques. Ce jour-là, nous avions marché longuement, Ib et moi, sous un soleil de plomb, pour essayer de retrouver une jeune femme et son enfant, vus huit jours auparavant chez une guérisseuse. A partir des indications fournies par la jeune mère, Ib avait retrouvé la maison : une pauvre baraque de planches installée dans un coin de la cour d'une grande bâtisse à étages. Je me souviens... La jeune femme était mandjak (7), catholique et ne comprenait probablement qu'à moitié les explications traduites du français en wolof par Ib. Depuis la consultation chez la guérisseuse, l'état de l'enfant avait empiré : il était fébrile et franchement déshydraté. Nous avions passé un long moment à montrer à la mère comment confectionner une solution de réhydratation avec un peu d'eau, du sel et du sucre et pour finir je l'avais adressée, avec un mot de recommandation, en consultation dans un poste de santé. Plus tard, j'avais appris que, faute de soins (la jeune femme était arrivée au dispensaire après les heures d'ouverture et n'avait pas été reçue), l'enfant était mort...

Tiens, je la reconnais. Voici la maison du beau-père de Xadi avec ce grand portail de fer que je pousse, sans pénétrer dans la cour cimentée. Le *borom kër* (maître de maison) est assis sur une chaise, l'air sévère, environné de femmes et d'enfants. Connaissant la situation conflictuelle qui existe entre Xadi et son beau-père, je n'ose pas entrer plus avant et, du seuil, je salue puis demande des nouvelles de Xadi. « Elle n'est plus ici, me répond-on d'une manière à peine polie, personne ne sait où elle se trouve ».

En énonçant le nom de Xadi, la brebis galeuse de la famille, j'ai l'impression d'avoir transgressé un interdit, vu la tête que me fait son beau-père. Elle a dû « déconner » et se faire virer une fois de plus de la maison familiale. A son propos, me revient à l'esprit la sentence énoncée par Kocc Barma, le légendaire sage wolof qui aurait déclaré : « *Doom u jitle, du doom, ay lë* » (« L'enfant d'un premier lit n'est pas un enfant, c'est un conflit »).

_____

(7) Nom d'une ethnie originaire de Casamance, une région située au sud du Sénégal, limitrophe avec la Guinée-Bissau.

Portrait de Xadi

En mai 1986, elle accepte de participer à un premier entretien après pas mal de manœuvres dilatoires. A l'époque, elle fréquente assidûment le petit groupe de revendeurs de « pions » et de chanvre rassemblés autour d'Ahmet. C'est lui qui l'approvisionne en « pions ». Il lui en vend ou lui en donne parfois, sans que je comprenne très bien leur relation. Parfois, il refuse de lui en fournir davantage de crainte qu'elle ne « déconne » ou « déplane ». Quand elle a pris des « pions » – elle peut « boire » six à huit comprimés par jour – elle est excitée, en verve et n'arrête pas de plaisanter. Elle joue le rôle d'un bouffon, jamais à court de pitreries.

L'entretien, qui a lieu dans sa chambre (au domicile de son beau-père) se révèle peu productif, ce que je mets sur le compte de son état d'ébriété. Avec plusieurs comprimés ingurgités dès le petit-déjeuner, elle parle avec difficulté (c'est la « langue brisée » ou *lamiñ bu damm*, dans le vocabulaire des usagers) et manifeste une grande labilité mentale. Je parviens, non sans mal, à reconstituer son itinéraire. En voici un résumé.

Elle est née à Thiès il y a vingt-cinq ans et son père est mort quand elle en avait douze. Elle aurait été scolarisée (jusqu'en 4ᵉ primaire) mais a dû interrompre ses études après la mort de son père. Elle ne sait ni lire ni écrire et n'a jamais travaillé.

Elle est mère de deux enfants : l'aîné a déjà cinq ans tandis que la cadette (dont le père, employé au port, donne chaque mois l'argent de la « dépense » (8)) tète encore. Sinon, ce sont les « copains » qui lui donnent de l'argent. Les « pions » ?... Elle en prend depuis six ans, à raison de six à sept par jour. La « prexion » des « pions » ? *Neex rekk* (« c'est bon seulement »), mais des fois, elle « déconne » et ça se termine par des bagarres. Elle aime bien fumer du *yamba* (chanvre indien) : ça lui donne de la « science ». Quant à l'alcool, elle en boit rarement, pas comme les cigarettes qu'elle fume à tire-larigot.

Au cours de ce premier entretien (c'est Ib qui faisait l'interprète), elle nous avait menti sur plusieurs points et notamment sur son patronyme, comme je l'ai découvert quelques mois plus tard lors d'une seconde tentative.

---

(8) Au Sénégal, il est d'usage pour le mari de nourrir sa famille en achetant mensuellement la « ration » (riz, huile, sucre, savon, café, etc.) et de donner chaque jour à sa femme la « dépense », c'est-à-dire de quoi acheter les ingrédients pour cuisiner.

En effet, agacé par cet échec initial, j'avais entrepris, par la suite, de la suivre, avec beaucoup de difficultés, dans ses déplacements à travers la ville. Elle ne reste jamais longtemps au même endroit. Soit qu'elle ne paye plus son loyer une fois le premier versement effectué, soit qu'elle « déconne » de trop, le résultat est le même : elle se fait rapidement virer par son propriétaire ou des colocataires excédés par le remue-ménage.

Au mois de janvier 1987, je la croise de nouveau chez Ahmet et la soigne pour une dermatose. Elle a déménagé dans une chambre à proximité du Tali-Nietti-Mbaar et m'apprend qu'elle est enceinte. Sa chambre est un lieu de rassemblement pour des jeunes gens, filles et garçons, qui ont pris l'habitude de s'y réunir pour boire de l'alcool, fumer du chanvre, « boire » des « pions » et discuter à perte de vue autour des « trois normaux » (les trois verres de thé rituels). Jeunes femmes en rupture de famille, « aventuriers », voleurs ou petits dealers entre deux séjours en prison deviennent, sous l'effet de la drogue, des enfants pervers. Ambiance de régression douillette. Autour des filles plus ou moins défoncées se pressent les mâles à l'affût de proies faciles... De temps en temps, Xadi se met en colère et vire tout le monde.

Elle n'a que faire de mes conseils de modération et continue à « boire » des « pions » malgré sa grossesse. Après tout, m'explique-t-elle, elle a déjà eu deux enfants qui sont normaux alors qu'elle n'avait pas arrêté d'en prendre pendant qu'elle les attendait. Elle accepte néanmoins de m'accompagner au dispensaire voisin pour une visite médicale dont les résultats sont satisfaisants.

Sur ces entrefaites, en échange de mon assistance médicale et d'un soutien financier, j'obtiens de Xadi son accord pour une série d'entretiens au cours desquels elle doit me faire le récit de sa vie. C'est ainsi qu'au mois de mai 1987, elle se confie à une collaboratrice et commence par évoquer son conflit avec son propriétaire : « Un matin, alors que j'étais en train de dormir, le petit frère de mon propriétaire frappe à ma porte et m'ordonne de sortir sur le champ. C'était le 1ᵉʳ mai. J'ai demandé un délai pour trouver une chambre mais il n'a rien voulu entendre. Il m'a battue... Je suis entrée dans cette maison depuis trois mois. Au début, il s'était établi des relations d'amitié entre nous et on s'invitait mutuellement à manger. Je partage ma chambre avec mon amie Ndeye. Son mari qui travaille au port a eu des "problèmes" et il a été "déféré" (9). Depuis, elle habite avec moi et je paye le loyer... C'est la deuxième fois qu'il veut me chasser et qu'il me bat. Il est allé chercher un huissier qui m'a convoquée pour le

_____

(9) C'est-à-dire arrêté par la police puis traduit devant l'autorité judiciaire.

premier du mois prochain. Mon beau-père est un "business man", je peux avoir un "certificat médical" si je veux... »

Puis elle revient sur son passé : « Mon père était un *waalo-waalo* (10). Il était venu travailler à Thiès, à la mairie, et c'est dans cette ville que je suis née et que j'ai vécu, ainsi que mes deux sœurs, jusqu'à la mort de mon père dans un accident de voiture... Puis mon beau-père a vendu notre maison. C'est presque un parent... Il a acheté une autre maison et m'a chassée. Il a amené ses propres enfants dans cette maison. C'est pourquoi je quitte des fois cette maison sans crier gare. Cela me fait mal de voir ses enfants à lui dans de grandes chambres bien faites, alors que pour moi, c'est une petite pièce que j'occupe avec trois de mes demi-frères. Il m'a chassée mais ses enfants ne sont pas meilleurs que moi » (Elle se met à pleurer).

Elle n'est pas allée à l'école (contrairement à ce qu'elle avait déclaré lors de notre premier entretien) : « Mes parents ne m'ont pas inscrite. Moi, j'aurais bien voulu. Je le regrette beaucoup... J'ai appris le Coran et l'arabe, mais je ne me souviens que des versets pour prier. Je suis mouride. Je ne prie pas ni ne jeûne... Je priais quand j'étais gosse, mais je ne prie plus. Je crois en Dieu... »

Elle n'a jamais été mariée : « Quand j'étais plus jeune, je ne pensais qu'à "déconner", mais maintenant, je voudrais bien, je suis fatiguée de la vie que je mène, un mari et tout laisser tomber, c'est ça que je veux ».

A mes questions concernant ses moyens de subsistance, Xadi répond succinctement : « Je suis entre les mains de Dieu. Je connais des garçons qui sont comme des frères pour moi. Ils viennent me voir et je vais les voir aussi. Ce sont des amis. Ils connaissent ma situation et ils m'aident ».

Mais Xadi se méfie, résiste à cette entreprise de dévoilement et un deuxième entretien tourne court. Après ce nouvel échec, je finis par abandonner le projet de recueillir son histoire de vie en continuant néanmoins à entretenir une relation épisodique avec elle.

*
* *

Je poursuis ma quête... Pour la retrouver à présent, je n'ai plus d'autre solution que de me rendre jusqu'à cette maison où je l'avais rencontrée, il

---

(10) Originaire de la région du Waalo, au nord-ouest du Sénégal. En fait l'arrière-pays de Saint-Louis.

y a quinze jours. Comment m'orienter dans ce quartier inconnu ?... Faire confiance à l'intuition... Et ça marche ! La vieille femme est toujours là, allongée sur le sable au même endroit, enveloppée d'un pagne, comme si elle n'avait jamais bougé. Elle m'explique que Xadi a quitté la maison à la suite d'une bagarre avec une colocataire. Non, elle ne sait pas où elle a pu aller et ne semble pas mécontente d'être débarrassée de sa remuante voisine.

Cette fois, j'ai épuisé mon savoir et m'en retourne, découragé, quand je suis accosté par une jeune fille qui se présente comme la jeune sœur de Xadi. Elle m'informe que cette dernière est retournée vivre dans cette chambre du Nietti-Mbaar d'où elle avait déménagé récemment à la suite d'un vol. Elle m'explique comment m'y rendre.

Retour à la voiture dans laquelle je remonte lentement le *tali* en direction du marché Nietti-Mbaar. Comme d'habitude, une foule se presse sur le « goudron » et je conduis très lentement, fendant à contre-courant le flot des piétons qui se dirigent vers Pikine Ancien. Lorsque le « goudron » se termine, c'est en empruntant une piste ravinée par un charroi incessant et encombrée par une foule dense que je traverse le marché. Je me gare à l'ombre d'un arbre, face à la borne-fontaine, monument massif sur son piédestal de ciment, où se pressent les jeunes femmes du voisinage et les porteurs d'eau mauritaniens.

A peine sorti de la voiture, je suis abordé par Dani qui, malgré la température ambiante élevée, est emmitouflé dans une veste rembourrée, genre parka, le capuchon relevé sur la tête. Il est malade, m'explique-t-il, une crise de *sibbiru* (fièvre le plus souvent d'origine paludéenne). On lui a fait une injection au dispensaire voisin et, à présent, toute sa jambe droite est insensible, depuis la fesse jusqu'au pied. Je n'ai rien d'autre à lui proposer que des ampoules de Quinimax qui sont rangées dans le coffre de ma voiture. Avant de pouvoir l'atteindre, je suis interpellé par une jeune femme qui me met en demeure de lui acheter des cacahuètes : « Est-ce que je ne lui dois pas quelque chose pour me garer à répétition devant sa maison, à l'ombre de cet arbre que son père a planté ? » Je tente de discuter un moment pour la forme mais finis par m'incliner devant cette légitime revendication territoriale. Quant à Dani, il ne semble pas très enthousiaste à la perspective d'une série supplémentaire d'injections mais accepte mon offre.

Ouf ! Cette fois, je suis libre et trouve sans difficultés la demeure de Xadi, dans cette ruelle qui part en diagonale de la « rue de Paris » (mais qui donc a bien pu baptiser cette rue ainsi et peindre ces lettres sur un mur ?...). Je surgis dans la cour de la maison et m'amuse de l'étonnement des femmes, surprises de voir surgir un Toubab qui, de surcroît, s'adresse à elles en wolof pour s'enquérir de Xadi : « Oui, elle habite bien ici mais pour l'instant, elle est absente, partie au dispensaire "Pédiatrie" pour y faire soigner son enfant ». Je leur laisse un message à son intention : « Qu'elle m'attende ! Je repasserai plus tard. »

En remontant vers la « fontaine », je croise une copine d'Awa (11) qui m'informe que celle-ci vient de déménager. Elle m'explique brièvement où se trouve sa nouvelle demeure. Ce n'est pas difficile à trouver : descendre la rue jusqu'à « la boutique », tourner à droite et puis marcher jusqu'au premier « robinet » où je n'aurai qu'à demander aux femmes... Je marche dans cette direction en ignorant les regards curieux qui s'accrochent à mes pas ou les propos plus ou moins amènes que je saisis au vol : « Vise un peu "Oreilles rouges" (12) !... Ce qu'il est laid !... Hé, Toubab, my friend !... Bonjour Toubab !... »

Je trouve sans problème une grande maison où le bâti occupe presque tout l'espace de la parcelle, de telle sorte que la cour centrale, cimentée, est réduite aux dimensions d'un long couloir de part et d'autre duquel s'ouvrent les portes de nombreuses chambres. Je m'avance. Une voix de femme me hèle de l'obscurité d'une pièce. En entrant, je reconnais une amie d'Awa qui m'informe que celle-ci est absente et met immédiatement à profit l'arrivée inopinée du Toubab pour exiger thé, sucre, cigarettes, sans oublier des pastilles à la menthe. Elle m'agrippe par les pans de la chemise, me harcèle, élève le ton, me poursuit dans la rue, tant et si bien que je finis par céder en partie, peu désireux de voir un attroupement se former et bien décidé à filer au plus vite. Elle m'accompagne jusqu'à la boutique voisine pour contrôler mes emplettes et je finis par m'enfuir en courant lorsqu'elle se met en demeure de me faire les poches. Heureusement, je n'ai presque rien sur moi, seulement de la petite monnaie. Mais si elle avait aperçu un gros billet, j'aurais eu du mal à m'en débarrasser. J'ai l'expérience de ce genre de situation depuis que je fréquente Awa et ses copines : lorsque les *caga* (13) sont aux abois, mieux vaut ne pas tomber entre leurs mains.

Puis brève visite à Ndeye C. dont le mari a disparu sans laisser d'adresse depuis plusieurs mois, abandonnant brusquement sa femme et ses deux enfants... Est-il parti à l'« aventure » comme le répète sa femme ou bien a-t-il été arrêté et mis en prison ?... Leur situation économique

---

(11) Awa est une prostituée pikinoise qui a été mon guide dans le mileu des bars. Son mini-récit de vie est exposé dans un article sur la prostitution en milieu urbain (Werner, 1991).

(12) « Oreilles rouges » (*nop bu xonq* en wolof) est un des sobriquets employés pour désigner les Blancs.

(13) Au sens originel du terme, désigne une femme divorcée ou restée célibataire. En milieu urbain, utilisé surtout dans le sens de prostituée.

est extrêmement précaire et je sais par une voisine que, selon l'expression wolof, « la marmite reste souvent renversée » faute d'avoir quelque chose à cuisiner.

La nuit est presque tombée lorsque je retourne chez Xadi... Je la trouve chez elle en compagnie d'une copine qui gît prostrée sur une des deux « éponges » (matelas en mousse synthétique) posées à même le sol de ciment qui suinte l'eau. La maison est située dans un quartier régulièrement inondé à la saison des pluies, et les murs sont encore imbibés d'eau plusieurs mois après la dernière pluie. Pas de drap, pas de natte, du linge sale en tas dans un coin, et pour tout mobilier, deux petits bancs de bois. Tout dénote la pauvreté extrême et Xadi elle-même est plus maigre que jamais. Elle allume une bougie et me confirme en gros les informations que j'ai pu recueillir dans l'après-midi. Elle prétend avoir laissé tomber les « pions » et revient de chez Mme Seck (une infirmière responsable d'un dispensaire proche) qui s'est occupée de soigner sa petite fille. Cette dernière, allongée sur le dos, gazouille, pleine de vie et rieuse.

Puis Xadi attire mon attention sur sa copine qui souffre, dit-elle, d'une maladie grave appelée *ngaal* en wolof. Elle tient à ce que je l'examine et, pour me permettre de mieux voir, brandit une bougie au-dessus de la jeune femme qui gémit. Couchée sur le ventre, cette dernière soulève son pagne jusqu'à la taille et dévoile une lésion horrible localisée sur une fesse. Dans cette demi-obscurité, j'entrevois, au niveau de la face interne de la fesse droite, une tuméfaction de la taille d'un poing d'enfant, creusée d'une ulcération profonde d'où s'écoule une sanie verdâtre. Je recule, écœuré par l'odeur fétide qui se dégage de cette pourriture.

La jeune femme s'appelle M. Elle serait malade depuis deux ans et, sur les conseils de Xadi, est allée consulter aujourd'hui même chez Mme Seck. Celle-ci lui a remis un « bon » pour aller voir la gynécologue du centre de santé du Roi-Baudouin. Je rédige un petit mot à l'intention de cette dernière et j'invite Xadi à convaincre son amie de se faire soigner sans délai. Afin qu'elles puissent manger, j'offre à Xadi les trois derniers billets de 500 F qui me restent.

CHAPITRE II

PENSER LA VILLE

Dans ce chapitre, je tenterai de mettre à jour les soubassements théoriques du présent travail en évitant, autant que possible, d'en proposer *a posteriori* une reconstruction qui, dans son apparente cohérence, ne serait que le reflet d'un conformisme à des normes académiques. Or, j'ai pu constater qu'il existait un décalage entre ma pratique de la science et le modèle idéal qui m'avait été enseigné, décalage producteur d'une faille qui parcourt en souterrain l'ensemble de ce texte.

La rigueur scientifique consistant, à mon avis, à reconnaître cette faille plutôt que la dissimuler, je me propose à présent de remonter aux sources pour expliciter les présupposés théoriques et les intuitions à l'origine d'un travail sur la marginalité qui repose sur le trépied suivant :
– un projet qui relève de l'anthropologie urbaine ;
– une méthode largement empirique qui tient compte autant de la subjectivité du chercheur que de celle des sujets qu'il prétend étudier ;
– une expérience thérapeutique.

Il sera surtout question de préciser les raisons qui m'ont poussé à entreprendre des recherches relevant en partie de l'anthropologie urbaine. Quant à la méthode, elle fait l'objet d'amples développements au chapitre IV, tandis que les aspects thérapeutiques de cette recherche-action seront abordés lors de l'analyse ultérieure. Mais pour commencer, un bref rappel des conditions dans lesquelles cette recherche a vu le jour s'impose.

Lorsqu'en 1984, j'ai été recruté par l'ORSTOM (1) puis « parachuté » au Sénégal pour y travailler au sein du programme Urbanisation et santé à

(1) L'ORSTOM ou Institut de recherche scientifique pour le développement en coopération est une institution dépendant de l'État français dont les activités intéressent uniquement les pays dits en voie de développement.

Pikine, j'avais une solide formation en anthropologie médicale mais, quoique vivement intéressé par le milieu urbain, me trouvais dépourvu d'expérience en ce domaine. De plus, l'Afrique représentait pour moi une *terra incognita* du point de vue anthropologique. Dans ces conditions, il m'a fallu en quelque sorte « prendre en marche le train » d'un programme de recherches lancé depuis déjà plusieurs années.

Tel qu'il apparaît dans un texte rédigé par ses initiateurs (Salem et Épelboin, 1983), ce programme, intitulé Urbanisation et santé, était caractérisé schématiquement par :

– une problématique élaborée dans une perspective de santé publique qui constituait l'axe de construction de l'objet. Autour d'un paradigme de nature écologique, la maladie était conceptualisée de façon systémique, comme la résultante des interactions entre un écosystème, une population humaine et des agents pathogènes ;

– une approche pluridisciplinaire associant géographie, anthropologie et épidémiologie et visant à une appréhension globale de la ville ;

– un double objectif : d'une part, caractériser cette société urbaine par ses « faits de santé » (volet fondamental) et, d'autre part, identifier les obstacles à la mise en place d'un système de soins de santé primaires (volet appliqué).

Dans un premier temps, avec la volonté de m'inscrire dans cette problématique, j'ai lancé un programme de recherches, intitulé Anthropologie de la maladie en milieu urbain, centré autour de l'étude de l'organisation et du fonctionnement du Health Care System (selon le modèle développé par Kleinman, 1980), défini en bref comme l'ensemble des ressources thérapeutiques disponibles (Stoner, 1986). En mettant l'accent autant sur les ressources du système que sur les besoins de la population, je me suis intéressé aux pratiques et connaissances d'agents sociaux recrutés dans les différents secteurs (traditionnel, populaire, biomédical) du système de santé.

Tandis que je progressais lentement à travers les différentes étapes de ce projet (il allait s'étendre sur trois années), une profonde insatisfaction me poussait à réfléchir sur la manière de dépasser une vision de cette société urbaine construite autour du couple développement/sous-développement, avatar contemporain d'une conception de type évolutionniste. Selon cette optique, cette société urbaine, évaluée à l'aune des pays dits développés, apparaissait comme le résultat imparfait d'un processus d'urbanisation dont le modèle achevé serait à rechercher dans les villes des sociétés industrialisées du Nord (2). Or, les observations pratiquées

---

(2) C'est ainsi que les géographes parlent de « pseudo-urbanisation » (absence d'industrialisation, urbanisation spontanée, manque d'équipements collectifs...) pour désigner le processus en cours dans la plupart des villes du Tiers monde.

lors de cette première phase du travail de terrain m'avaient amené à remettre en question cette vision ethnocentrique et à considérer Pikine comme un vaste « chantier » où d'ingénieux bricoleurs inventaient une urbanité originale.

D'autre part, si j'acceptais de jouer le jeu et de relever le défi qui était lancé (à savoir appréhender la ville de façon globale), il me fallait résoudre un problème, à la fois conceptuel et méthodologique, qui consistait à travailler à l'échelle d'une ville de près de 650 000 habitants au moyen d'outils ethnographiques mieux adaptés à l'étude de petites communautés relativement homogènes.

Enfin, je désirais élargir un champ d'investigation qui me paraissait limité par une définition restrictive des « faits de santé », conçus comme des problèmes de santé publique, c'est-à-dire des phénomènes dotés d'une visibilité épidémiologique.

Pour ces raisons, je me suis lancé dans une série de recherches sur l'usage des psychotropes, licites (alcool) et illicites (chanvre indien, médicaments psychotropes, solvants organiques), en privilégiant une approche « par le bas » visant à élaborer un savoir sur ces pratiques autant à partir d'une observation directe que d'une reconstruction des représentations élaborées par les acteurs.

Disposant d'un appareil théorique réduit, ma démarche sur le terrain fut au départ largement empirique, à l'exemple de mes illustres prédécesseurs de l'École de Chicago :

> « Il découle presque nécessairement de cet intérêt pour les significations vécues par les agents que les recherches de terrain ne peuvent pas être décrites comme des vérifications de propositions précises formulées à l'avance, mais que leur thématique se constitue presque toujours en partie au cours de la collecte des données (...) » (Chapoulie, 1984 : 593).

Même si, au départ, mes idées étaient relativement floues, elles constituaient néanmoins des repères à partir desquels il m'était possible de situer mes recherches par rapport au reste de l'équipe. Ainsi, en travaillant sur ce thème, je me situais à la fois dans une problématique de santé publique (les toxicomanies en tant qu'usage abusif des psychotropes) et hors du champ d'intervention du système de santé, dans la mesure où seulement une infime minorité des usagers avait recours aux instances thérapeutiques locales. Dans ces conditions, je pouvais aborder ce phénomène dans ses aspects sociaux et culturels en me situant à distance du grand partage médical entre normal et pathologique.

D'autre part, dans mon hypothèse, l'usage des drogues constituait un ensemble de savoirs et de pratiques dont l'apparition était liée à certaines conditions propres à un milieu urbain parvenu à maturité (diminution du contrôle social, anonymat, diversification sociale et émergence de sous-cultures différenciées...). Et si, à l'époque, mes connaissances dans le champ des études urbaines étaient limitées, je n'étais pas sans savoir que la marginalité avait constitué un objet d'étude privilégié, notamment à l'université de Chicago, et ce dès les débuts de l'anthropologie urbaine. De plus, l'usage des drogues constitue un phénomène cosmopolite, donc favorable par nature à des études comparatives qui sont au cœur de la démarche anthropologique.

Dans mon esprit, une étude centrée sur la marginalité ne pouvait, à elle seule, permettre d'appréhender la ville dans son ensemble. L'astuce consistait à travailler simultanément sur le système de santé et sur les usagers de drogues, c'est-à-dire en gardant un pied au centre et l'autre à la périphérie, en fonction d'une représentation territorialisée de la Ville conçue comme un noyau central (les pouvoirs) entouré de cercles concentriques plus ou moins distants (les marges). Ainsi, à défaut d'en obtenir une vision globale, je pouvais espérer en acquérir une vision stéréoscopique.

Avec pour objectif principal de mettre en évidence quelques-uns des présupposés théoriques qui ont sous-tendu mon travail, je me propose maintenant de passer en revue un certain nombre de textes relatifs à l'anthropologie urbaine (son histoire, ses concepts, ses méthodes). Parmi ces textes, certains ont servi à baliser mon travail sur le terrain, d'autres, découverts seulement au retour, m'ont permis de dégager *a posteriori* le sens de ma démarche, d'en faire apparaître les lignes de force et les zones de faiblesse.

Anthropologie urbaine en Afrique

Pour différentes raisons (3), l'anthropologie urbaine, relativement peu développée en France (la ville serait plutôt de la compétence du sociologue), n'a que peu intéressé jusqu'à présent les africanistes francophones, malgré le travail pionnier de Balandier dans les années 50 (Balandier,

---

(3) D'après Gutwirth (1982 : 11), urbanisation plus tardive en Afrique francophone, ethnologues privilégiant l'étude des sociétés traditionnelles, influence du structuralisme qui rejette l'étude des sociétés « chaudes », etc.

1955). Par contre, la moisson est plus abondante du côté anglophone si on se rapporte à la bibliographie publiée en 1973 par Gutkind, qui aligne plus de 900 références.

Au commencement, dans les années 40 et 50, cette anthropologie fut le fait des chercheurs du Rhodes Livingstone Institute (Afrique du Sud) qui accompagnèrent les populations rurales sur lesquelles ils travaillaient dans leurs migrations vers les villes industrielles. Ce passage du rural à l'urbain allait avoir pour conséquence une focalisation presque exclusive des recherches sur les processus de changement social engendrés par le contact culturel, et un simple transfert au milieu urbain des méthodes employées dans les zones rurales. De sorte que les recherches initiales s'intéressaient davantage aux représentants des tribus (« tribesmen ») transplantés en ville qu'aux citadins eux-mêmes (Mayer et Mayer, 1971).

Cet intérêt pour le changement social allait conduire les chercheurs à s'affronter sur la question de l'existence ou non d'une « continuité culturelle » dans le cadre de la « folk-urban continuum theory » alors en vogue à l'époque (4). Alors qu'un auteur comme Gluckman affirmait dans une formule célèbre qu'un « citadin africain était d'abord un citadin et qu'un mineur africain était avant tout un mineur », des gens comme Mitchell et Epstein proposaient une conception plus nuancée qui prenait en compte la multiplicité des relations dans lesquelles les acteurs étaient engagés.

Avec du recul, ces savantes arguties apparaissent sujettes à caution et, en tout cas, difficilement généralisables quand on connaît le caractère très particulier de l'urbanisation en Afrique du Sud, dans un contexte colonial qui a modelé ces villes en fonction d'une ségrégation spatiale imposée par la culture blanche dominante :

> « Ce sont des villes plurielles dans lesquelles les conflits raciaux entre Blancs européens et Noirs africains dominent et déterminent pratiquement tous les aspects du comportement. Ce sont des villes qui furent à l'origine établies par des migrants européens blancs dont les descendants aujourd'hui exercent quasiment tout le pouvoir, qu'il soit politique, économique, religieux ou social. Les Africains sont soumis à des règles et des contraintes rigides qui ne s'appliquent pas à la population blanche » (Schwab, 1970 : 192).

---

(4) « De quoi s'agit-il, dans cette théorie ? De définir des types de personnalité et des types d'organisation sociale correspondant à chaque état de la société ; l'homme de la société traditionnelle s'oppose à l'homme de la société urbaine par un ensemble de traits, de comportements, un système de valeurs et de normes, que l'on peut résumer par l'opposition entre deux types idéaux : folk/urban (...) ou rural/urban » (Coing, 1975 : 329).

En résumé, l'anthropologie urbaine telle qu'elle a été pratiquée en Afrique à cette époque peut se définir comme une « anthropologie du processus d'urbanisation » (5), dont les limitations tiennent à son enracinement dans une tradition anthropologique caractérisée schématiquement par une approche synchronique et par des enquêtes microscopiques en profondeur de sociétés dites « primitives ». Il s'agit donc plus, avec son tropisme pour les marges et sa vision culturaliste d'un « urban way of life », d'une anthropologie des migrants dans la ville que d'une anthropologie de la ville et de la société urbaine.

Par rapport à cette tradition, je me situe à la fois en rupture et en continuité. En rupture, lorsque j'affirme d'emblée que mon champ d'investigation est strictement limité à l'agglomération pikinoise et que tout ce qui concerne les rapports avec les zones rurales est hors sujet. En continuité, lorsque je considère *a priori* que la forme de marginalité étudiée est un élément significatif d'une « culture urbaine » cosmopolite. C'est cette question que je me propose maintenant de discuter à partir d'éléments puisés dans la littérature concernant l'histoire de l'anthropologie urbaine et différentes façons de conceptualiser la ville.

Naissance de l'anthropologie urbaine

Le corpus des écrits des chercheurs appartenant à ce qu'il est convenu d'appeler l'École de Chicago (6) constitue une référence incontournable dès que l'on aborde le domaine des sciences sociales ayant trait à l'urbain. De plus, en ce qui me concerne, cet ensemble de recherches a grandement influencé ma façon de concevoir la ville. Sans refaire ici l'historique du département de sociologie (7) de l'université de Chicago dans la première moitié du XXᵉ siècle (Hannerz, 1983 ; Chapoulie, 1984 ; Peneff,

----

(5) Les historiens s'intéressent aussi de très près à cette question, comme en témoigne la publication récente d'un recueil de textes intitulé *Processus d'urbanisation en Afrique* (*cf.* Coquery-Vidrovitch, 1988).

(6) Ce terme est apparu après 1940 : « D'ailleurs rien dans la pratique des chercheurs ou leur conception de la vie scientifique, pas plus que dans l'organisation du département de sociologie, ne justifie le qualificatif d'École. Ils n'avaient jamais reçu une telle étiquette de leur vivant et l'auraient rejetée avec vigueur, refusant de figer sous quelque dogme ou titre ce qui était une entreprise multiforme, très pragmatique, en dehors des standards académiques » (Peneff, 1990 : 36).

(7) Ce n'est qu'en 1928 que le département d'anthropologie acquiert son autonomie au sein de l'université.

1990), je me bornerai à en présenter les aspects les plus pertinents pour ma propre recherche :

– son inscription dans la tradition culturaliste de l'anthropologie nord-américaine avec comme conséquence l'accent mis sur la diversité culturelle et un intérêt particulier pour les marginaux qui en sont, en quelque sorte, les révélateurs ;

– son empirisme méthodologique et l'insistance mise sur l'observation *in situ* des phénomènes étudiés ;

– sa perspective interactionniste qui confère aux acteurs sociaux urbains une liberté de mouvement par rapport à la structure.

Dans un article *princeps* de 1938 (pour la traduction en français, se reporter à Wirth, 1984 : 251-277) intitulé « Urbanism as a Way of Life », Wirth propose une définition minimale de la ville qui vise à sélectionner les éléments du phénomène urbain qui le désignent comme mode de vie distinctif d'un groupe humain : « Dans une perspective sociologique, la ville peut être définie comme un établissement relativement important, dense et permanent d'individus socialement hétérogènes » (Wirth, 1984 : 258).

Dans cet article, Wirth s'attache à mettre en valeur les relations causales entre caractéristiques urbaines et formes culturelles :

– en ce qui concerne la dimension d'une ville, plus elle est grande et plus l'éventail des variations individuelles est large, avec comme corollaire un niveau élevé de différenciation sociale ;

– la densité renforce la différenciation interne, car, paradoxalement, plus on est proche physiquement et plus les contacts sociaux sont distants ;

– enfin, l'hétérogénéité sociale du milieu urbain est à l'origine d'une plus grande mobilité sociale.

Autrement dit, les conditions démographiques propres aux sociétés urbaines accordent aux citadins l'occasion appréciable d'avoir des relations sociales acquises, et pas seulement assignées, avec pour conséquence capitale l'émergence d'un concept nouveau, celui de réseau (« network ») qui s'est révélé un outil d'analyse particulièrement utile dans le domaine des relations sociales à caractère transitoire et personnel (pour une synthèse sur le sujet, *cf.* Hannerz, 1983 : 209-253).

En schématisant à l'excès, on peut dire que cette hétérogénéité du milieu urbain a fait l'objet de formulations théoriques différentes par les premiers représentants de l'École de Chicago et leurs successeurs, selon qu'ils se situaient dans une perspective *holiste* ou dans une perspective *interactionniste*.

Anthropologie *de* la ville

Dans la perspective *holiste*, c'est la ville, dans son ensemble en tant que structure permanente et dynamique, qui constitue l'objet d'étude privilégié d'une anthropologie de la ville. A Chicago, une première tentative dans cette direction fut celle des tenants du courant dit d'« écologie sociale » qui se sont intéressés, en priorité, aux rapports de l'individu à son environnement, à partir d'une conception globale de l'espace urbain conçu comme un ensemble hétérogène pour l'appropriation duquel les individus sont en compétition. De façon générale, ils considèrent que les phénomènes sociaux observables ne résultent pas immédiatement des individus qui composent la société urbaine mais sont les produits de la structure sociale qui les unit.

Mais, en pratique, les difficultés méthodologiques rencontrées, qui tiennent aux dimensions et à la complexité de la ville, sont probablement suffisantes pour expliquer le fait qu'un nombre très limité d'anthropologues se soient risqués à prendre la ville dans sa totalité et, dans ce cas, il s'agissait en général de villes de petite ou moyenne importance (entre 2 500 et 50 000 habitants) comme en témoignent quelques exemples relevés dans la littérature (Whitten, 1965 ; Leeds, 1968 ; Hannerz, 1982 ; Chérubini, 1988).

Mais, le plus souvent, l'objet de l'anthropologie urbaine reste localisé dans un espace restreint (un quartier – Whyte, 1981 ; un « block » – Valentine et Valentine, 1975 ; voire un coin de rue – Liebow, 1967), considéré par l'observateur comme un lieu privilégié d'interactions sociales, celles-ci constituant en dernière analyse le véritable objet de recherche.

Enfin, avant d'aborder la question de l'« interactionnisme » dont l'émergence est intimement liée à l'histoire de l'École de Chicago, je mentionnerai une critique radicale de la notion de culture urbaine à partir d'un point de vue marxiste qui dénonce l'assignation d'un contenu culturel spécifique à une forme écologique. Dans ce cas, la culture urbaine est assimilée à un mode d'organisation sociale liée à l'industrialisation de type capitaliste :

> « Par exemple, la fameuse "segmentation des rôles" (...) est directement déterminée par le statut de "travailleur libre", dont Marx a démontré la nécessité pour assurer une rentabilité maximale de l'utilisation de la force de travail (...) Le fait technologique de l'industrialisation serait ainsi l'élément majeur déterminant l'évolution des formes sociales » (Castells, 1972 : 111-112).

Sans nier les rapports qui peuvent exister entre industrialisation et urbanisation (mais cette dernière, notamment dans certaines régions d'Afrique, a précédé de longue date l'émergence de la première), il semble difficile d'accepter une conception aussi réductrice selon laquelle les différences constatées entre Chicago et les villes du Tiers monde trouveraient uniquement leur origine dans des modes de production différents. En réponse à cette vision, on peut avancer que l'urbanisation n'est pas un processus unique, universel, à concevoir une fois pour toutes selon un point de vue occidentalo-centré.

Ceci dit, à lire les auteurs qui tentent de promouvoir cette anthropologie urbaine holistique, on se rend compte qu'elle est restée largement ignorée, en pratique, par des chercheurs qui ont montré une forte propension à étudier la périphérie (les migrants, les déviants, les marginaux...) plutôt que le centre. Que l'on y voit la conséquence d'une quête romantique pour l'exotique ou le lointain (c'est l'explication avancée par Fox, 1980) ou bien l'inadaptation des méthodes ethnographiques classiques à la taille et à la complexité du milieu urbain (Foster and Kemper, 1980), dans tous les cas, cet accent mis sur les processus d'urbanisation et les quartiers pauvres a constitué une sérieuse limitation à l'étude de la ville dans son ensemble, comme le fait remarquer un auteur américain (Fox, 1980 : 109) qui regrette cet état de choses.

En ce qui me concerne, et malgré mon attirance marquée pour la marge, mon propre travail vise à l'appréhension globale d'une société urbaine, dans la mesure où ce qui m'intéresse ce n'est pas seulement la périphérie en tant que telle, mais aussi ses relations au centre, comme le montrera l'analyse que je propose du cas de M.

Anthropologie *dans* la ville

A l'origine de la perspective *interactionniste*, on retrouve cette caractéristique essentielle du milieu urbain qu'est la diversité, considérée comme le fondement de l'émergence d'un sens de soi (8) qui serait lié, de manière déterminante, à la prise de conscience de l'existence de modes de

---

(8) « L'idée que se fait un individu de son identité et de sa nature, même si elle n'est pas entièrement déterminée par ses contacts avec les autres, naît dans des interactions et se développe à travers elles » (Hannerz, 1983 : 278).

vie alternatifs. Cette conception allait donner naissance à un courant théorique appelé « interactionnisme » ou « interactionnisme symbolique »
(dont Goffman fut un des plus illustres représentants) qui a fini par désigner l'étude des interactions en face à face entre individus.

De plus, du fait de certaines propriétés spécifiques de la culture urbaine (diminution du contrôle social, anonymat, mobilité sociale), les acteurs
sociaux ne sont pas considérés comme entièrement déterminés par la
structure sociale (elle-même caractérisée par une certaine fluidité) et accè-
dent à une relative autonomie en mettant à profit les zones de désorganisation du système (9). C'est ainsi que, très tôt dans l'évolution de l'École
de Chicago, les marginaux et les déviants ont été considérés comme des
indicateurs exemplaires des processus d'individualisation favorisés par la
vie en milieu urbain :

> « Dans la liberté propre à la ville, tout individu, quelle que soit son excen-
> tricité, trouve quelque part un milieu où s'épanouir et où exprimer d'une cer-
> taine façon la singularité de sa nature. Sans aucun doute, l'un des attraits
> d'une ville est que chaque type d'individu – le criminel, le mendiant, aussi
> bien que l'homme de génie – peut trouver quelque part la compagnie qui lui
> convient (...) » (Park, R.E. 1979 : 179).

Dans ce texte du père fondateur de l'École de Chicago, on voit que
les caractéristiques du milieu urbain sont ramassées dans un certain
nombre de types, dont ses élèves s'attacheront à mettre en évidence (au
moyen, notamment, de la méthode biographique) à la fois ce qu'ils peuvent avoir de singulier et ce qu'ils condensent des traits de la culture
urbaine : l'étranger (Simmel, 1979 : 53-59), le vagabond (Anderson,
1993), la taxi-girl (Cressey, 1932), l'usager de drogues (Clark, 1972), le
marginal (Becker, 1958), etc.

Si cet intérêt pour « l'excentricité » est à mettre en relation avec le
passé journalistique de Park qui avait tendance à considérer la sociologie
comme une forme supérieure de journalisme, des considérations méthodologiques ont probablement joué un rôle primordial dans l'attrait exercé
par les pauvres, les délinquants, les enclaves ethniques, les bidonvilles,
etc., sur plusieurs générations d'anthropologues, avec, pour conséquence, le risque de négliger les forces extérieures qui s'exercent sur ces

---

(9) La notion de « processus de désorganisation sociale » défini comme « la perte d'influence des
règles de comportement socialement établies sur les individus appartenant à un groupe donné... »
(Thomas cité par Hannerz, 1980 : 40) allait être reprise par ses successeurs dans une optique réfor-
miste et normative : « Du coup (...) alors qu'ils décrivaient la diversité, ils la définissaient comme
désorganisation » (Hannerz, 1980 : 81).

groupes isolés et d'aboutir, comme ce fut le cas de Lewis (1966), à la description d'une « culture de la pauvreté » qui existerait de façon autonome par rapport au contexte économique et politique.

Depuis plusieurs années, dans la lignée de ces études, regroupées sous l'étiquette « Street ethnography » (Weppner, 1977), de nombreux chercheurs ont pris pour cibles des populations (en général urbanisées), sélectionnées en fonction d'un critère comportemental : l'usage et/ou l'abus de drogues licites ou illicites (10). L'apport le plus important de ces travaux me semble être la remise en cause des stéréotypes attachés aux usagers de drogues (des ratés sociaux, des épaves psychologiques) qui apparaissent, au contraire, comme des participants actifs, dynamiques et intelligents de ces milieux de la rue (Agar, 1977 : 145).

Cette remise en question est fondée sur un mode d'appréhension du réel qui s'attache à découvrir, notamment par l'observation-participante, les catégories signifiantes de ceux ou celles que le chercheur s'efforce de comprendre lors du travail de terrain :

> « Plutôt que d'appliquer de façon systématique un cadre conceptuel déductif, le chercheur se propose d'abord d'*apprendre* les catégories du groupe qu'il étudie. Plutôt que d'entrer en communication avec les membres du groupe au moyen d'une liste de variables et d'hypothèses quant à leurs relations, il commence par *apprendre* ce que le groupe lui-même définit comme des "variables" et les "relations" qui existent entre elles » (Agar, 1977 : 147).

Enfin, je ne voudrais pas en finir avec ces considérations théoriques sans attirer l'attention sur les relations entre la tradition interactionniste et la tradition phénoménologique, telles qu'elles apparaissent dans la conclusion du remarquable travail de synthèse de Chapoulie :

> « En ce qui concerne la démarche, une partie de ces études mettent l'accent sur l'analyse du rapport de l'observateur à son sujet, abandonnant ce qui est alors qualifié de conception "absolutiste" des descriptions, c'est-à-dire l'idée que celles-ci sont indépendantes du point de vue du chercheur (...) d'où l'intérêt porté à l'analyse des modèles implicites autour desquels s'organisent les comptes rendus, ou celle de leurs modes de rédaction » (Chapoulie, 1984 : 603).

---

(10) Les autres critères de sélection les plus couramment utilisés par les anthropologues urbains sont : la proximité dans l'espace, l'appartenance à un même groupe ethnique, le partage de croyances religieuses ou politiques, l'activité professionnelle, etc. (*cf.* Eames and Goode, 1977 : 257-278).

Heureuse surprise de découvrir au détour d'une page que, à l'instar de M. Jourdain, je faisais de la phénoménologie sans le savoir lorsque, à partir de ma pratique de terrain, j'en suis arrivé à ne pouvoir envisager l'élaboration d'un savoir sur cette société « autre » sans prendre en compte les contraintes et les aléas de relations entre sujets.

En résumé, je rappellerai les principaux éléments du cadre théorique dans lequel s'inscrit le présent travail :

– une conception du travail de terrain qui attribue à celui-ci une visée essentiellement descriptive : il s'agit pour le chercheur de décrire la culture étudiée selon le point de vue propre à cette dernière, en prenant en compte l'expérience subjective immédiate de l'observateur ;

– un éclectisme méthodologique qui associe des méthodes empruntées à l'ethnologie classique (observation-participante) ou à la sociologie (enquêtes par questionnaires) dans le cadre d'une démarche résolument empirique ;

– une stratégie qui consiste à travailler du bas vers le haut, c'est-à-dire à partir de l'étude d'un cas analysé en profondeur, de mettre en évidence non seulement des « modèles » comportementaux, mais aussi la nature des relations (centripètes ou centrifuges) qu'entretient cet individu avec la structure sociale, économique et politique de la société englobante ;

– enfin, la prise en compte des résultats produits par les autres disciplines concernées par l'urbain (géographie, démographie, histoire, sociologie, etc.) dans la mesure où, à Pikine, je suis intervenu, en tant qu'anthropologue, en aval d'un processus pluridisciplinaire d'investigation (11).

---

(11) Cette approche pluridisciplinaire d'une ville est bien illustrée par un travail collectif sur Abidjan publié récemment (Haeringer, 1983) dont l'objectif est d'esquisser un tableau de la vie quotidienne des Abidjanais.

Chapitre III

PIKINE

« La ville est césure, rupture, destin du monde. Quand elle surgit, porteuse de l'écriture, elle ouvre les portes de ce que nous appelons l'*histoire* (...). Il en est ainsi depuis les cités, les *poleis* de la Grèce classique, depuis les *médinas* des conquêtes musulmanes jusqu'à nos jours. Tous les grands moments de la croissance s'expriment par une croissance urbaine (....). Toutes les villes du monde, à commencer par celles d'Occident, ont leurs faubourgs. Il n'y a pas d'arbre vigoureux sans rejets à son pied, pas de ville sans faubourgs. Ce sont les manifestations de sa vigueur, même s'il s'agit de misérables banlieues, de "bidonvilles"... »

Ainsi s'exprime F. Braudel (cité *in* Deblé et Hugon, 1982 : 18-19) dont j'ai tenu à placer les propos en exergue pour faire contrepoids au pessimisme qui affecte la plupart de ceux qui se penchent (en général, de haut) sur ce qu'il est convenu d'appeler le phénomène d'urbanisation accéléré du Tiers monde. En effet, si l'on en croit de récentes projections démographiques, sur les 6 milliards d'êtres humains qui peupleront la planète en l'an 2000, plus de la moitié (de 50 à 60 %) résideront dans les villes, et plus spécialement les villes du Tiers monde. Il s'agit donc d'un phénomène sans précédent dans l'histoire de l'humanité, à la fois par son ampleur et sa rapidité. Et l'Afrique est en train de combler rapidement son retard en ce domaine, puisqu'on y comptera probablement 250 millions de citadins en l'an 2000 contre 60 millions en 1975 (1).

---

(1) « L'Afrique noire, au taux de croissance démographique élevé, est la région du monde où le taux d'urbanisation croît actuellement le plus rapidement, passant de 12 à 30 % entre 1950 et 1980 (...) Cette croissance urbaine résulte en grande partie d'une accélération des flux migratoires à partir des années soixante » (Antoine et Savané, 1990).

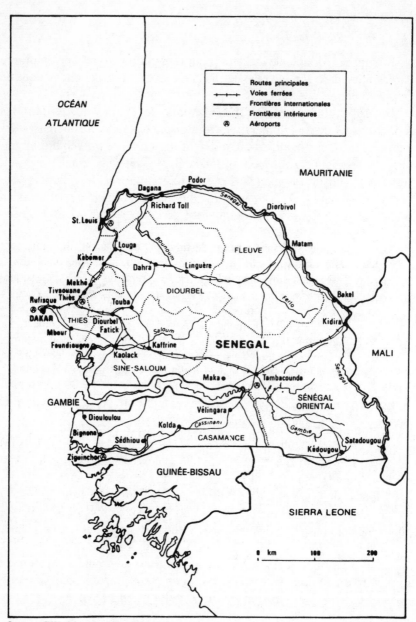

Source : *EIU Country profile,* 1991-1992

Carte du Sénégal

Le chantier

Pikine, ce « double de Dakar » (pour reprendre l'expression employée par Vernière dans son ouvrage de 1977) est un exemple paradigmatique de ce phénomène.

En 1952, les premiers lotissements de Pikine accueillent les « déguerpis » de l'agglomération dakaroise, ces prolétaires expulsés des quartiers centraux taudifiés où, à défaut de réussir leur aventure migratoire, ils s'étaient durablement installés. Par la suite, la capitale va expulser chaque année l'essentiel de son croît migratoire vers les quartiers périphériques (Grand Dakar) et l'agglomération pikinoise qui a pour fonction d'absorber le trop-plein démographique de la métropole, victime de son succès.

Dakar, fondée en 1857 par les Français à l'extrémité du Cap-Vert (*cf.* Seck, 1970, pour un aperçu historique) a connu une croissance démographique accélérée (2) (sa population passe de 40 000 en 1926 à 514 000 en 1970), qui est principalement d'ordre migratoire avec une nette accélération dans la période postérieure à l'indépendance du pays (1960). En effet, la région du Cap-Vert (qui comprend les départements de Dakar, Pikine et Rufisque) est le point d'arrivée de migrants en provenance de toutes les régions du Sénégal et aussi des pays limitrophes (Mauritanie, Mali, Guinée surtout). Elle rassemble actuellement 1 310 000 personnes (recensement de 1988) soit environ le cinquième de la population du Sénégal évaluée en 1988 à 7 millions de personnes (3).

Cette macrocéphalie (illustrée par le graphique p. 47) est une des caractéristiques de la « matrice coloniale » (selon l'expression de Ela, 1983) au même titre qu'une politique d'aménagement fondée sur une ségrégation spatiale des citadins qui aboutit à leur répartition entre un centre, réservé aux nantis (et à ceux qui disposent de revenus réguliers et suffisants), et une périphérie où sont rejetés tous les autres (les salariés de bas niveau, les travailleurs journaliers et demi-chômeurs, les immigrants récents...).

---

(2) Entre 1921 et 1951, le taux moyen d'accroissement annuel est de 5,8 % ; entre 1951 et 1961, il est de 8 % (Antoine et Savané, 1990 : 12).

(3) Selon les chiffres du dernier recensement (1988), la croissance de la population sénégalaise est de 2,7 % par an. A ce rythme, la population du Sénégal sera comprise entre 10 et 12 millions en l'an 2000. Ce qui ferait entre 2 et 2,5 millions d'habitants dans la région du Cap-Vert si la croissance urbaine devait se maintenir à son rythme actuel. Il faut savoir que le taux d'urbanisation au Sénégal était de 42 % en 1988.

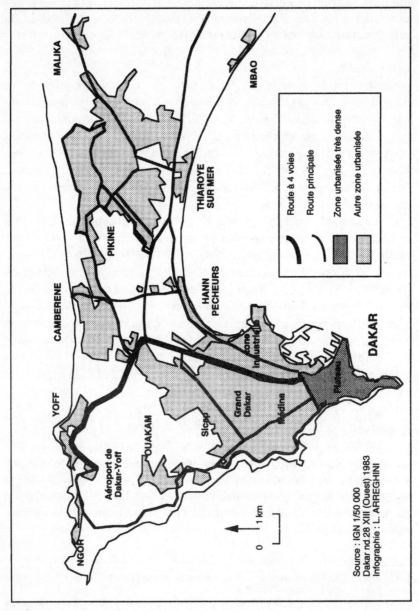

Situation de Pikine dans la presqu'île du Cap-Vert

C'est dans ce contexte que les planificateurs, confrontés à la surpopulation des quartiers centraux, ont entrepris de déplacer les résidents des bidonvilles à plus de dix kilomètres du centre-ville, vers le nord-est, la seule direction où il restait de l'espace disponible.

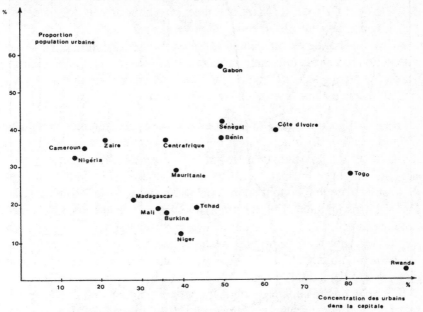

Urbanisation et concentration urbaine en Afrique
(Source : Antoine et Savané, 1990)

A Pikine, entre 1952 et 1964, les implantations nouvelles obéissent à certaines lois d'urbanisme, mais à partir de 1964 le rythme des « déguerpissements » s'accélère avec, pour conséquence, la création de nouveaux lotissements qui sont plutôt des campements d'urgence et, surtout, l'apparition de quartiers dits « irréguliers » qui témoigne d'une urbanisation spontanée. Celle-ci, commencée dès 1958, a connu une extension spectaculaire à partir de 1964 (date à laquelle a été votée la loi sur le Domaine national) (4) avec l'achat illégal de terres aux propriétaires coutumiers du sol, les Lébou.

A l'heure actuelle, Pikine est composée de la juxtaposition de deux villes, une ville « irrégulière » et une ville « régulière », à peu près équi-

---

(4) D'après Vernière (1977 : 55), cette loi avait pour objectif de faire l'inventaire des terres de l'État et de celles des propriétaires privés afin de les enregistrer. De nombreux propriétaires lébous, sevoyant ainsi dépossédés de ce qui leur appartenait selon le droit coutumier, ont entrepris de vendre leurs terres.

valentes en termes de superficie (respectivement 13 km² et 12 km² en 1986) et de population. On compterait 625 000 personnes à Pikine selon le recensement de 1988, et cette population s'accroît rapidement (à raison d'environ 7 % par an), à la fois par un taux d'accroissement naturel élevé (5) et un flux migratoire permanent avec, pour conséquence, une densification au centre et une extension vers la périphérie.

C'est un chantier permanent, une course contre la montre pour ne pas être submergé par cette marée montante d'enfants et de nouveaux arrivants. Ce qui nous amène à poser que l'un des traits constitutifs de l'urbanité pikinoise est une *densité* élevée de peuplement.

Mais l'opposition, décrite précédemment, entre différentes modalités d'appropriation du foncier n'est qu'un des aspects de l'*hétérogénéité* remarquable qui constitue un autre attribut essentiel de cette société urbaine. Une simple promenade à travers la ville donne à lire cette hétérogénéité au niveau du bâti dont la diversité saute aux yeux les moins avertis. Parfois, dans un même îlot, il est possible d'observer les différents types d'habitation côte à côte : maisons à étages, maison en dur avec un toit en « terrasse » (une dalle de béton) ou bien un toit en « ardoise » (de l'éverite), baraques en bois. Mais Pikine n'est pas un bidonville : ce sont à plus de 80 % des habitations en dur.

L'hétérogénéité apparaît encore au premier plan lorsque l'on considère les équipements publics et, en particulier, les modalités d'approvisionnement en eau. En 1980, 60 % des ménages sont approvisionnés par une borne-fontaine, c'est-à-dire par une prise d'eau publique munie de un à trois robinets. D'autre part, dans l'agglomération pikinoise, les branchements individuels au réseau d'adduction d'eau sont très inégalement répartis et, ce qui est une observation en apparence paradoxale, certains quartiers irréguliers sont mieux lotis que des quartiers réguliers. Ce fait est à mettre en rapport avec l'organisation politique de la ville et les liens qui se nouent entre l'État et les populations par l'intermédiaire des chefs de quartier (Salem, 1992).

A cette lecture géographique et politique de l'espace urbanisé, on peut superposer une lecture démographique en termes de niveaux de mortalité infanto-juvénile. Car, si cette mortalité est plus faible en milieu urbain qu'en milieu rural (6), il n'en reste pas moins qu'il existe des disparités

---

(5) Il est proche de 4 % d'après les chiffres du dernier recensement (1988) qui confirme l'existence d'un taux de natalité plus élevé en milieu urbain qu'en milieu rural.

(6) (1978) Pour l'ensemble du Sénégal :

– mortalité infantile = 108 ‰ ;

importantes, que ce soit au niveau de la mortalité infantile (davantage liée au développement des équipements médicaux) ou de la mortalité juvénile (en rapport principalement au mode d'alimentation en eau et au niveau d'instruction des mères).

En bref, la société pikinoise apparaît fortement *hiérarchisée* et les inégalités sociales sont distribuées en « mosaïque » dans l'espace.

De plus, cette société est un assemblage de différences culturelles : toutes les ethnies du Sénégal (7) y sont représentées avec, sauf cas particulier, une répartition dispersée dans l'espace. C'est ainsi que l'on n'observe pas de ségrégation en fonction de l'appartenance ethnique, même si des clivages peuvent apparaître lors de conflits de nature politique (élections des délégués de quartier par exemple).

De façon générale, dans cette société urbaine, un processus d'*homogénéisation* est en cours sous l'action de divers facteurs. Au premier plan, le facteur religieux avec une population islamisée à 95 %. Ensuite la prédominance du wolof comme langue véhiculaire parmi la population urbaine : si les enfants élevés en ville comprennent encore la langue de leurs parents non wolophones, bien souvent ils ne sont plus capables de la parler.

A propos de Pikine, un terme revient fréquemment sous la plume des géographes, celui de « pseudo-urbanisation », employé pour désigner une urbanisation non couplée au développement d'un marché du travail, en référence à ce qui s'est passé, au XIXe siècle, dans les sociétés industrielles où l'urbanisation fut concomitante du processus d'industrialisation. En effet, si l'on considère le marché de l'emploi, Pikine est dans une situation de dépendance vis-à-vis de Dakar : la majorité des actifs occupant un emploi salarié se déplacent tous les jours à Dakar pour y travailler (8).

A ce sujet, les chiffres d'une enquête (effectuée, en 1988-1989, par une équipe de l'ORSTOM) concernant la répartition de la population acti-

---

– mortalité juvénile = 149 ‰ ;
Région du Cap-Vert :
– mortalité infantile = 58,2 ‰ ;
– mortalité juvénile = 57,2 ‰.

(7) Selon Pélissier (1984 : 20-21), le Sénégal compte une vingtaine d'ethnies principales : les Wolof (40 %), les Halpulaaren (Peul et Toucouleur, 25 %), les Sérèr (18 %), les Diola (7 %). Les Baïnouk, les Balante, les Mandjak et Mancagne (3 % au total) sont proches des Diola. Les Bassari, Koniagui, Badiaranké et Bedik (environ 10 000 individus chacun) sont fixés dans le Sénégal oriental. Il faut ajouter les Soninké dans la région de Bakel et les Mandingues en Casamance.

(8) Selon une enquête effectuée par Vernière en 1971, la proportion des salariés travaillant à Dakar est de 70 %. Rien n'indique que la situation ait changé depuis ce temps-là.

ve (masculine) font apparaître clairement les disparités entre Dakar et
Pikine au niveau de l'emploi :

	DAKAR	PIKINE
Salariés	48,4 %	32,7 %
Secteur informel	32,8 %	42,4 %
Aide-familiale - Apprentis	16,9 %	24 %
Pas de réponse	1,9 %	0,9 %

En pratique, il faut savoir que les jeunes situés dans la catégorie des
apprentis représentent une main-d'œuvre quasiment gratuite et que,
d'autre part, il est extrêmement difficile de calculer un taux de chômage
dans la mesure où une partie de la population active oscille en permanence entre le statut de chômeur et celui de travailleur du secteur dit informel.
Cette crise économique déjà ancienne (9) s'est aggravée ces dernières
années avec les premiers effets de la purge libérale (Plan d'ajustement
structurel) (10) imposée par le FMI (Diouf, 1992) et l'importance de la
croissance démographique :

> « La région concentre 67 % de la production industrielle et
> 73 % de la valeur ajoutée nationale. Malgré cette concentration de richesses,
> le taux de chômage est le plus élevé du Sénégal, environ 22 % de la popu-
> lation active » (Antoine et Savané, 1990 : 13).

Au total, cette description rapide de Pikine donne une idée des difficultés d'un travail de terrain sur un tel « chantier », véritable casse-tête
méthodologique pour le chercheur confronté au désordre, au mouvement
et à la complexité d'un ensemble soumis à de profondes et rapides transformations.

---

(9) Dans son étude monumentale, Régine Nguyen-Van-Chi-Bonnardel (1978) admet, bien avant
les années 80, que le pouvoir d'achat, loin d'augmenter, est en baisse constante.

(10) « L'ajustement structurel est une thérapeutique financière et macro-économique qui comporte des mesures visant à "stabiliser la demande", à réduire les dépenses des États, des entreprises et
des ménages et à relancer l'appareil productif par le démantèlement de nombre d'instruments étatiques de régulation du marché et par l'ouverture internationale (...) A l'heure actuelle, personne ne
peut démontrer objectivement l'efficacité de telles mesures par rapport à leurs objectifs affirmés. »
(Courade, 1991 : 33).

Comment, en effet, rendre compte d'une société caractérisée par sa taille (plus de 600 000 habitants), sa croissance explosive (les premiers lotissements datent du début des années 50) et son hétérogénéité sociale et culturelle ?

Ainsi, par exemple, à la hiérarchie traditionnelle entre hommes libres et « castés » qui existent dans les sociétés wolof (Silla, 1966) et toucouleur se superposent des clivages fondés sur des inégalités économiques. Par ailleurs, du point de vue culturel, on observe la cohabitation de différents groupes ethniques en même temps que l'émergence – favorisée par le processus d'urbanisation – de sous-cultures marginales.

En fin de compte, il s'agit d'une société « chaude », voire en « ébullition » quand on la considère dans le contexte de la crise généralisée et profonde que traverse actuellement l'ensemble ouest-africain.

La métaphore du tas de sable

Pendant mes études universitaires, je m'étais souvent étonné du peu d'intérêt manifesté par mes condisciples ou mes professeurs pour l'étude des sociétés urbaines, et je m'étais demandé naïvement comment il était possible de s'intéresser au sort de communautés regroupant quelques centaines ou milliers d'individus en ignorant les centaines de millions de personnes qui s'entassent actuellement dans les métropoles du Tiers monde ? Confronté aux difficultés de la tâche sur un tel terrain, j'allais vite comprendre les réticences de mes collègues.

Tout d'abord, il m'a fallu envisager de façon différente une démarche à prétention « holistique » et, en ce qui me concerne, cette ambition globalisante devait prendre la forme d'un questionnement, le plus souvent à tâtons et dans la confusion, sur une manière adéquate de « penser » cette ville. Les outils conceptuels appropriés me faisaient cruellement défaut. Ainsi, la notion de « structure », si elle permettait de rendre compte, par exemple, de l'aspect hiérarchisé de cette société urbaine, échouait à me permettre de comprendre l'intense agitation qui s'offrait à mon observation.

Quelle que soit l'origine de cette faiblesse conceptuelle, elle allait me conduire à privilégier une démarche empirique qui me paraissait seule à même de rendre compte du désordre, de la désorganisation, du mouvement et de la turbulence, c'est-à-dire de tout ce qui m'a fasciné lorsque j'ai commencé à partager la vie quotidienne de cette population (*cf.* les pages consacrées à la participation-observante dans le chapitre suivant). Au total :

> « C'est une description du monde différente qu'il convient à présent de produire, dans laquelle la considération du mouvement et de ses fluctuations l'emporte sur celle des structures, des organisations, des permanences. La clé en est une autre dynamique, qualifiée de non linéaire, qui ouvre l'accès à la logique des phénomènes apparemment les moins ordonnés » (Balandier, 1988 : 10).

Finalement, la métaphore qui devait me permettre d'appréhender à la fois la rigidité de la structure sociale et la mobilité des acteurs sociaux m'a été fournie, de manière fortuite, par la lecture d'un article intitulé « La dynamique du tas de sable » :

> « Curieux objets que les grains (de sable). Suivant que nous les considérons individuellement ou collectivement, leur comportement s'apparente à celui d'un solide ou d'un liquide » (Evesque et Rajchenbach, 1988 : 1528).

Or, dès mes premiers pas sur le terrain, j'avais été intrigué par la nature sableuse du sol sur lequel est fondée la ville de Pikine (11) et je n'avais cessé de m'interroger sur les rapports qui pouvaient exister entre ce matériau aux caractéristiques ambivalentes et certaines particularités de la société pikinoise.

En premier lieu, si l'on en croit les physiciens, le sable n'est pas un *solide* comme les autres :

> « ... s'il est vrai que les systèmes granulaires résistent, à première vue comme les solides, à la compression, ils ne résistent pas à l'étirement. D'autre part, les grains exercent entre eux des forces de friction » (Evesque et Rajchenbach, 1988 : 1528).

De fait, la résistance à la compression est toute relative dès que l'on entreprend de marcher ou de rouler sur le sable. Je l'ai appris à mes

---

(11) Pikine est bâtie sur un ensemble dunaire hétérogène qui associe différentes formations géologiques (pour une description plus fouillée, *cf.* Porquet, 1984).

dépens lors de mes premiers déplacements sur le terrain et, après avoir ensablé mon véhicule à plusieurs reprises, je me suis contenté d'utiliser pour mes déplacements automobiles exclusivement les rares portions goudronnées de la voirie.

Cette particularité de la voirie confère à Pikine un aspect distinct de Dakar dans la mesure où la circulation automobile y est réduite, surtout pendant la saison sèche. Car la consistance du sable est variable : elle peut être d'une grande dureté lorsqu'il est mouillé et comprimé (pendant la saison des pluies, par exemple) ou au contraire devenir très molle sous l'effet de la chaleur (en raison de sa dilatation). En conséquence, pour circuler en voiture sur le sable, il faut rouler vite (ce qui est dangereux à cause des piétons) et, de préférence, sur la partie médiane de la voie, à l'endroit où les ménagères jettent leurs eaux usées.

Cette résistance physique opposée par l'espace urbain pikinois à l'avancée de l'automobile, ce fleuron de la civilisation industrielle, a plusieurs effets :

– les Pikinois sont appelés à se déplacer surtout à pied, ce sont de grands marcheurs ;

– l'espace public fait l'objet d'une appropriation, par les riverains, plus importante qu'à Dakar par exemple ;

– et, dans cette ville de grande taille, une ambiance villageoise est préservée.

Marcher sur du sable mou n'est pas de tout repos : on ne marche pas de la même façon que sur du goudron, par exemple, car le sable offre une résistance limitée à la pression du pied. Le sol se dérobe, l'effort est contrarié et le marcheur s'épuise rapidement. J'ai appris ainsi à augmenter la surface d'appui en adoptant une sorte de pas glissé qui consiste à répartir le poids du corps sur l'ensemble de la semelle maintenue, autant que possible, dans une position parallèle au sol.

La chaussure la mieux adaptée est une sandale de fabrication locale (12) confectionnée d'une semelle de caoutchouc mousse et d'une lanière en Y insérée entre le gros orteil et son voisin. Bon marché (une paire = 500 FCFA), elle est à la portée de toutes les bourses. Les gens marchent beaucoup, parfois des kilomètres, pour aller au marché, au dispensaire, au travail ou rendre visite à des parents. Des chômeurs, des gens démunis au point de ne pouvoir payer les 80 F du *paas* (billet) marchent même jusqu'à Dakar, ce qui représente une randonnée de plusieurs heures.

---

(12) Ce n'est plus vrai aujourd'hui : les usines Bata implantées à Rufisque ont fermé leurs portes en 1988. Ces sandales sont désormais importées de pays asiatiques ou d'autres pays africains.

Débarrassée des voitures, la rue devient un espace de circulation pour les piétons, une aire d'activités et de loisirs pour les adultes, un terrain de jeux pour les enfants qui décident parfois de barrer la rue d'une ficelle tendue en travers et exigent des passants, volontiers complices, un droit de passage.

Essayons de voir Pikine avec les yeux d'un enfant et d'imaginer un gigantesque tas de sable (par rapport aux taupinières des jardins d'enfants européens) sur lequel les enfants vont commencer par ramper, puis se mouvoir à quatre pattes, enfin marcher, courir, sauter. Le sable est doux, tiède (une fois chauffé par les rayons du soleil), souple (on peut tomber sans se faire mal). Le sable est jouissance, volupté et le plaisir peut aller jusqu'à le manger : « *dafa lekk suuf* » (il mange du sable) est une accusation très souvent portée par les mères envers leur progéniture malgré la surveillance qu'elles exercent.

Non seulement le sable de la cour, mais aussi celui de la portion de rue qui jouxte l'entrée, est soigneusement balayé et débarrassé de ses saletés par un tamisage quotidien. Ceux qui en ont les moyens recouvrent ce sable d'une couche de ciment, matériau peu propice au développement de la sensualité enfantine mais beaucoup plus prestigieux. Parfois, le ratissage soigneux du sable de la cour (celle de la maison, de la mosquée) vise un but esthétique à la manière des temples japonais, le désordre en plus :

> « Sur le sable clair sont dessinées de grandes vagues concentriques, de plus en plus grandes, dont le centre de départ est la maison. Ça irradie depuis le palier. Tout comme de l'eau tranquille dans laquelle on aurait jeté un caillou... » (Ndiaye, 1984 : 64-65).

Quant aux adultes, ils se répandent en dehors de l'enceinte de leurs demeures et brouillent les limites entre espace public et espace privé. Les femmes font la lessive dans la rue ou bien encore y installent leurs « tabliers », ces petits étals de bois dont la multitude témoigne de l'importance économique de ce micro-commerce. Aux heures chaudes de l'après-midi, les jeunes filles se tressent mutuellement à l'ombre des arbres tandis que les jeunes gens bavardent autour d'une théière. A la fin de l'« hivernage » (le *nawet* ou saison des pluies), lorsque la chaleur est étouffante à l'intérieur des maisons, des familles entières passent la nuit dans la rue, étendues sur des nattes, à la recherche d'un souffle d'air.

En bref, les particularités physiques du matériau sur lequel est fondé la ville sont mises à profit par ses résidents pour inventer des rapports originaux à l'espace urbain. Pikine n'est pas une copie imparfaite des villes du Nord, elle est création et improvisation. En terme de convivialité, Piki-

ne pourrait être une source d'inspiration pour les urbanistes du Nord qui
ne savent plus comment construire des villes susceptibles de favoriser la
vie en société.

Par ailleurs, l'absence de circulation automobile, l'existence de toute
une population sédentaire de femmes et d'enfants et, de façon générale,
l'absence d'activités industrielles confèrent à des zones, même centrales
de l'agglomération pikinoise, une ambiance de village, renforcée par la
présence d'un abondant bétail ovin qui erre à travers la ville à la recherche
de nourriture. Les nuits sont si calmes qu'il est possible d'entendre, dans
presque toute l'agglomération, le bruit du ressac sur la plage de Guédiawaye et il n'est pas rare d'être réveillé par le chant d'un coq. Et si Pikine
est généralement méprisée par les Dakarois, j'avoue quant à moi avoir
beaucoup apprécié la vie au quotidien dans cette « ville à la campagne ».

Le sable est aussi *un fluide*, mais, ici encore, pas comme les autres,
nous apprennent les physiciens :

> « Très tôt, on s'est aperçu que le débit de sable à travers l'orifice d'un
> sablier reste constant sauf aux derniers instants. Contrairement aux lois de
> l'hydrodynamique, la vitesse des particules près de l'orifice ne dépend
> donc pas du poids de la colonne de sable située au-dessus d'elles... »
> (Evesque et Rajchenbach, 1988 : 1528).

En conséquence, que ce soit à Dakar ou à Pikine, les axes goudronnés
sont inexorablement recouverts de nappes de sable, charrié par le vent,
qui réduisent progressivement la surface utile de la chaussée et que des
équipes de cantonniers sont chargés de déblayer à répétition. A Dakar, le
sable coule dans les orifices destinés à évacuer les eaux de pluie et obstrue
le système de collecte des eaux usées, ce qui provoque des inondations
pendant l'« hivernage ». A Pikine, le problème ne se pose pas en l'absence de tout-à-l'égout.

A l'inverse, en d'autres lieux, il se dérobe, mettant à nu les fondations
des immeubles et maisons (comme dans les quartiers HLM de Pikine
Extension), ou bien l'érosion transforme telle route goudronnée en une
voie surélevée, bordée de profondes et dangereuses ornières.

Mais la nature versatile de ce matériau en fait aussi un docile servi-
teur de la technique : mélangé dans des proportions convenables (13) à du
ciment et à de l'eau, le sable devient un constituant essentiel de ces par-

---

(13) Mais pas toujours respectées, ce qui explique la fragilité de certains murs que l'on peut
rayer avec l'ongle et qui se dissolvent progressivement en l'absence d'un crépi.

paings que les manœuvres confectionnent sur les lieux mêmes de la construction au moyen d'un moule en métal.

D'une certaine manière, on peut dire qu'il s'agit d'un système auto-phagique au cours duquel la ville, en expansion, se construit en prélevant sur place la matière première dont elle a besoin. Il n'y a pas si longtemps, on pouvait encore observer, à la hauteur du terrain de golf, des norias de camions vétustes venus charger le sable arraché à la plage par des escouades de manœuvres ou des bulldozers. Cette pratique a été interdite par les autorités administratives soucieuses de la dégradation de l'environnement et d'une avancée de l'océan. A présent, seuls quelques charretiers poussés par la nécessité enfreignent discrètement la loi.

Pour en terminer avec cette revue des différents états du sable, il faut mentionner sa capacité à se mêler aux gaz de l'atmosphère. En effet, pendant la saison sèche (le *noor* qui dure de février à avril), le ciel présente souvent un aspect brumeux qui peut atteindre, exceptionnellement, la densité d'un « fog » avec une visibilité réduite à une centaine de mètres. C'est ce que l'on appelle à Dakar, le « vent de sable », en fait un brouillard de fines particules de sable en suspension qui s'infiltrent de partout.

> « ...Eh bien, je vais vous dire. Cette matière qu'on appelle sable, c'est une chose qui, comme ça, tout au long de l'année, se meut et tourne. Et de s'écouler, c'est ça, la vie du sable. Jamais, ni d'aucune manière, en un seul et même lieu, le sable ne s'arrête... Que ce soit dans l'eau, que ce soit dans l'air, sans que rien jamais ne fasse obstacle à sa liberté, le sable se meut et tourne » (Kôbô, 1990 : 35).

Et s'il ne faut pas prendre à la lettre cette métaphore du tas de sable, qui m'a surtout donné l'occasion d'une description « à ras de terre » de la ville, je voudrais souligner pourtant la façon dont elle m'a permis de jouer avec les notions de fluidité et de solidité, deux attributs dont la mise en relation de façon complexe est caractéristique de la société piki-noise.

Ainsi, on peut utiliser cette métaphore de deux façons. Soit en adoptant le point de vue du grain de sable, et alors les individus gagnent en solidité et la structure en souplesse. C'est donner la primauté à l'acteur sur le système. Soit en adoptant le point de vue de la dune de sable dont la morphologie et les déplacements vont dépendre des forces qui la travaillent (l'océan, le vent, la main de l'homme). Et, en l'occurrence, la société sénégalaise dans son ensemble apparaît modelée par les vents du large, du fait de sa dépendance économique et politique vis-à-vis des puissances

industrielles du Nord, de même que chaque individu est déterminé en partie par les contraintes structurelles qui s'exercent sur lui.

Au terme de sa vie, l'être humain pikinois retournera au sable. Le
cadavre, enveloppé d'un suaire, est enterré dans une fosse à même le
sable, le visage tourné en direction de La Mecque. Pas de cercueil ni de
caveau, la dissolution n'en sera que plus rapide et, si les cimetières
urbains commencent à être envahis par le ciment, les tombes les plus
humbles se présentent encore comme de simples monticules que le temps
efface rapidement.

CHAPITRE IV

OBSERVER, PARTICIPER

Si je devais expliquer à un néophyte la situation dans laquelle je me trouvais à mon arrivée au Sénégal, j'emploierais volontiers la métaphore suivante. Imaginons un individu sincèrement désireux d'apprendre les règles d'un jeu inconnu, en pays étranger, en compagnie de partenaires dont il ne comprendrait pas la langue. De plus, si l'on ajoute que la méthode d'apprentissage, conseillée dans ce cas, consiste à entrer sur le terrain et participer directement à l'action, on est en droit d'exprimer de sérieuses réserves quant aux chances de succès de ce malheureux imprudent.

D'une certaine manière, appliquer la méthode dite « observation-participante » revient à se conduire de cette façon et, le plus étrange, c'est que ça marche, du moins si l'on en juge d'après la littérature ethnographique qui, à vrai dire, n'est pas très abondante sur la question même si, depuis quelques années, les ethnologues s'efforcent de rendre compte de leur expérience en ce domaine (Smith-Bowen, 1964 ; Panoff & Panoff, 1968 ; Gibbal, 1982 ; Rabinow, 1988 ; Barley, 1992).

En fait, cette méthode doit être comprise comme un « mixe » d'observation et de participation, ou bien encore comme le déplacement permanent du chercheur le long d'un continuum tendu entre deux pôles, avec la possibilité d'adopter une infinité de rôles intermédiaires. Cette notion de continuum a été proposée par Gold (1969 : 30-38), d'une façon trop rigide à mon sens puisqu'il reconnaît seulement quatre positions fondamentales (participation totale, participation-observante, observation-participante et observation totale) qui correspondent à autant de rôles que le chercheur est invité à mettre en scène sans état d'âme.

Cette vision bien abstraite d'un chercheur qui serait entièrement maître de lui-même, et des relations qu'il entretient avec ses informateurs, va de pair avec une absence de références éthiques qui en dit long sur le fantasme de toute-puissance qui sous-tend une telle conception. J'en retiendrai cependant cette notion de rôle qui apparente le travail de terrain à un jeu théâtral et, surtout, la distinction établie entre le rôle et le moi qui est beaucoup plus facile à gérer sur le papier que sur le terrain, si j'en crois mon expérience.

En pratique, les différentes modalités de participation et d'observation mises en œuvre varient en fonction des circonstances et reposent, en grande partie, sur les capacités du chercheur à improviser des rôles (largement déterminés par son genre, son âge, sa nationalité, ses références culturelles, etc.) dans le contexte d'un processus de négociation permanente avec ses partenaires autochtones.

De mon côté, j'ai choisi de présenter les faits et réflexions concernant ma méthode en les regroupant artificiellement en deux ensembles, qui se distinguent par la place primordiale accordée successivement à la participation puis à l'observation.

Participation-observante

Trois semaines après mon arrivée à Dakar, je passais ma première nuit sur le terrain, dans une chambre que je partageais avec un jeune Sénégalais. Simultanément, je commençais l'apprentissage du wolof.

A l'époque, je dois avouer que mes connaissances en matière de participation-observante étaient limitées. Après avoir lu Malinowski et, en particulier, le chapitre introductif des *Argonautes du Pacifique* dans lequel il explicite sa méthode, j'avais assimilé quelques idées simples qui me paraissaient aller de soi : partager la vie quotidienne de la population étudiée en résidant suffisamment longtemps sur place, apprendre la langue et, de manière générale, m'efforcer « de saisir le point de vue de l'indigène, ses rapports avec la vie, de comprendre *sa* vision de *son* monde » (Malinowski, 1963 : 81-82).

En gardant à l'esprit la critique avancée par Stocking (1983 : 104-110) qui estime que ce chapitre introductif de l'ouvrage de Malinowski relève plus de la genèse d'un mythe destiné à légitimer sa méthode que de la description fiable d'une expérience de terrain, on peut considérer que le modèle défendu par ce dernier consiste essentiellement à se pla-

cer dans une situation telle qu'elle produise une type bien particulier
d'expérience :

> « *Conditions propres au travail ethnographique* – Elles consistent
> surtout (...) à se couper de la société des Blancs et à rester le plus pos-
> sible en contact étroit avec les indigènes, ce qui ne peut se faire que si
> l'on parvient à camper dans leurs villages *(de telle sorte que)* du fait de
> votre isolement (....) vous recherchez tout normalement la société des
> indigènes (...) Et par ces relations naturelles qui se trouvent ainsi créées,
> vous apprenez à connaître votre entourage, à vous familiariser avec ses
> mœurs et ses croyances, cent fois mieux que si vous vous en rapportiez à
> un informateur rétribué et dont les comptes rendus manquent souvent
> d'intérêt » (Malinowski, 1963 : 63).

Mon séjour sur le terrain s'est prolongé pendant un peu plus de trois
ans (37 mois exactement) à raison de trois séjours de durée inégale (respectivement 17, 10 et 10 mois) entrecoupés de périodes de congé en
France. Lors de mon premier séjour (de janvier 1985 à mai 1986 inclus),
j'ai mis à profit ma disponibilité (pas de contraintes familiales) pour
résider, autant que possible, sur place à Pikine.

A mon arrivée, l'ORSTOM avait mis à ma disposition un logement
de fonction, situé à la périphérie de Dakar et, par ailleurs, je disposais
d'un bureau dans un bâtiment réservé aux sciences humaines. C'est là
que je fis la connaissance d'un jeune Sénégalais, employé à l'époque
comme enquêteur par un autre chercheur. Lorsque je lui fis part de mon
désir de louer une chambre à Pikine, il me proposa de cohabiter avec lui.

A l'époque, il louait une chambre dans une grande maison de Golf-
Sud, un quartier relativement récent (il date de la fin des années 70)
caractérisé par une faible densité d'occupation (beaucoup de parcelles
non bâties et de maisons en chantier) et une population hétérogène d'un
point de vue social. En effet, des terrains concédés par l'État à des
« déguerpis » des bidonvilles dakarois avaient été revendus par leurs
propriétaires à des particuliers aisés qui bâtissaient de grandes maisons à
étages, à l'exemple de celle où j'emménageais. Construite par un Soninké émigré en France (ouvrier aux usines Renault dans la région parisien-
ne), celle-ci était destinée uniquement à héberger des locataires.

Très rapidement, je découvre que nous sommes trois à partager
l'espace réduit de la chambre. Mon hôte héberge son frère aîné (« même
père, même mère », me précise-t-il), ex-enquêteur de l'ORSTOM, licen-
cié pour malversations, et je découvre rapidement que je suis au centre
d'une stratégie familiale visant à m'exploiter en tant qu'employeur

potentiel. Dans ces conditions, je ne bénéficie d'aucune intimité et suis en permanence entouré par un groupe de jeunes hommes oisifs qui se mettent en quatre pour satisfaire mes désirs et deviner mes attentes.

J'apprends rapidement les gestes fondamentaux de la vie quotidienne : par exemple faire ma toilette à l'eau froide (c'est le mois de février et il fait frais à proximité de l'océan) avec un seau rempli au robinet commun et manier la *satala* (bouilloire de fer blanc) pour rincer la main gauche avec laquelle je me torche le cul. Geste trivial s'il en est, mais d'une portée heuristique considérable, puisque cette pratique me permet d'intérioriser l'asymétrie fondamentale entre la main droite (pure) et la main gauche (impure). Dans l'exécution des tâches quotidiennes, cette dichotomie doit être impérativement respectée : ainsi, il ne faut pas utiliser la main gauche pour manger dans le plat commun ou puiser de l'eau dans le canari d'eau potable, et tout manquement à cette règle fera l'objet d'un rappel à l'ordre sans ménagement.

Outre la maîtrise des gestes quotidiens, je dois apprendre à faire preuve de tolérance (au bruit (1), à l'agitation, à l'absence d'intimité) dans un milieu densément peuplé. Au total, 24 personnes habitent les six chambres réparties autour d'une cour centrale qui est le siège de diverses activités : vaisselle, lessive, séances de tressage des femmes, jeux des enfants, repos des adultes, ablutions avant la prière... Ce qui m'étonne d'emblée, c'est l'extrême densité des relations sociales. Par comparaison avec les villes des sociétés industrialisées du Nord, où l'urbanisation s'accompagne d'un repliement sur la sphère domestique, Pikine est une ville « portes ouvertes » où la densité de peuplement s'accompagne d'une augmentation de la fréquence des échanges, du moins au niveau de la vie quotidienne.

Mon insertion dans cet espace domestique s'accompagne de l'adoption d'un profil aussi conforme que possible en matière de vêtements, de nutrition, de déplacement, etc., mais c'est avec l'argent que j'ai le plus de problèmes et je mettrai longtemps avant de parvenir à en faire un usage adéquat. D'abord, il me faut apprendre quelle est la valeur de l'argent sur le terrain : 1 000 FCFA, c'est beaucoup d'argent à Pikine et pas grand-chose dans le budget d'un « coopérant » dakarois. Puis, je dois savoir résister aux multiples sollicitations dont je suis l'objet de la part d'un entourage désargenté. Je participe au loyer, à l'achat de nourriture, de thé, de charbon de bois et évite de venir sur le terrain avec beaucoup d'argent en poche. Sur-

---

(1) Dans un milieu où le niveau sonore est élevé : radiocassettes mal réglées fonctionnant du matin au soir, cris des enfants, interventions bruyantes des femmes pour les contrôler, disputes, conversations, interpellations, bruit de fond des salutations échangées...

tout pas de gros billets qui attirent les convoitises et sont difficiles à « casser » dans un monde où les transactions économiques se déroulent à un niveau microscopique : on achète au détail une cigarette, des morceaux de sucre, du thé, du café, du lait en poudre, etc.

Mon logis dakarois me sert de base arrière, de refuge lorsque la pression du milieu est trop forte ou que je ressens le besoin de m'isoler, et, pendant longtemps, je garderai secrète l'adresse de mon domicile, m'efforçant de dresser une barrière étanche entre mon travail sur le terrain et ma vie privée à Dakar.

J'entreprends d'explorer mon environnement en mettant à profit la disponibilité de mes compagnons. Je découvre les quartiers environnants au cours de longues marches à pied propices aux discussions, aux visites aux parents et amis des uns et des autres. Se révèle ainsi une représentation de la ville propre à ses habitants, qui est bien différente de la conception administrative ou scientifique qui tend à considérer l'agglomération dans son ensemble comme une seule entité. Ainsi les habitants de Golf ou ceux des Parcelles sont, avant tout, des citadins des Parcelles ou de Golf, et ils n'ont pas le sentiment d'avoir quelque chose en commun avec les résidents de Guédiawaye ou de Pikine Premier.

En fin de compte, chacun se construit une représentation de l'espace urbain comme une série de cercles concentriques autour d'un lieu de résidence défini comme une maison (*kër* en wolof) même s'il s'agit d'une simple chambre en location. Puis, il y a le *koïn* (du français «coin») qui englobe le voisinage immédiat, ensuite le «quartier» dont le nom est souvent ignoré (on fait référence au patronyme du chef de quartier, le plus souvent) et dont l'existence est symbolisée par la construction d'une *jakka* (ou petite mosquée). Enfin, le dernier cercle est constitué par un de ces sous-ensembles englobants (Parcelles, Guédiawaye, Thiaroye, Diamaguéne, etc.) qui représentent un niveau proprement urbain, intermédiaire entre le quartier et la ville.

La complexité de ce microcosme dans lequel j'ai atterri, pas tout à fait par hasard, se dévoile progressivement au fil des entretiens systématiques (j'ai entrepris d'établir une fiche pour chaque adulte de la maison) et des observations informelles : le grand partage de la société entre les deux sexes, les rapports hiérarchiques entre aînés et cadets, les différences linguistiques et celles qui tiennent aux disparités sociales ou aux inégalités économiques.

Enfin, la diversité des comportements est frappante surtout chez les jeunes : un jeune homme de la famille voisine serait homosexuel, une de ses sœurs se prostituerait tandis que mes compagnons se réunissent discrètement dans une chambre en construction du premier étage pour

fumer du chanvre indien. Et l'emploi du conditionnel dans les deux premiers cas indique avec quelle prudence je dois considérer les déclarations de mes informateurs. Car, derrière le masque d'une convivialité en
apparence harmonieuse, des conflits existent qui débouchent rarement
sur une expression ouverte de l'agressivité mais sont médiatisés par la
mise en œuvre de pratiques magico-religieuses (comme par exemple le
liggéey ou « maraboutage » (2)).

Au bout d'un mois, je décide de déménager. En fait, je prends la fuite
car je me trouve de plus en plus limité dans ma liberté par les manœuvres des deux frères qui font écran entre les autres et moi.

Je m'installe à Pikine Ancien (ou Premier Pikine) où je trouve à
louer une pièce dans une petite maison pauvre, mal entretenue, au
confort spartiate. Mon mobilier consiste en une natte et deux fauteuils
pliants, il y a l'électricité mais pas de « robinet » dans la maison et je
partage les maigres repas de la famille du propriétaire (ma part est
apportée dans ma chambre) moyennant une modeste contribution.

Dans la journée, j'observe tout ce qui se présente à mon regard : la
façon de faire la cuisine, les jeux des enfants, les consultations dans le
dispensaire voisin, le spectacle toujours renouvelé de la rue, les activités
des artisans etc., en bref, ce que Malinowski appelle « les impondérables
de la vie authentique » :

> « Ce sont des choses comme la routine du travail quotidien de
> l'homme, les détails des soins corporels, la manière de prendre sa nour-
> riture et de la préparer, le style de la conversation et de la vie sociale
> autour des feux du village, l'existence d'inimitiés solides ou d'amitiés,
> de courants de sympathie ou de haine entre les habitants (....) Tous ces
> faits peuvent et doivent être formulés et consignés scientifiquement (...)
> si on se rappelle que ces impondérables, tous déjà éléments importants
> de la vie réelle, constituent une part de la substance véritable de l'édifice
> social » (Malinowski, 1963 : 75-76).

La soir, j'ai le choix entre visionner un film au cinéma El-Hilal tout
proche (3), regarder la télévision au dispensaire voisin ou bien encore

---

(2) Le *liggéey* (littéralement « travail » en wolof) est une des formes de la magie interperson-
nelle dans la société sénégalaise. Il peut être « bon » ou « mauvais » mais comporte dans tous les
cas la double valence de la protection du client et de l'agression d'autrui (*cf.* à ce sujet le chapitre VI
de la thèse de Zempléni, 1968 : 447-512).

(3) Il y a quatre cinémas dans l'agglomération pikinoise qui projettent, en gros, un tiers de
films américains, un tiers de films français et un tiers de comédies musicales « hindoues ».

aller boire une bière dans les « clandos » (débits de boissons clandestins) et bars relativement nombreux dans cette partie de la ville.

Mais parce que je pense encore naïvement qu'il me serait possible d'acquérir une vision globale de la ville en multipliant les lieux de résidence, je déménagerai au bout d'un mois pour aller m'installer dans une maison à la limite entre Pikine Premier et les quartiers irréguliers construits autour du vieux village de Thiaroye. Cette instabilité se révèle finalement insupportable à cause de la solitude qu'elle génère. Je finis par craquer et traverse, dans les mois qui suivent, une période dépressive au cours de laquelle j'interromps provisoirement cette phase de participation-observante pour me consacrer à la réalisation d'une première grande enquête sur les diarrhées du jeune enfant qui met l'accent davantage sur l'observation que sur la participation.

En 1986, je rentre de congé en compagnie de mon fils et, à partir de ce moment, la participation-observante va reposer essentiellement sur l'établissement de relations approfondies avec un petit nombre d'interlocuteurs privilégiés, dans le contexte d'un travail de terrain quotidien et systématique. Puis, au fur et à mesure que s'accroissent mes compétences dans cette société, je peux abandonner ce rôle de l'hôte, qui m'avait permis de faire mes premiers pas et aborder des rôles plus complexes en terme de participation. Mais, avant d'expliciter ce que j'entends par ce terme, il me faut évoquer la question brûlante des relations entre Blancs et Noirs (pour reprendre la terminologie locale) au Sénégal.

Le labyrinthe de la solitude

Il est significatif à cet égard que, à ma connaissance, la seule personne qui ait traité de ce problème soit une sociologue de nationalité britannique, Rita Cruise O'Brien, dans un travail publié en 1972 (à partir d'observations effectuées dans les années 60) sous le titre *White Society in Black Africa : The French of Senegal* (4). D'emblée, lorsqu'elle abor-

---

(4) Deux remarques s'imposent : d'une part, la situation ne semble pas avoir évolué dans le temps et les observations effectuées vingt ans avant mon arrivée sont toujours valables, et, d'autre part, les réflexions concernant les Français peuvent s'appliquer avec des nuances à l'ensemble des Blancs. En témoigne le qualificatif de « Toubab » employé pour désigner toute personne dont la peau est blanche.

de la question des « race relations », elle évoque la ségrégation de fait qui existe entre les deux communautés.

D'après elle, les facteurs qui favorisent cette séparation entre Européens et Sénégalais sont à mettre en relation avec l'existence d'une stratification sociale et de différences culturelles, à quoi j'ajouterai une sensibilité nationaliste exacerbée.

En général, les contacts les plus fréquents entre Français et Sénégalais prennent place sur les lieux de travail (la maison de leurs employeurs pour les domestiques) sous la forme d'une domination des premiers sur les seconds. Un rapport de domination qui légitime pour les Français leur supériorité culturelle, raciale et sociale sur des Sénégalais jugés moins productifs, infantiles et manquant de logique. Des critères d'ordre économique renforcent la séparation entre les deux communautés en attribuant, à chacune, des zones de résidence distinctes. D'autre part, la taille relativement importante de la minorité française (autour de 15 000 personnes à Dakar) permet aux expatriés de socialiser uniquement entre eux, s'ils le désirent. En bref, il existe une petite ville de province française enchâssée dans une métropole africaine.

Mais cette « distance sociale » entre les deux groupes est aussi le reflet de différences culturelles, à la base d'une absence relative d'intérêts communs et d'expériences partagées. Les Français mettent, au premier plan de ces différences, l'islam, le statut de la femme (en rapport avec la polygamie) et la place prépondérante de la famille. Les critiques des Sénégalais concernent l'absence de vie de famille, le manque d'hospitalité et une vie communautaire réduite à cause d'un individualisme jugé excessif : seulement 50 % des informateurs sénégalais interrogés dans le cadre de cette enquête par R. Cruise O'Brien pensaient qu'il devrait y avoir plus de contact avec les Français.

Ces attitudes négatives sont particulièrement évidentes si l'on considère le sort peu enviable réservé aux couples mixtes (ou « dominos » comme on dit à Dakar). Pas vraiment acceptés par les deux parties, ils connaissent une situation d'isolement encore plus grande que sur le sol français.

On comprendra que, dans ces conditions, la mise en œuvre d'une méthode qui mette l'accent sur la participation soit problématique. Le prix à payer en est un isolement difficile à supporter, même s'il a été voulu et recherché comme une condition *sine qua non* du travail ethnographique. En effet, j'avais vite compris, dès mon arrivée à Dakar, à quel point la communauté blanche constituait, en général, un milieu peu favorable à la compréhension de la société sénégalaise et je m'en étais volontairement coupé. Par contre, aveuglé par mon idéalisme, je n'ai pris conscience que lentement du fait que les Sénégalais ne tenaient pas spécialement à m'ouvrir leurs portes.

Résultat, je me suis retrouvé complètement seul, coincé dans ce « no man's land » qui joue le rôle d'une zone-tampon entre les deux communautés. Cet état, fort préjudiciable à mon équilibre personnel (et par voie de conséquence à mes activités de recherche) a duré deux ans, le temps de faire une analyse de la situation, de modifier ma stratégie en conséquence et de revenir progressivement vers la communauté toubab, ce qui, de toute façon, a été rendu nécessaire par l'arrivée de mon fils.

Du côté sénégalais, je me suis heurté à une méfiance profonde, légitimée par une longue histoire d'oppressions, de violences, d'humiliations. J'ai été en quelque sorte placé en observation et mis à l'épreuve pendant les deux premières années avant que ne s'établissent quelques relations de personne à personne (elles se comptent sur les doigts d'une main), lorsque mes actes ont paru coïncider avec mes paroles.

Une fois franchie la barrière existant entre Toubab et Sénégalais, une distinction encore plus fondamentale se découvre, celle qui divise le monde entre musulmans et non-musulmans et attribue un statut supérieur aux premiers. C'est la distinction culturelle fondamentale et, sur ce point, nulle possibilité de compromis, comme l'avait déjà remarqué Rabinow, à partir d'une expérience de terrain au Maroc :

> « Cependant, il y avait encore une question à poser : "Sommes-nous tous égaux (...) ? Ou les musulmans sont-ils supérieurs ?" (...) Sur ce point, nulle possibilité d'interprétation réformiste ou de compromis. La réponse était non, nous ne sommes pas égaux. Nous les musulmans, même les plus indignes, les plus condamnables (...) sommes supérieurs aux non-musulmans » (Rabinow, 1988 : 131-2).

Une autre conséquence de ma situation de Toubab à Pikine fut l'absence d'anonymat. En effet, les Blancs sont très rares à Pikine. A part les médecins belges du projet de soins de santé primaires qui fréquentent, dans la journée, les centres de santé et dispensaires et d'autres chercheurs de l'équipe en activité dans la ville, je rencontrais occasionnellement des routards de passage. Seul un autre Blanc arpentait lui aussi le terrain et nos trajectoires se sont croisées à plusieurs reprises : il s'agissait d'un témoin de Jehovah qui prêchait inlassablement la bonne parole (apparemment sans grand succès) en essayant de vendre ses brochures.

Dans ces conditions, chaque sortie sur le terrain revenait à monter sur une scène où le moindre de mes faits et gestes était observé avec la plus grande attention par une multitude de regards. Mes déplacements étaient accompagnés d'une rumeur qui se propageait en même temps que moi, onde sonore faite des « Toubab ! Toubab ! » criés par les enfants.

C'est peut-être pour cela que, très tôt, j'ai apprécié la bienfaisante protection que m'offrait la nuit contre la curiosité du public. Dans les ruelles obscures (dépourvues d'éclairage public), dans la pénombre enfumée des bars de la ville, je pouvais redevenir un « étranger anonyme ». Ou encore, d'une autre façon, on peut dire que les bars ont constitué un espace de tolérance vis-à-vis de la situation marginale que j'occupais à Pikine en tant que Toubab.

Si, d'un côté, ce statut de Toubab faisait de moi un paria, en position de hors-jeu social, il présentait, de l'autre, l'avantage précieux de m'offrir une grande liberté de manœuvre que j'ai mise à profit pour travailler à la fois au *centre* et à la *marge*. En effet, je pouvais, sans risque d'être stigmatisé, fréquenter, la nuit, un milieu aussi mal famé que celui des bars, puis, dans la journée, être reçu dans les maisons de respectables familles musulmanes. De cette manière, je me suis servi de la complexité propre au milieu urbain pour accéder à une pluralité de rôles dont une des fonctions fut de protéger un « moi » beaucoup trop exposé.

Participer (5)

Un des problèmes les plus épineux que j'ai eu à résoudre sur le terrain fut celui de mettre des limites au travail ethnographique dans la mesure où, en tant que citadin, je ne cessais de participer, par mes activités quotidiennes, à la vie de cette société.

Or, cette confusion, qui est au cœur même de la méthode de participation-observante, s'est trouvée décuplée dans mon cas par la durée du terrain (trois ans) et par sa nature urbaine. La subjectivité, constamment sollicitée, n'est pas un « outil de recherche » comme les autres que l'on pourrait manipuler et contrôler à volonté. Elle déborde les limites que le chercheur voudrait lui assigner, car c'est une expérience qui implique la totalité de l'être (ses affects, ses émotions, son passé, ses désirs, sa pathologie...).

---

(5) Pour une revue de littérature du côté anglophone sur cette question de la participation, on peut se reporter à l'article bien documenté d'Emerson (1981 : 366-371).

Dans cette optique, le fait de résider à la périphérie de Dakar et de me déplacer chaque jour à Pikine m'a contraint à faire une première coupure entre ma vie privée et mes activités professionnelles. D'une autre façon, j'ai tenté de limiter l'hypertrophie du rôle de chercheur en excluant, du champ de l'observation, certaines relations ou des moments privilégiés. Mais je crois que c'est surtout la présence de mon fils à mes côtés pendant les deux derniers séjours qui, du fait de mes obligations paternelles, m'a permis d'éviter de sombrer dans une confusion complète des rôles.

Pour revenir de nouveau à Malinowski, il faut noter qu'il est relativement discret sur ce qu'il entend par participer :

> « Aussitôt que je me fus établi à Omarakana (une des îles Trobriand), je commençai à participer, à ma façon, à la vie du village, à attendre avec plaisir les réunions ou festivités importantes, à prendre un intérêt personnel aux palabres et aux petits incidents journaliers (...) Les querelles, les plaisanteries, les scènes de famille, les incidents souvent sans importance, parfois dramatiques, mais toujours significatifs, formaient l'atmosphère de ma vie de tous les jours, tout autant que la leur » (Malinowski, 1963 : 63-64).

De son point de vue, il apparaît que participer s'apparente davantage à l'observation à distance rapprochée d'un spectacle dans lequel l'ethnologue accepte, de temps en temps, de jouer un rôle de figurant en évitant soigneusement toute implication personnelle. Et on aurait pu se laisser prendre longtemps à cette fiction sans la publication récente (au prix, il faut le noter, de la violation d'un interdit formel de sa part) du journal de terrain de Malinowski (1967), qui révèle sans détours l'impact d'une telle méthode sur la personne du chercheur.

Avec pour objectif d'aborder cet aspect trop souvent occulté du travail de terrain, je me propose maintenant de décrire quelques modalités de ma participation sur le terrain, en commençant par présenter de quelle manière j'ai développé une compétence (celle de la langue) sans laquelle ma participation aurait relevé du simulacre.

Devenir un interlocuteur

L'apprentissage de la langue wolof (la langue la plus usitée au Sénégal) a constitué une partie essentielle du travail de terrain ; débuté dès mon arrivée, il s'est poursuivi jusqu'au jour de mon départ, sans que je sois jamais parvenu à une maîtrise complète. Mon objectif était de pouvoir comprendre ce qui se disait autour de moi, être capable d'interagir en situation d'entretien ou dans la vie quotidienne et me faire comprendre un minimum par mes interlocuteurs. De plus, en pratique, il s'est avéré rapidement indispensable de connaître les rudiments de la langue pour être à même de contrôler le travail d'interprètes, trop soucieux de ne pas perdre la face pour avouer leurs défaillances.

J'ai commencé par suivre des cours dans une institution privée (fondée à Dakar par un Américain, un ancien du Peace Corps) où j'ai pu acquérir les premiers rudiments de la langue. Puis, muni d'un lexique wolof-français et de quelques documents relatifs à la grammaire, je me suis lancé dans un travail qui devait se révéler plus difficile que prévu.

En premier lieu, il m'a fallu beaucoup de temps et bien des tâtonnements pour mettre au point une méthode efficace qui a reposé en grande partie sur les épaules de Rama, ma principale collaboratrice, qui connaissait suffisamment bien le wolof et le français (elle a été scolarisée jusqu'au baccalauréat) pour m'assister dans cette tâche.

Nous avions pris l'habitude de nous rencontrer chez elle tous les samedis matins pour travailler exclusivement le wolof. Au cours de ces séances de travail, souvent interrompues par les disputes des enfants ou les visites des ami(e)s et parent(e)s, elle commençait par me raconter une courte histoire (inspirée en général d'un événement de la vie quotidienne) que j'enregistrais puis que nous traduisions ensemble. Ensuite j'apprenais par cœur ce texte, en corrigeant ma prononciation à l'aide du magnétophone.

Cela dit, j'ai rencontré beaucoup d'obstacles dans l'apprentissage de cette langue, et en premier lieu, le fait que l'usage du français soit très répandu en ville parmi la population scolarisée (6). Presque tout ce qui touche à l'écrit est en français (journaux, livres, documents administratifs) de même que les films au cinéma (doublés en français) et la plupart des émissions de télévision (7). Dans ces conditions, il m'était impossible d'exiger de la part d'interlocuteurs (dont la maîtrise du français est souvent excellente) de communiquer avec moi dans une langue que je ne faisais que balbutier.

---

(6) Dès l'école primaire, l'enseignement est assuré en français. En milieu urbain, on estime que plus de la moitié de la population est scolarisée à « l'école française »

(7) Il faut nuancer ces propos en soulignant l'importance de l'arabe en tant que langue de diffusion privilégiée de la littérature islamique.

De plus, si au départ j'avais espéré pouvoir pratiquer le wolof dans le cours des enquêtes, des considérations d'efficacité ont rapidement mis fin à mes illusions. En effet, à l'expérience, le travail d'enquête est apparu peu compatible avec l'apprentissage d'une langue (allongement de la durée des entretiens, défaut de fiabilité) et le recours aux interprètes est resté une obligation pendant la plus grande partie du terrain. De plus, il faut souligner l'attitude ambivalente de la population pikinoise vis-à-vis d'un Toubab, chercheur de surcroît, qui se mêle de parler wolof : une attitude faite de fierté (c'est un acte qui valorise leur culture) et de méfiance (parce qu'il donne accès à leur intimité).

Enfin, il faut mentionner des difficultés d'ordre proprement linguistique : la rugosité d'une phonétique caractérisée également par une grande variabilité (8), une rapidité d'élocution parfois stupéfiante (9) et une syntaxe bien différente de celle des langues que j'avais étudiées et pratiquées auparavant.

Au terme de deux années d'un apprentissage laborieux, je suis parvenu à une maîtrise, certes incomplète, mais suffisante, qui a bouleversé mes rapports avec la fraction strictement wolophone de la population en raison du fait que je pouvais interagir avec elle directement sans être dépendant d'un interprète, à la fois intermédiaire et écran du fait de ses caractéristiques individuelles (position sociale, genre, âge, etc.). Cette compétence linguistique durement conquise, qui garantissait ma liberté de mouvement, fut la clef d'une participation pleine et entière à la vie de cette société urbaine. Elle s'est révélée être un outil indispensable dans l'étude de milieux marginaux, et le présent travail n'aurait jamais vu le jour sans elle, puisque M. ne parle pas le français et que notre relation s'est établie sans l'aide d'un intermédiaire.

Se faire prendre

En me fondant sur mon expérience, j'avance que participer, c'est se faire prendre dans un ensemble de relations sur lesquelles on accepte de

---

(8) Le wolof est une langue essentiellement orale qui offre à ses locuteurs une relative liberté de prononciation ; de plus, en milieu urbain, la présence de nombreux wolophones secondaires (dont la langue maternelle est le pulaar, le serer ou le diola...) augmente les risques de fluctuations phonétiques qui constituaient autant de difficultés pour l'apprenti que j'étais.

(9) Attestée par l'existence, en wolof, du verbe *bar* qui signifie « parler trop vite ». L'exemple donné par le dictionnaire (Fal *et al.*, 1990) illustre bien ce qui peut devenir un sérieux obstacle à la communication : *Ken xamul li mu wax, dafa bar* = « Personne n'a compris ce qu'il a dit, il parle trop vite ».

perdre le contrôle, toute la subtilité consistant à savoir discerner où, quand et jusqu'à quel point il est préférable de perdre ce contrôle.

Or, on a vu comment, lors des premiers contacts sur le terrain, j'avais réagi en prenant la fuite à la tentative de manipulation dont je faisais l'objet de la part de mes hôtes et de leur famille. Par la suite, je me suis rendu compte de la futilité des efforts dépensés pour sauvegarder une indépendance compromise en permanence par la répétition de ces tentatives. Je ne pouvais prétendre participer à la vie de cette société sans accepter la place qui m'était assignée en tant que Toubab, Français, individu de sexe masculin, non-musulman, célibataire, et possesseur de richesses... et mon insertion s'est faite sans effort à partir du moment où j'ai accepté de devenir l'objet d'un processus de phagocytose de la part de quelques familles pikinoises.

Il en fut ainsi de la famille de mes premiers compagnons de Golf-Sud, qui est devenue ma première « famille d'accueil ». A sa tête, une maîtresse femme, mère de neuf enfants issus de six mariages différents, avec laquelle j'entretenais des rapports empreints de respect filial associé à des cadeaux qui faisaient de moi un « bon » fils. De cette façon, je suis devenu membre symbolique d'une parenté, manifestant le respect dû à mes aîné(e)s, entretenant des relations égalitaires avec mes *moroom* (les individus de la même classe d'âge) et jouant le rôle de « grand frère » voire de « père » vis-à-vis des enfants.

Je nouais des relations semblables avec d'autres familles en jouant sur leur dispersion dans l'espace et en maintenant un relatif cloisonnement entre elles : « appartenir » (10) à différents groupes me mettait en quelque sorte à l'abri d'une mainmise trop exclusive de leur part et, inversement, me protégeait d'une trop grande dépendance de ma part. Bien évidemment, les limites de cette stratégie étaient déterminées par la somme des obligations qui en découlaient et par le temps dont je disposais pour entretenir des relations suivies avec ce réseau. C'est ainsi que les jours de fête (Korité, Tabaski), je m'efforçais, au cours d'épuisantes tournées, commencées tôt le matin et terminées tard le soir, de passer un moment dans chacune des *kër* (maison) avec lesquelles j'entretenais des relations privilégiées.

Il faut souligner, à ce propos, combien les femmes ont joué un rôle primordial dans mon insertion dans cette société. Ce sont elles qui m'ont accepté et ouvert les portes de leur maison, dans certains cas en passant

---

(10) Appropriation du Toubab clairement énoncée par mes ami(e)s et connaissances lorsqu'ils me présentaient comme « leur » Toubab *(« Ki, suma Tubab lë »)* à leurs visiteurs.

outre les réticences des hommes. Une des causes de ce « gynotropisme » est à rechercher du côté de mon intérêt pour la santé des enfants. En effet, lors de la première grande enquête effectuée en 1985 sur le thème « Diarrhées du jeune et processus de recherche de thérapie » (Werner, 1989), ce sont les femmes, auxquelles incombent la prise en charge de la santé des jeunes enfants, qui avaient été mes interlocutrices privilégiées.

A l'époque, il n'y avait, pour m'assister, que des enquêteurs de sexe masculin dans le personnel de l'ORSTOM, et je me suis rendu compte que leur présence brouillait la communication avec nos informatrices du fait de l'existence d'une hiérarchie entre les deux genres. Très rapidement, j'ai cherché une collaboratrice à Pikine même et, après plusieurs essais infructueux, j'ai recruté Rama, une mère de famille dont j'avais fait la connaissance lors d'une enquête dans un dispensaire. Elle allait devenir une assistante hors pair et, bien plus que cela, une des rares personnes à qui je pouvais me confier, faire part de mes doutes, de mes interrogations et de mes problèmes de compréhension en général, non seulement du fait qu'elle était amenée à participer de près au processus de recherche mais aussi parce que le destin nous a confronté à un deuil cruel, elle en tant qu'épouse, moi en tant que médecin.

Participer, c'est intervenir

Dans mon cas, l'intervention fut le plus souvent d'ordre thérapeutique, et je peux dire que ma compétence technique dans le domaine du soin a constitué certainement un atout capital sur le terrain. La figure du Toubab guérisseur jouit encore d'un grand prestige, et les actes thérapeutiques dispensés en complément de mes activités de recherche ont constitué une monnaie d'échange fort appréciée de mes interlocuteurs.

Je trimbalais en permanence une trousse médicale à l'arrière de ma voiture ainsi qu'un assortiment de médicaments qui me permettaient de faire face aux demandes de mes patients. Mais, en dehors de mon réseau vis-à-vis duquel je jouais un peu le rôle d'un médecin de famille, je m'efforçais de limiter mes interventions par crainte d'être confronté à une demande de soins trop importante. Le fait qu'il y ait eu à Pikine un appareil de soins de santé primaires en état de fonctionnement m'a libéré d'un rôle de soignant qui, dans un contexte de sous-médicalisation (par exemple, en milieu rural) aurait pu constituer un obstacle à mes activités de chercheur. C'est ainsi que, dans la plupart des cas, après examen, je pouvais me contenter de rédiger une ordonnance ou diriger les patients sur telle ou telle consultation.

Plus rarement, en particulier au cours des enquêtes sur les diarrhées du jeune, il m'est arrivé de modifier le milieu observé par des interventions nécessitées par l'état critique de certains enfants. Dans le cas de cette jeune femme dont le récit de vie est au centre du présent travail, l'action thérapeutique, sur laquelle j'aurai l'occasion de revenir, a constitué une partie intégrante du travail de recherche.

D'une manière inattendue, c'est un échec thérapeutique qui m'a permis de découvrir le Même sous l'apparence de l'Autre. Alors que nous avions entrepris une enquête budgétaire longitudinale dans le groupe familial de Rama (elle jouait le rôle d'une observatrice *in situ*), son mari est tombé gravement malade. Cet homme de 55 ans, jusque-là en bonne santé, a décompensé brutalement un diabète qui a nécessité une hospitalisation d'urgence à l'Hôpital principal de Dakar. Malgré les soins intensifs qui lui furent prodigués dans le service de réanimation, il ne devait pas survivre à une forme pernicieuse de coma diabétique.

A cette occasion, j'ai compris que participer n'était pas un jeu que je pouvais interrompre quand cela me plaisait en disant « pouce » et qu'il n'était pas possible, en tant que sujet, de fixer des limites à ma participation et de m'y tenir strictement. La méthode participante comporte des risques parce qu'elle peut impliquer le chercheur au-delà de ce qu'il aurait souhaité. Sur le moment, effondré, choqué par cette mort qui me touchait de près, j'ai commencé par remettre en question une façon de faire qui m'exposait à tous les coups : mon implication n'était-elle pas déraisonnable ? Est-ce que je n'étais pas en train d'être débordé par une subjectivité devenue incontrôlable ? En bref, est-ce que je n'étais pas en train de faire fausse route ?

La réponse à ces questions est venue du terrain lui-même, et, en premier lieu, de la modification de mes rapports avec Rama et sa famille. Parce que chacun de nous avait pu reconnaître chez l'autre sa propre souffrance, il nous avait été révélé notre appartenance à une même humanité. Parce que nous avions traversé solidairement cette épreuve, la confiance que nous pouvions avoir en l'autre avait été renforcée. Finalement, cet événement a marqué un tournant en ce qu'il m'a révélé que le Même et l'Autre étaient indissociablement liés et m'a rendu un peu plus lucide sur les implications de la méthode.

Participer, c'est partager

Dans une société où la majorité de la population est confrontée à des problèmes économiques graves, participer a consisté aussi à redistribuer une partie de mes ressources financières. Du fait même de mes activités de recherche à Pikine, j'étais confronté directement, chaque jour, aux difficultés de la population en général et à celles de mes connaissances en particulier, qui me répétaient avec insistance : *Sonnnaa !... Mettina !...* (« Je n'en peux plus !... Je souffre !... »). Et plus mes recherches progressaient, plus la gravité de la crise m'apparaissait clairement. Dans ces conditions, la différence entre mon niveau de vie et celui des gens de Pikine devenait une contradiction difficilement supportable du fait même de la méthode choisie : en bref, est-ce que ma participation s'arrêtait au porte-monnaie ? A cette question, j'ai répondu en « sénégalisant » mon comportement vis-à-vis de l'argent c'est-à-dire en redistribuant une partie de mes « richesses », en accord avec une conception ancienne et profonde de la richesse dans ces sociétés sahéliennes qui valorise non seulement le don mais aussi la dilapidation, des pratiques aux antipodes de la rétention généralement pratiquée par les Toubabs.

> « Bien qu'il soit toujours possible d'opposer les unes aux autres les diverses formes (de dépenses improductives) énumérées, elles constituent un ensemble caractérisé par le fait que dans chaque cas l'accent est placé sur la *perte* qui doit être la plus grande possible pour que l'activité prenne son véritable sens... » (Bataille, 1967 : 28-34).

Il faut ajouter, pour être complet, que toute personne, sénégalaise ou toubab, jouissant de quelques revenus est constamment sollicitée, invitée de façon pressante à mettre la main à la poche. Confrontés à ces demandes réitérées, les Toubabs réagissent en général par une mise à distance du problème (« Ça ne me concerne pas ») légitimée par ce qu'ils considèrent comme des comportements irrationnels d'un point de vue économique : les dépenses ostentatoires des jours de fête qui entraînent souvent un lourd endettement (11), les dépenses de prestige liées au devoir d'hospitalité ou aux simples relations de civilité auxquelles il n'est pas question de manquer, sauf à perdre l'honneur.

Dans ces conditions, on peut comprendre à quel point le maniement de l'argent sur le terrain fut un problème délicat, problème dont la solution jamais acquise est passée par une prise de conscience du rapport à l'argent qui prévaut dans ma culture. A l'inverse, j'ai utilisé ce médium,

---

(11) Au Sénégal, il existe même une loi sur les « dépenses somptuaires » (votée en 1967) dont l'objectif est d'imposer une limitation au gaspillage de richesses dont les fêtes sont l'occasion. En fait, elle n'est pas observée.

dont je me suis efforcé d'apprendre les usages, comme un outil pour la compréhension de normes sociales qui appartiennent au domaine du non-dit, du vécu.

Et d'abord, il m'a fallu apprendre à dire non, à refuser sans manquer au code de politesse, à faire preuve d'adresse pour éviter les mille pièges et ruses que l'ingéniosité et la nécessité tendaient quotidienne-ment sur mon chemin. Ce fut difficile car la subtilité en cette matière n'est pas du côté du Toubab, et il m'a fallu du temps avant de com-prendre que ces revendications étaient aussi de l'ordre du défi et de la provocation. Mais, face à des partenaires à l'habileté entretenue par une pratique permanente, il est évident que je ne pouvais espérer autre chose que des succès éphémères.

Et puis, il m'a fallu apprendre à dire oui, c'est-à-dire accepter un cer-tain nombre d'obligations sociales associées à mon statut de membre participant à la vie de quelques groupes familiaux : cadeaux à l'occasion des fêtes familiales (baptêmes) ou religieuses (Tabaski), aides finan-cières d'urgence (nourriture, loyer, soins médicaux), dons aux griot(te)s, etc. Enfin, dans certaines circonstances, prendre l'initiative du don a été la seule façon de rompre avec le rôle d'assiégé dans lequel je me trou-vais coincé.

Ces notations, qui ne prétendent pas épuiser un sujet trop rarement abordé en ethnographie (12), demandent à être complétées par quelques remarques : en premier lieu, il faut noter que cette circulation monétaire se faisait à sens unique (de l'ethnologisant en direction des ethnologisés) et ne modifiait en rien ma situation d'exclu social. D'autre part, une ambiguïté persiste sur la nature de ce flux monétaire : s'agissait-il de dons ou de la rétribution déguisée de services ? Je penche pour la secon-de hypothèse, dans un contexte urbain où la monétarisation des rapports sociaux est généralisée.

Enfin, il faut préciser que l'établissement et le maintien d'une dis-tinction entre mon budget de recherche et mon argent personnel m'a servi de garde-fou et de repère entre ce qui relevait, sur le terrain, des activités professionnelles et ce qui relevait de ma vie privée. Or, cette distinction est parfois difficile à conserver tant est grande la confusion engendrée par une méthode qui brouille les limites entre vie profession-nelle, vie sociale et vie privée. Car si l'on admet que l'établissement de relations de confiance est un outil entre les mains de l'ethnologue, il

---

(12) On trouvera des réflexions à ce sujet, tirées d'une expérience de terrain dans le Pacifique, dans l'ouvrage de Panoff et Panoff (1968 : 88-98) qui reste un travail pionnier.

l'est aussi entre les mains des ethnologisés de telle façon qu'au Sénégal, en ce qui concerne l'argent, j'ai été beaucoup plus souvent manipulé que manipulateur.

Participer, c'est aussi dominer

En m'inscrivant en tant que Toubab dans une hiérarchie sociale, en mettant à profit des rapports de pouvoir dans l'exercice de mes activités, mon activité de recherche était aussi de nature politique.

Car j'ai très vite compris, dès mon arrivée à Dakar, que ma présence était tolérée mais non désirée par la majorité de la population, même si le fait d'être pourvu d'une autorisation de recherche délivrée par l'État sénégalais me donnait le droit de circuler à ma guise dans la ville, de m'introduire dans les lieux publics ou privés et de poser un tas de questions souvent indiscrètes (13). Salarié par l'État français, accrédité par l'État sénégalais, je savais bien que ma présence sur le terrain était le résultat d'un rapport de forces provisoirement en ma faveur.

Dans ces conditions, cette pratique de la méthode de participation-observante peut être interprétée aussi comme une tentative pour fonder mes rapports avec la population sur autre chose que sur l'exercice d'un pouvoir dans un contexte politique peu favorable à la mise en œuvre d'une « démarche de connaissance collective » pour reprendre l'expression de Yannopoulos et Martin (1978 : 440).

C'est ainsi que, à partir de mon expérience de terrain, je n'ai pas manqué de m'interroger sur ce « tropisme de la pauvreté », manifestée par la focalisation des recherches (dans le Tiers monde autant que dans les sociétés industrialisées) sur ce que l'on appelle les « classes défavorisées ». Entre autres raisons, j'ai fini par y voir la moindre résistance opposée aux investigations par une population politiquement dominée. Très peu de recherches ont été entreprises sur les bourgeoisies locales, et les élites dominantes des pays en voie de développement, probablement parce qu'elles constituent des milieux autrement mieux armés que les pauvres pour se défendre (pour un aperçu sur la question, se reporter à Emerson, 1981 : 371).

---

(13) A l'inverse de la plupart de mes collègues « africanistes » qui considèrent cette situation comme allant de soi, je pouvais d'autant mieux juger du privilège exorbitant dont je jouissais que j'avais eu l'occasion de faire auparavant l'expérience (au Canada) du contrôle étroit exercé par les communautés amérindiennes sur les recherches les concernant.

Je terminerai en ajoutant que mon pouvoir de chercheur était redoublé par celui que me conférait mon statut de « patron » aussi bien à Dakar que sur le terrain. Au terme de mon séjour, j'employais quatre personnes à mon domicile et deux assistants à temps plein sur le terrain (chaque personne ayant elle-même une famille à charge) sans compter plusieurs collaborateurs occasionnels. En fin de séjour, j'avais rassemblé autour de ma personne une clientèle selon un modèle de rapports sociaux commun en Afrique.

Observation-participante

Sur le terrain, je ne me suis pas limité à cette participation-observante et, dans certains cas, j'ai utilisé des méthodes qui faisaient une plus grande place à l'observation, qu'elle soit associée ou non à la participation. Je laisserai de côté ici les enquêtes par questionnaires ou par entretiens semi-directifs, relatifs au système de santé, pour me centrer sur une description de la méthode employée dans l'enquête « Consommation des drogues à Pikine » qui a un rapport direct avec l'objet de cet ouvrage.

La première difficulté à laquelle je me suis trouvé confronté, lorsque j'ai entrepris d'aborder ce champ, était liée à une absence presque complète de données dans la littérature, hormis quelques articles qui envisageaient le phénomène à partir de dossiers hospitaliers, dans une perspective psychiatrique (Collomb *et al.,* 1962 ; Gueye et Omais, 1983). Il me fallait donc défricher un champ pratiquement vierge et m'efforcer, dans un premier temps, de construire une description sommaire de l'ensemble de l'espace considéré.

Dans une première phase, *exploratoire,* il nous a donc fallu déterminer quelles étaient les substances psycho-actives disponibles et effectivement consommées à Pikine. Si j'emploie le pronom sujet « nous », ce n'est pas par un brusque retour à l'orthodoxie du discours académique mais pour souligner d'emblée combien ce travail a été un travail d'équipe entre mon collaborateur sénégalais et moi. En effet, dans ce cas, le couple participation/observation a été désarticulé en fonction d'une répartition des tâches qui faisait de lui un participant et de moi un observateur.

Portrait de Ib

Avant d'en arriver à une présentation de notre démarche, je dois esquisser le portrait de Ib, compagnon de la première heure (c'est avec lui que j'avais cohabité à Golf), collaborateur à la fois complice et indocile pendant toute la durée du terrain. Lorsque je fais sa connaissance en janvier 1985, il a 25 ans et, comme beaucoup d'hommes de sa génération, vit toujours sous le contrôle de sa mère faute d'un emploi stable qui lui permettrait d'acquérir son indépendance. Il a été scolarisé en français, n'a pas terminé ses études secondaires et se trouve dépourvu de toute qualification professionnelle. Il n'a qu'un frère « même père même mère » mais une nombreuse fratrie utérine issue des mariages successifs de sa mère.

Il a passé toute son enfance et son adolescence à Dakar et réside au moment de notre rencontre chez sa mère aux Parcelles assainies. Il aimerait bien se marier avec sa fiancée mais n'en n'a pas les moyens. D'un caractère doux, il manifeste une grande plasticité qui a constitué, sur le terrain, son principal atout associée à une prodigieuse mémoire visuelle qui faisait de lui un physionomiste hors pair. Lui-même ancien usager de drogues, il connaissait bien ce milieu où il avait gardé des attaches. Doué d'une grande capacité d'empathie, il attirait facilement la confiance de nos informateurs et le fait qu'il soit mouride a constitué un atout supplémentaire étant donné le grand nombre d'usagers qui prétendent être affiliés à cette confrérie.

*
* *

Dans un premier temps, nous avons effectué des entretiens collectifs avec des jeunes d'un quartier (14) de Nietti-Mbaar (zone située au cœur de la partie irrégulière de l'agglomération) recrutés dans le réseau de connaissances de Ib. D'abord avec des fumeurs de chanvre puis avec des « guinzeurs » (ceux qui inhalent les vapeurs de solvants organiques). L'entretien avec ces derniers se termina dans la confusion quand nos interlocuteurs, soucieux de nous informer avec précision, entreprirent de passer à l'action devant nous. J'ai pu ainsi constater *de visu* l'état d'intense excitation et de confusion provoqué par l'inhalation de ce

---

(14) Un quartier caractérisé par une grande densité de peuplement (en moyenne, 11,3 personnes par maison) et un niveau socio-économique relativement bas. Son choix avait été déterminé par la présence d'un informateur privilégié, un jeune homme de 24 ans, grand fumeur de *yamba* (chanvre indien), installé de longue date dans le quartier et parent par alliance de Ib.

toxique, avant de déguerpir pour ne pas succomber moi-même aux éma-
nations délétères qui empestaient la petite chambre où nous nous étions
enfermés. Par la suite, je devais apprendre que cette soirée avait été mise
en scène par notre informateur et que la majorité des participants
avaient, depuis longtemps, cessé cette pratique considérée comme
« enfantine ».

A partir des éléments recueillis au cours de ces premiers contacts, je
fus en mesure d'élaborer un guide d'entretien destiné à explorer de
manière systématique, d'une part, les différentes modalités de consommation des psychotropes utilisés et, d'autre part, de recueillir des informations concernant l'identité des usagers en termes d'environnement
familial, de cursus scolaire et professionnel, de croyances et pratiques
religieuses, etc. Les entretiens avaient lieu en général dans un local loué
à cette intention dans une grande maison tranquille, située à proximité
mais en dehors du territoire d'enquête afin de garantir à nos informateurs le maximum de discrétion. Deux petits bancs, une natte en constituaient tout l'ameublement. Les entretiens qui duraient de une heure à
une heure et demie étaient rémunérés (250 FCFA) et se déroulaient en
face à face, en présence de Ib qui posait les questions et me traduisait les
réponses lorsqu'elles étaient trop compliquées pour mon savoir limité en
wolof.

Au total, en moins de deux mois, nous n'avons eu aucune difficulté à
pratiquer plus d'une trentaine d'entretiens avec des consommateurs et
des revendeurs, chiffre auquel nous nous sommes arrêtés pour cause de
redondance. Il s'agissait exclusivement de jeunes adolescents ou adultes
de sexe masculin dont l'age variait de 15 à 25 ans. Par ailleurs, à la périphérie de cette population, nous avions repéré des catégories d'usagers
dont l'approche s'est révélée beaucoup plus difficile : je veux parler
d'hommes âgés de 40 ans ou plus et de jeunes femmes. Dans les deux
cas, quoique pour des raisons différentes, se manifestait une volonté de
protéger leur anonymat qui constituait un obstacle insurmontable à notre
investigation.

Au terme de ce travail exploratoire, nous avons tiré un certain
nombre de leçons d'ordre méthodologique :
– quoique relativement bien acceptée dans l'ensemble, ma présence
constituait une gêne susceptible de provoquer des réactions de refus et
des manipulations difficilement contrôlables, en particulier, au niveau des
agents impliqués dans la distribution du chanvre indien et des « pions » ;
– d'autre part, cette méthode d'enquête n'était pas adaptée à une
investigation à la périphérie de ce milieu marginal du fait de résistances

liées autant à la nature clandestine de leurs pratiques qu'aux caractéristiques personnelles de mon assistant. En tant que jeune adulte du genre masculin, Ib n'avait accès ni au groupe de ses aînés ni à celui des femmes et, de manière générale, il nous faudrait tenir compte de ce biais dans l'évaluation des résultats.

Avant de poursuivre nos travaux dans ce domaine, j'ai demandé et obtenu une autorisation de recherche officielle indispensable à notre protection vis-à-vis d'interférences toujours possibles avec l'appareil policier. De ce point de vue, notre stratégie a consisté, dès le départ, à travailler avec le maximum de discrétion : d'une part, dans le but de protéger nos informateurs et, d'autre part, afin d'éviter d'être associé de quelque façon que ce soit avec une instance de répression. Pour cette raison, nous avons soigneusement évité de nous impliquer dans une enquête approfondie au niveau du circuit de distribution et nous nous sommes contentés de fréquenter les petits revendeurs au détail en ignorant délibérément leurs fournisseurs, grossistes ou semi-grossistes. De plus, en ce qui concerne la façon dont Ib devait se présenter à ses informateurs, nous avons opté après quelques tâtonnements pour la transparence. Elle nous a paru préférable, pour des raisons de sécurité, à une collecte des informations effectuée à l'insu des ethnologisés.

De cette façon, nous sommes parvenus à travailler pendant plus d'un an sans attirer l'attention des « bandits », ni celle des policiers ou gendarmes. Une seule fois, un hasard malencontreux a failli compromettre notre tranquillité, lorsqu'un *dilkat* (dealer), avec lequel Ib venait de pratiquer un entretien, a été inopinément arrêté par les gendarmes le lendemain. L'affaire s'est déroulée à Diamaguène, un milieu relativement enclin à la violence. Nous avons immédiatement interrompu l'enquête, déjà bien avancée et Ib est parti se mettre au vert dans une zone plus tranquille.

Au cours de la *deuxième phase* de la recherche, nous avons procédé à une division du travail : Ib s'occupait d'une enquête par sondages à l'échelle de l'agglomération et je prenais en charge des investigations plus périphériques. L'enquête par sondages reposait entièrement sur les épaules de Ib : elle associait observation-participante (recueil d'informations qualitatives) et utilisation d'un questionnaire. Chaque territoire d'enquête (15) devait regrouper une population à peu près égale en

---

(15) Les territoires d'enquête ont été choisis dans cinq zones distinctes à partir des critères suivants : ancienneté de l'urbanisation, son caractère régulier ou irrégulier et le niveau socio-économique moyen évalué à partir des données démographiques existantes.

nombre (16) à celle enquêtée initialement (soit environ 4000 personnes) et ses limites devaient coïncider avec celles d'un ou plusieurs quartiers en vue d'en faciliter le repérage dans l'espace. En ce qui me concernait, je restais à distance du terrain en me contentant de quelques brèves et discrètes visites. Des réunions de travail à la périodicité régulière me permettaient de faire le point avec Ib et, compte tenu des résultats, de modifier ou non la tactique employée.

Celle-ci consistait à louer une chambre pour Ib (seul d'abord puis en compagnie de sa femme lorsqu'il fut marié) au sein du territoire d'enquête, à nouer des contacts avec les usagers par l'intermédiaire des *dilkat* locaux (il avait pour tâche de faire le recensement exhaustif de ces derniers), de pratiquer un certain nombre d'entretiens (une trentaine, si possible) avec des usagers et des revendeurs et, enfin, de prendre des notes sur les aspects plus qualitatifs (interactions, gestes techniques, discours) du vécu des usagers.

Ib disposait d'un budget qui lui permettait de se montrer généreux avec ses informateurs. Ceux-ci n'acceptaient de répondre aux questionnaires qu'en échange de cadeaux divers (cigarettes, thé, sucre, etc.) ou encore d'une somme d'argent. Avec les dealers, l'achat de chanvre indien ou de « pions » était une condition *sine qua non* de l'établissement de relations, du moins lors du premier contact. De même, d'après Ib, la consommation partagée d'un « joint » était la manière la plus rapide de s'attirer la confiance de gens très méfiants à l'égard des « indisses » (indicateurs) infiltrés dans le milieu. Et de fait, il semble que la majorité des arrestations ont lieu sur dénonciation.

Cette enquête a duré jusqu'à la fin de l'année 1987. Pendant ce temps, j'avais entrepris de travailler de mon côté sur des aspects plus marginaux (les femmes) ou sensibles (la distribution) du phénomène. C'est ainsi que, pendant plusieurs mois, j'ai entrepris une approche « légère », véritable apprivoisement, en direction de deux consommatrices de chanvre indien avec lesquelles je nouais patiemment des relations amicales. Il faut comprendre par approche « légère », une attitude empreinte de patience, une découverte de l'autre « à petits pas », en laissant de côté un questionnement qui devient vite intrusif lorsqu'il s'agit d'un comportement stigmatisé chez les femmes.

En ce qui concerne les dealers, j'ai privilégié là aussi une approche lente envers deux représentants de ce milieu avec lesquels il s'agissait,

---

(16) Pour estimer cette population, nous procédions à un recensement des habitations, dont le nombre était multiplié par le nombre moyen d'habitants par maison (chiffre obtenu par sondage dans un échantillon restreint et aléatoire).

d'abord, d'établir des relations de confiance avant de passer au recueil d'informations. C'est dans ces conditions que j'ai pu finalement recueillir le récit de vie d'un dealer dakarois ou bien encore observer directement, en situation, les interactions entre un vendeur et ses clients (Werner, 1992). En parallèle, j'avais commencé à suivre, dans ses pérégrinations urbaines, une jeune femme, Xadi, dont l'extrême marginalité me fascinait par ce qu'elle avait de cosmopolite. On a vu dans les premières pages de cet ouvrage comment cela m'avait conduit jusqu'à M.

CHAPITRE V

LA MÉTHODE BIOGRAPHIQUE

Si observation et participation ont constitué les deux piliers de ma pratique ethnographique, d'autres méthodes ont été mises en œuvre selon les circonstances dont, en particulier, la méthode biographique (utilisée comme outil principal dans l'étude du cas de M.) qui pourrait se définir en première approximation comme la construction négociée de biographies (1).

Aperçus historiques

Mise en œuvre par différentes disciplines appartenant à l'ensemble des sciences dites humaines (histoire, psychologie, psychanalyse, sociologie, anthropologie...), la méthode biographique a trouvé en France un avocat passionné en la personne de D. Bertaux, un sociologue qui l'utilise depuis le début des années 70, non seulement comme outil exclusif d'investigation (Bertaux, 1981) mais aussi comme point d'appui d'une réflexion critique vis-à-vis du positivisme sociologique (inhérent selon ses dires au fonctionnalisme et au structuralisme) qu'il accuse de « réifier ce qui est vivant, de

---

(1) On peut distinguer, à la suite de Denzin (cité par Bertaux, 1980 : 200), le récit de vie et l'histoire de vie :

– le récit de vie (« life-story ») est l'histoire d'une vie telle que la personne qui l'a vécue la raconte. Il s'agit de matériaux biographiques primaires recueillis directement par le chercheur, à sa demande, dans le cadre d'une interaction directe (en face à face) ;

– l'histoire de vie (« life-history ») comprend le récit de vie accompagné de différents autres documents (dossier médical ou judiciaire, tests psychologiques, etc.) ou bien encore, du témoignage des proches.

structuraliser ce qui est luttes et contradictions et de considérer comme établi et figé ce qui est par essence historique » (Bertaux, 1979 : 25).

En mettant ainsi l'accent sur la compréhension « de l'intérieur » d'une
société, il adopte un point de vue classique en ethnologie mais en opposition avec une conception de la sociologie (soutenue, notamment, par
Bourdieu) selon laquelle il n'y a pas de possibilité d'élaboration d'un
savoir scientifique sans une rupture préalable avec les représentations
spontanées. Dans la perspective de Bertaux, l'approche biographique est
au fondement d'une connaissance savante, en continuité avec celle du
sens commun du fait qu'elle est « une construction des constructions »
faites par les acteurs sur la scène sociale : l'individu est un sujet, porteur
de sens, producteur de savoir.

Mais s'il est relativement facile de légitimer la méthode biographique
en tant que méthode qualitative, il reste que la subjectivité inhérente à
cette méthode est un problème autrement plus épineux. Car même si on ne
souscrit pas à la formule employée par Bourdieu, « c'est peut-être la malédiction des sciences de l'homme que d'avoir à faire à un objet qui parle »
(Bourdieu *et al.* 1969), il ne suffit pas de se mettre à l'écoute des sujets
pour rendre raison de leurs conduites et même des raisons qu'ils propo-
sent. En effet, si on ne peut faire l'économie de la question du sujet (histoire personnelle, expérience vécue, création continue de soi...) ou, plus
exactement, celle de la subjectivité et de ses rapports complexes avec le
fonctionnement social, il n'en reste pas moins que la dimension existen-
tielle peut constituer un obstacle à la connaissance scientifique si on réduit
le monde social aux représentations que s'en font les acteurs.

Ainsi, la méthode biographique se développe au cœur de ces contradictions, entre l'analyse et l'expérience, entre l'objectivité et la subjectivité en s'efforçant d'éviter les deux écueils du « vécu sans concept » et
du « concept sans vécu » (selon une expression empruntée à Lefebvre).

Le « vécu sans concept », c'est l'illusion de croire que le sujet peut
produire sur lui-même une vérité par le simple fait de se raconter ou bien
celle de croire que la conduite, l'attitude d'un sujet puissent avoir une
autonomie par rapport aux conditions sociales qui les produisent, par rapport aux systèmes de relations dans lesquelles elles s'expriment.

Quant à l'erreur du « concept sans vécu », elle consiste à considérer la
vie comme pur produit de déterminismes, à faire l'impasse sur le fait que
les individus ne sont pas des objets inertes mais des sujets actifs qui peuvent intervenir dans la construction de leur existence, de leur trajectoire,
de leur identité sociale.

En bref, s'il convient de considérer les phénomènes sociaux comme
des choses, il faut préciser qu'il s'agit de choses qui n'obéissent pas aux

lois de la physique mais de sujets socio-historiques qui obéissent à des lois particulières qu'ils contribuent à produire, sur lesquelles ils interviennent en permanence, non seulement à travers des rapports de force, des règles, des normes, mais également des croyances, des passions de telle sorte que « l'individu est le produit d'une histoire dont il cherche à devenir le sujet » (Gaulejac, 1988 : 5).

Mais ces arguments ne résolvent pas le problème posé par la validité scientifique d'une méthode qui postule la pertinence sociologique de la singularité, ce qui constitue un paradoxe épistémologique. On note, au passage, que le terme de singularité est employé de préférence à celui d'individu par les défenseurs de la méthode qui se justifient ainsi : d'une part, le stock de connaissances détenu par un acteur s'élabore en tout premier lieu par une transmission de la part des personnes et des groupes que côtoient chaque sujet social, d'autre part, toute constitution de sens dans la sphère de l'acteur vaut parce qu'elle fait sens aussi pour ses partenaires sociaux.

A la limite, l'individu est considéré comme un microcosme, un « univers singulier » (pour reprendre la formule sartrienne) dans le sens où «... toute vie humaine se révèle, jusque dans ses aspects les moins généralisables, comme la synthèse verticale d'une histoire sociale. Tout comportement ou acte individuel nous paraît, jusque dans ses formes les plus uniques, la synthèse horizontale d'une structure sociale » (Ferrarrotti, 1979 : 141-142).

En pratique, cette conception extrême est nuancée par la référence aux *médiations* d'un groupe d'appartenance (groupes restreints ou primaires : familles, « peer groups », travail, classe, voisinage, etc.) qui constitue un espace charnière entre individus et structures et se révèle comme la médiation fondamentale entre le social et l'individuel, ce qui explique l'intérêt toujours renouvelé des chercheurs pour les biographies de groupes primaires (O. Lewis, 1963 ; D. Bertaux 1986 ; Le Grand, 1988).

Problèmes de méthode

Le problème majeur posé par l'approche biographique est celui de son objectivité définie comme « la réalisation simultanée d'autant de fiabilité et de validité que possible » (Kirk et Miller, 1986 : 20).

Or, tous les auteurs sont unanimes à reconnaître que la *fiabilité* du récit de vie (définie comme le degré auquel le résultat de la recherche est indépendant des circonstances accidentelles de la recherche) est sujette à question. En premier lieu, parce qu'il s'agit d'un événement historique, d'une reconstruction du passé caractérisée par son instabilité et, d'autre part, parce qu'en se situant dans l'«ici et maintenant» du face à face narrateur/auditeur, on est en droit de se demander si cette expérience ne détermine pas le mode de production même du récit, c'est-à-dire les opérations de découpage, de sélection, d'organisation des événements du trajet biographique.

Confrontés à cet obstacle redoutable que représente l'intersubjectivité inhérente à leurs pratiques, les praticiens de l'approche biographique tentent d'en améliorer la fiabilité par le recueil systématique d'informations sur la manière dont le matériel a été collecté (ce qui comprend non seulement le contexte ethnographique mais aussi le processus de recherche lui-même) et par l'établissement d'un cadre normatif de communication destiné à contrôler le processus intersubjectif.

C'est ainsi que Chanfrault-Duchet (1988) propose une définition de la méthode biographique en tant que *système interactionnel*. Ce faisant, elle a pour objectif de répondre aux arguments des adversaires de la méthode biographique, en particulier ceux qui concernent le non-respect de la neutralité du chercheur et la dimension subjective et individuelle du récit de vie. D'après elle, ces préventions relèvent d'une méconnaissance :
– des conditions effectives de production du matériau (l'interaction qui produit le récit de vie est une situation langagière gouvernée par des cadres socio-discursifs précis qui préservent l'acte de recherche) ;
– du statut et du fonctionnement de ce matériau en confondant le moi intime de l'autobiographie et le moi social du récit de vie.

Dans son optique, le récit de vie est défini comme un rituel socio-langagier, déterminé par un *contrat de parole* qui assigne à chaque partenaire un statut, et gouverné par leur projet de parole respectif. En fait, ce *contrat de parole* est constitué par un ensemble de contrats à clauses mutiples qu'il s'agit de distinguer :
– *le contrat de recherche* par lequel l'interaction est posée par le chercheur comme un moment précis du processus de recherche, avec pour conséquence, notamment, le fait que l'individu sollicité accepte que son récit fasse l'objet d'une analyse et, éventuellement, d'une publication ultérieure ;
– *le contrat narratif* introduit par l'injonction « Racontez-moi... » qui oblige les deux partenaires à coénoncer un récit, c'est-à-dire une production discursive qui possède ses propres lois, ses propres codes ;

– *le contrat autobiographique*, c'est-à-dire l'obligation pour le narrateur d'élaborer son récit de vie à la première personne de telle façon que, conformément aux règles de l'autobiographie, le « je » renvoie au narrateur (énonciation) et au héros (énoncé). L'individu sollicité est donc tenu de s'assumer dans son récit comme sujet, ce qui fait l'originalité de la démarche au plan de la recherche.

Le système interactionnel ainsi défini renvoie aux aspects proprement sociaux d'une interaction qui se déroule au premier chef dans un *cadre institutionnel*. A ce niveau, le chercheur est le représentant d'une institution qui le mandate auprès d'un autre membre du corps social. Autrement dit, le dispositif d'énonciation délimite un espace de discours qui dépasse la simple confrontation entre deux personnes et constitue le lieu d'un échange social inégal, un espace où s'exercent des rapports de pouvoir entre un enquêteur (qui conserve la maîtrise des opérations) et un enquêté. Mais ce rapport d'*inégalité institutionnelle* est contrebalancé par l'existence d'autres cadres :

– l'instauration d'un rapport d'égalité fonctionnelle dans la mesure où il ne s'agit pas d'un interrogatoire (2) mais d'une rencontre entre deux personnes ;

– le fait que raconter sa vie, c'est transmettre à son interlocuteur un legs, ce qui impose des rôles socio-discursifs déterminé (ceux de donateur et de donataire) qui limitent les aspects proprement singuliers (sexe, âge, personnalité, histoire...) de la relation ;

– la façon dont le narrateur est amené à dominer le dialogue tandis que l'enquêteur se trouve contraint d'assumer le rôle subordonné du narrataire de façon telle qu'il y a perte de maîtrise du dialogue par le chercheur et partage par celui-ci de la construction du sens.

Pour en terminer avec cette rapide présentation de la méthode, signalons enfin que si le problème de la fiabilité est abordé sous l'angle d'une connaissance aussi précise que possible du contexte d'observation, celui de la *validité* sera résolue par la diversité méthodologique : échantillonnage par vagues successives jusqu'au « point de saturation » (3) ; utilisa-

---

(2) La production du discours autobiographique suppose que l'enquêteur ne considère pas l'informateur comme un simple banque de données mais le reconnaisse dans sa singularité. Réciproquement, l'enquêté ne livre pas son expérience au seul représentant de l'institution mais le reconnaît comme une personne.

(3) Le point de saturation est atteint lorsque le chercheur a l'impression de ne plus rien apprendre de nouveau, du moins en ce qui concerne son objet d'étude : « La saturation est un processus qui s'opère non pas dans le plan de l'observation, mais dans celui de la représentation que l'équipe de recherche construit peu à peu de son objet d'enquête... » (Bertaux, 1980 : 208).

tion de méthodes statistiques (Balan et Jelin, 1980) ; recherche systématique de cas négatifs (Bertaux, 1986) ; récits de vie croisés (Lewis, 1963); observation participante (Anderson, 1993) ; enquêtes complémentaires par questionnaires ou entretiens, etc.

Dans le cas présenté ici, si la rencontre avec M. doit beaucoup au hasard (*cf.* Ethnographie I), son recrutement comme informatrice privilégié a dépendu d'une connaissance préalable du milieu des usagers de drogues, qui m'a permis de la situer immédiatement avec précision dans une position d'extrême marginalité par rapport à ce milieu, de l'identifier comme un cas limite et de profiter d'un rapport de pouvoir qui m'était favorable (prise en charge thérapeutique) pour compenser l'échec d'une tentative du même genre avec Xadi.

Le temps de l'analyse

L'analyse du récit de vie apparaît bien problématique quand on le considère dans sa dimension temporelle (le récit de vie comme histoire) ou encore dans sa dimension imaginaire (le récit de vie comme mythe).

En examinant le récit de vie comme « histoire » (pour reprendre une expression de Gaulejac, 1988 : 5-7), nous sommes amenés à réfléchir sur la différence qui existe entre logique de la mémoire et logique scientifique en ce sens que le travail de l'individu sur son histoire est toujours un travail de réécriture qui ne peut s'effectuer qu'à partir de l'expérience actuelle de celui qui l'opère :

> « Dans le jugement présent sur le passé, le présent l'emporte sur le passé ; la détermination par la situation d'entretien et par les expériences sociales récentes des narrateurs prime sur l'éventuelle expression d'attitudes anciennes ou d'idées depuis longtemps enracinées (...). C'est pourquoi les interactionnistes, dans une histoire de vie, insistent davantage sur les catégories d'une sociologie de l'entretien que sur celles d'une pseudo-mémoire » (4) (Peneff, 1990 : 58).

Et l'on sait, par ailleurs, comment Freud a mis en évidence les mécanismes de déplacement, de condensation qui viennent jouer des tours à la

---

(4) Il est probable, par exemple, que l'un des objectifs que visait M. en donnant un ton tragique à la narration de son récit de vie était de mobiliser ma compassion et de faire durer le soutien thérapeutique et financier dont elle bénéficiait.

mémoire de telle sorte que les conflits essentiels, qui marquent l'existence d'un individu, mettent en œuvre des résistances qui rendent suspect le caractère objectif des souvenirs qui sont conservés. En ce sens, la mémoire est plus un outil de travail sur notre histoire qu'un outil d'enregistrement.

Ainsi, l'analyse d'un récit de vie doit se donner pour objectif de reconstituer les différentes possibilités offertes aux acteurs, le « champ des possibles », afin d'éviter de tomber dans le piège de « l'illusion rétrospective » (Bourdieu *et al.* 1982 : 17), c'est-à-dire le piège des explications données *a posteriori* qui se justifient d'elles-mêmes par la description de ce qui est arrivé et réduisent ainsi le sens de l'histoire à ce qui est arrivé. S'efforcer de reconstituer le champ des possibles, c'est reconnaître que l'histoire est faite de combats dont l'issue est incertaine et accepter le fait qu'il n'y ait pas de prévision possible, que le sens de l'histoire n'existe pas.

Dans le récit de vie, les incertitudes de la mémoire se conjuguent aux broderies de l'imagination au point qu'un praticien de la méthode biographique a pu écrire un texte intitulé « Le mythe dans l'histoire de vie » (Peneff, 1988 : 8-14). En effet, les récits de vie sont univoques et, en l'absence de discours contradictoire et d'opposants, ils peuvent se transformer facilement en plaidoyer *pro-domo*, en auto-justification, en embellissement systématique du fait qu'ils constituent des versions officielles, c'est-à-dire publiques, de notre vie : *cf.* par exemple la succession stéréotypée de malheurs que l'on retrouve dans la plupart des récits de vie de prostituées ou de toxicomanes.

D'où la nécessité pour le chercheur d'essayer de distinguer la part de l'imagination et celle de l'observation car chacun a simultanément ou successivement une propension à diffuser des mythes propres à son groupe social, mais aussi à mettre en œuvre des grilles relativement pertinentes d'observation. Quand on recueille des histoires de vie, il faut estimer quelles sont les conditions d'objectivité maximale ainsi que les secteurs sensibles ou vulnérables, en tenant compte de l'expérience particulière de l'individu au sein d'un groupe social spécifique (*cf.* le cas de M. et la difficulté d'obtenir des informations fiables sur sa consommation de psychotropes illicites).

Le courant post-moderniste

Actuellement, on observe, au sein de l'anthropologie nord-américaine, un regain d'intérêt pour le récit de vie avec le développement du courant dit « post-moderniste ». En effet, parmi les moyens proposés par ses tenants pour déconstruire le discours ethnographique, le récit de vie apparaît comme un outil privilégié du fait de sa nature discursive. Dans cette optique, l'approche biographique permet à la fois d'accorder une place importante aux énoncés des autochtones et de révéler les fondements intersubjectifs du travail de terrain. Cette façon de considérer le récit de vie comme une construction négociée de la réalité est brillamment illustrée par l'ouvrage de Crapanzano (*Tuhami, portrait of a Moroccan*, paru en 1980) et celui de Shostak sur la vie d'une femme *!Kung* (Shostak, 1981), qui ne sont pas seulement des récits de vie mais aussi des méditations sur le dialogue qui s'instaure entre l'ethnographe et ses informateurs (5).

Apparu dans les années 80, ce courant, très critique vis-à-vis d'un certain positivisme ethnologique, s'est attaché à déconstruire le discours ethnographique et à désobjectiver son écriture en questionnant la nature du savoir ethnographique, ses conditions d'élaboration et de transmission.

Dans cette lignée, le recueil de textes édité par Clifford et Marcus (*Writing Culture*, 1986) illustre de façon exemplaire les orientations de ce mouvement avec une première critique adressée à cette « *epistémè* du démiurge » (Crapanzano, 1986 : 76), issue de la méthode de l'observation-participante codifiée et imposée par Malinowski au début de ce siècle. Une méthode (mise en œuvre par un individu, un héros solitaire, pourvu d'un solide bagage scientifique) dont la validité reposait d'une part sur le respect de normes standardisées (séjour prolongé dans le village autochtone, apprentissage du langage vernaculaire, recherches centrées sur des institutions particulières, etc.) et, d'autre part, sur l'utilisation de procédures rhétoriques (par exemple, le présent ethnographique ou l'exclusion du je) dont la fonction principale serait de dissimuler les fondements intersubjectifs du travail de terrain.

Cette « stratégie discursive » a pour effet principal de disjoindre le processus de recherche du texte qu'il génère par la mise à l'écart de divers processus intermédiaires (textualisation, traduction...) ainsi que de nombreux médiateurs (interprètes, informateurs privilégiés...). Simultanément, l'expérience du chercheur (par définition, éminemment subjective) est devenue la principale source de légitimité.

Les moyens, proposés par la plupart des auteurs du recueil pour rompre avec cette stratégie, sont des procédures rhétoriques qui tendent

---

(5) Du côté francophone, l'ouvrage de J. FAVRET-SAADA, *Les mots, la mort, les sorts* (1977) est cité en exemple pour l'attention qu'elle porte tout au long de l'ouvrage aux places respectives du sujet observé et du sujet observant.

toutes à partager et à disperser entre plusieurs voix la légitimité (conçue comme un abus de pouvoir) de l'ethnographe : dialogue, introduction d'éléments personnels et contextualisation.

Parallèlement, en France, un sémioticien comme Barthes avance que si la science et la littérature sont toutes deux des discours (ce qu'exprimait bien l'idée du *logos* antique), elle n'assument pas de la même façon le langage qui les constitue l'une et l'autre :

> « Pour la science, le langage n'est qu'un instrument, que l'on a intérêt à rendre aussi transparent, aussi neutre que possible, assujetti à la matière scientifique (opérations, hypothèses, résultats) qui, dit-on, existe en dehors de lui et le précède : il y a d'un côté et d'*abord* les contenus du message scientifique, qui sont tout, d'un autre côté et *ensuite* la forme verbale chargée d'exprimer ces contenus, qui n'est rien » (Barthes, 1984 : 14).

Or, cette conception positiviste de la science a été, selon Barthes, remise en cause avec l'avènement du structuralisme qui est préoccupé, au premier chef, par l'opposition de la science et de la littérature dans la mesure où il trouve dans celle-ci un objet qui lui est homogène (au niveau des contenus, des formes et des mots du discours). Dans ces conditions, fait remarquer Barthes, comment ne mettrait-il pas en cause le langage même qui lui sert à connaître le langage ? En effet, ajoute-t-il, si l'objectivité et la rigueur sont des qualités nécessaires au moment du travail de recherche, elles ne peuvent être transférées au discours :

> « Toute énonciation suppose son propre sujet, que ce sujet s'exprime d'une façon apparemment directe, en disant je, ou indirecte, en se désignant comme il, ou nulle, en ayant recours à des tours impersonnels (...). De ces formes, la plus captieuse est la forme privative, celle précisément qui est d'ordinaire pratiquée dans le discours scientifique, dont le savant s'exclut par souci d'objectivité ; ce qui est exclu n'est cependant jamais que la "personne" (...) nullement le sujet (...) en sorte que l'objectivité, au niveau du discours ... est un imaginaire comme un autre » (Barthes, 1984 : 17-18).

Pour terminer, Barthes plaide en faveur de l'écriture comme moyen de pratiquer cet imaginaire en « toute connaissance de cause ». Elle lui apparaît seule à même de briser « l'image théologique » imposée par l'identification de la science à un état neutre du langage, un code de référence au fondement de l'autorité scientifique.

En pratique, j'ai retenu, lors de la rédaction du présent travail, la nécessité de représenter le contexte de la recherche et les situations d'interlocution et d'employer le « je » pour revendiquer une subjectivité qui a été une partie intégrante du processus de recherche. Sujet sur le terrain, j'ai décidé de le rester dans l'écriture, en faisant également une large place aux énoncés des autochtones (dialogue, citations) dans le but de faire partager au lecteur une compréhension largement intuitive d'une autre culture (6).

Enfin, comme un clin d'œil à Borges, ce texte est truffé de citations empruntées à de nombreux auteurs qui, à un degré ou un autre, et de façon involontaire, ont été mis à contribution lors de la rédaction de cet ouvrage.

---

(6) « Cette connaissance largement intuitive d'autrui, il faut maintenant la transmettre. Parce qu'elle est fondée sur une expérience unique, le problème est à chaque fois différent. Idéalement, donc, chaque ethnographe devrait repenser le genre ethnographique... » (Sperber, 1982 : 46).

LA VOLONTÉ DE SAVOIR

Chapitre VI

RÉCIT DE VIE, MODE D'EMPLOI

Ethnographie II
(Période du 20-11-87 au 22-02-88)

Une semaine plus tard, à Diamaguène, je croise par hasard la gynécologue du projet de soins de santé primaires : M. ne s'est pas présentée à sa consultation. Je décide de faire un tour à Nietti-Mbaar pour m'informer. Xadi, que je trouve en train de cuisiner, m'explique que M. a refusé de consulter. Elle a pris la fuite et se cache maintenant quelque part. Je lui demande de se mettre sans tarder à sa recherche et lui fixe rendez-vous dans quatre jours. Par ailleurs, Xadi a été mise en demeure de vider les lieux : suite à une bagarre, le propriétaire a porté plainte auprès de la police et elle a été convoquée au commissariat de Guédiawaye. Elle me montre le volet de bois défoncé par des voleurs. Son dénuement est impressionnant, elle semble toucher le fond mais ne paraît pas s'en inquiéter outre mesure. Je lui remets un peu d'argent.

« Le jour dit (24-11-87), j'arrive en début de matinée chez Xadi qui m'apprend que M. est hébergée dans la maison de Ndeye à Bagdad. J'y récupère M. qui m'attend et, ensemble, nous marchons jusqu'à cet hôpital "Notaire" (appellation populaire du centre de santé du Roi-Baudouin) où une consultation gynécologique est assurée chaque mardi matin. La gynécologue examine M. avec attention : inspection de la vulve, prélèvements vaginaux, touchers vaginal et rectal. Elle évoque finalement le diagnostic de chancre syphilitique qui devra être confirmé par une sérologie. Elle remet à M. des antibiotiques destinés à soigner une infection vaginale associée et me conseille de prendre un avis spécialisé auprès d'un dermatologue dakarois.

Le temps de retourner à Nietti-Mbaar récupérer mon véhicule et de conduire M. jusqu'au centre de santé Dominique, il est trop tard pour le prélèvement sanguin. Le labo est fermé (…). Avant de la quitter, je lui explique longuement la nécessité de faire ce prélèvement et lui remets un billet de 500 F destiné à régler le laboratoire en lui enjoignant de s'y rendre dès le lendemain matin. Je lui fixe aussi rendez-vous devant la porte de l'Hôpital principal à Dakar pour le surlendemain. »

« Le 26-11-88, elle est bien au rendez-vous, manifestement "défoncée", en compagnie d'un jeune homme nommé Chiix. Le service de dermatologie de l'hôpital principal est désert et je décide de tenter ma chance à l'hôpital Le Dantec tout proche. Nous passerons une heure à déambuler dans l'enceinte de cet hôpital dont la vétusté me frappe. Les bâtiments sont délabrés et l'ensemble pue les eaux croupies. Je réussis à faire examiner M. par un dermatologue toubab qui me fait penser à un assiégé, enfermé comme il l'est dans son bureau, derrière la porte duquel se presse une foule de consultants. Il examine rapidement M. allongée sur son pagne étalé à même le sol. Elle pleure en se rhabillant pendant que le médecin évoque les diagnostics de syphilis, de végétations vénériennes ou encore de tuberculose. "Il faudrait faire effectuer un examen de sang et une biopsie", dit-il en nous envoyant au service de gynécologie pour consultation.

Il me faut tourner en rond deux ou trois fois dans l'hôpital avant de trouver le service en question, orienté à plusieurs reprises dans de fausses directions par des informateurs en blouse blanche apparemment peu au courant de la géographie de l'hôpital. Laissant M. dans la voiture à la garde de son copain (elle est de plus en plus provocante, assise sur le siège avant, exhibant sans pudeur ses cuisses dénudées au regard des passants), je patiente un long moment dans une salle d'attente vide, espérant l'arrivée de l'interne occupée à faire sa visite. Découragé, j'abandonne et largue M. et son copain à proximité du marché Sandaga en leur donnant de quoi rentrer en bus à Pikine. »

Si, au début, j'ai agi par compassion, je commence, maintenant, à la considérer comme une informatrice potentielle. Elle pourrait faire l'objet d'une investigation en tant que consommatrice de « pions », et le travail que je n'ai pu achever avec Xadi, je pourrais essayer de le réaliser avec elle. Mais étant donné son état de santé, je dois d'abord la soigner. Ainsi, progressivement, ce qui avait démarré comme une action thérapeutique ponctuelle est inséré dans une stratégie de recherche.

« Vendredi après midi (27-11-87), en repassant à Bagdad, j'apprends que M. a été virée le jour-même par son amie Ndeye qui vitupère contre cette "droguée", cette malade à qui elle souhaite une mort rapide. Elle se serait complètement défoncée aux "pions" avec l'argent que je lui avais remis et s'est mise à "déconner". Ndeye ne veut plus en entendre parler d'autant plus, ajoute-t-elle, qu'elle-même est enceinte actuellement et doit surveiller sa tension. Quant à M., personne ne sait où elle se trouve. »

« (03-12-87) Déplacement à Pikine à la recherche de M. Chez Ndeye, un jeune homme prétend connaître l'endroit où elle se trouve : "Une rue du côté droit du Tali Nietti-Mbaar – en allant vers l'"essencerie" – au coin du bar, puis la porte à droite à l'endroit où il y a de l'eau au milieu de la rue", m'explique-t-il en wolof. C'est la première fois que je pénètre dans ce quartier à côté duquel je suis passé des centaines de fois. Dans la cour de la plupart des maisons stagnent des mares d'eau qui n'ont pas encore séché depuis la dernière pluie, il y a deux mois. Sur les murs des maisons, on peut voir la marque laissée par l'inondation, à plus de cinquante centimètres du sol boueux sur lequel j'hésite à m'aventurer. Pas de trace de M. qui aurait déménagé depuis longtemps m'apprend une fillette interrogée. Au carrefour de l'"essencerie", où je m'enquiers de son éventuel passage auprès d'un revendeur de "pions", personne ne l'a vue récemment. »

« Le lendemain (04-12-87), j'interroge Ndeye sur ses relations avec Xadi et M. en lui offrant du thé et des cigarettes. Elle refuse d'être enregistrée et me raconte, en wolof, comment ces deux femmes sont des amies à elle de longue date. Avec Xadi, elles ont grandi ensemble à Djidda et sa fille aînée qui joue dans la chambre est l'homonyme de M., ce qui prouve, ajoute-t-elle, à quel point elles ont pu être proches. A ses dires, Xadi a commencé à prendre des "pions" depuis trois ans, et c'est elle qui a initié M. alors que cette dernière vivait encore chez son mari. Elle précise encore qu'elle a été obligée de virer M. parce que celle-ci faisait du scandale et attirait l'attention de tout le quartier sur cette maison qu'elle occupe avec ses frères depuis le décès de leur mère. Et puis, il y a beaucoup de "ramasses" en ce moment à Pikine. Et puis aussi, elle a hébergé Xadi pendant sa dernière grossesse mais, après son accouchement, elle a été obligée de la chasser quand celle-ci a recommencé à boire des "pions"... Elle aurait volé la mère d'une amie à Djidda... M. lui aurait confié qu'elle buvait jusqu'à 8 à 10 "pions" par jour. Ce sont leurs amants qui leur offrent des "pions" pour coucher avec elles... »

« Le 10-12-87, dès les premières heures de la matinée, déplacement sur le terrain à la recherche de M. Après avoir demandé de ses nouvelles sans succès à l'"essencerie" Icotaf, à Djidda, à Médina-Gounasse, je rends visite à la gynécologue belge du "Roi-Baudouin", que je dérange pendant sa consultation pour lui faire part de l'échec de mes démarches.

Puis, laissant ma voiture dans l'enceinte du centre de santé, je me rends à pied jusque chez Ndeye avec laquelle je discute un moment de la possibilité d'organiser un entretien collectif pour parler "sida"... Personne n'a revu M., et c'est au moment où je quitte la maison que cette dernière arrive en compagnie de Gouli (un des frères d'Awa), suivis tous les deux par une bande de gamins excités par le spectacle de cette femme qui avance en titubant. Elle est ivre et sent fortement l'alcool. Alors qu'elle est sur le point de franchir le seuil de la maison, j'interviens pour prévenir une altercation entre Ndeye et M. et j'entraîne cette dernière en direction du "Roi-Baudouin", malgré mon peu d'envie de m'afficher publiquement en sa compagnie dans l'état où elle se trouve. Avec l'aide de Omar et Gouli, nous l'entraînons lentement jusqu'à la voiture à travers le labyrinthe des ruelles de Bagdad et Médina-Gounasse, provoquant au passage la curiosité des habitants.

Puis retour à Mousdalifa après avoir remercié mes compagnons avec un peu d'argent... M. m'explique qu'elle n'a nulle part où aller : après avoir dormi quelque temps dans la rue, elle est actuellement hébergée par un ami de son "frère" (un certain El Adji) dans une des maisons de ce quartier sinistré où je l'avais cherchée en vain l'autre jour... C'est là où je la reconduis : ruelles inondées et jonchées d'ordures en décomposition (1), maisons abandonnées composent un spectacle de désolation. En entrant dans la maison, une vieille femme en train de cuisiner répond sans aménité à nos salutations par un brutal : *Ëppna !* ("Ça suffit !"). Dans la chambre, M. se dénude pour me montrer sa plaie qui suinte... Elle pleure en racontant combien elle souffre, surtout la nuit, et puis elle n'a rien à manger, n'a plus de logis et ses habits ont été volés... Elle était au courant de mes recherches : partout où elle allait, les gens l'informaient de mon passage. Elle souhaite mourir, ce qui mettrait un terme à ses souffrances. Le traitement antibiotique a provoqué une éruption prurigineuse : elle se gratte sans arrêt. Je donne 500 F à son compagnon pour qu'il achète du pain et une boîte de sardines que nous partageons en guise de déjeuner.

Après le repas, pendant que M. dort, soulagée par un antalgique, son compagnon prépare du thé et me raconte brièvement sa vie, dans un français sommaire. Il s'appelle El Adji, est âgé de 30 ans et vit dans cette maison avec sa mère, sa grand-mère et deux neveux après avoir été marié et divorcé. Il se "démerde" pour faire face aux besoins de la famille en vendant du *yamba* et des "pions" à l'"essencerie". Il prétend qu'un vendeur peut se faire entre 3 000 et 5 000 F dans un bon jour (ce qui me paraît

---

(1) En fait, des camions-poubelles viennent déverser leurs ordures à la demande des résidents du quartier qui espèrent, ainsi, combler à bon marché les ruelles qui quadrillent ce bas-fond.

excessif). Lui-même boit des "pions" qu'il associe à du *soum-soum* (un tord-boyaux de fabrication locale) et du *yamba,* mais il s'efforce de contrôler la consommation de "pions" de M. En ce moment, elle en prendrait environ quatre par jour dans le but de calmer ses souffrances. Je les quitte en donnant rendez-vous à M. le lendemain matin (je l'accompagnerai à Dominique pour sa prise de sang) et en laissant un peu de fric à la grand-mère pour la nourriture, plus quelques sachets d'un antalgique prélevé dans ma pharmacie. »

En regagnant Dakar, je réfléchis à la mise en place d'une recherche-action destinée à soutenir M. et à la soigner. Du point de vue thérapeutique, il me paraît urgent de soulager ses souffrances par un traitement antalgique approprié, ce qui devrait diminuer sa consommation de « pions » et permettre la poursuite du bilan biologique. D'autre part, il me faudrait à tout prix éviter une prise en charge directe. Mon idée est de travailler plutôt à reconstituer autour d'elle un réseau de soutien. En bref, soutenir ceux ou celles susceptibles de l'assister.

Une fois son état de santé amélioré, lors de la phase de recherche, il s'agira de reconstituer son parcours afin de comprendre comment elle a pu en arriver à cet état de dénuement. Par exemple, comment est-il possible qu'elle n'ait pas d'autre solution que de dormir dans la rue ?... Je n'ai encore jamais vu ça à Pikine, même si j'ai pu observer, comme tout le monde, les sans-abris qui campent, d'année en année plus nombreux, sur les trottoirs du Plateau (quartier central) à Dakar. Ma vision d'une société solidaire est remise en question et je commence à comprendre qu'en la personne de M., je suis confronté à un cas de marginalisation extrême.

« Le lendemain matin (11-12-87), je passe prendre M. à Pikine chez El Adji. Sur ces entrefaites, la grand-mère intervient pour déclarer qu'elle ne veut plus de M. à la maison et que, dorénavant, je devrai m'en occuper. Elle conclut son propos par une vigoureuse claque appliquée sur le dos de la jeune femme lorsque celle-ci passe devant elle pour gagner la sortie. Le message est sans ambiguïté, et je charge El Adji de trouver le plus rapidement possible une chambre dans le quartier pendant que nous nous rendons au centre de santé Dominique où je profite de l'occasion pour photographier l'infirmier qui effectue le prélèvement destiné à une sérologie syphilitique (*cf.* photographie ci-après).

Nous sommes de retour sur Tali-Nietti-Mbaar vers 9 heures. Je suis pressé car j'ai un rendez-vous important à Dakar. Je gare la voiture sur le bas-côté et laisse M. à l'intérieur pendant que je visite, avec El Adji, une chambre dans une maison sordide. Le loyer serait de 5 000 F, aux dires

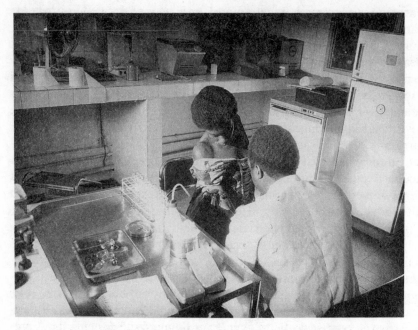

Itinéraire thérapeutique : « La prise de sang »

d'El Adji, ce qui me paraît excessif. Cela sent l'arnaque, pas question de lui laisser autant d'argent, et en attendant le propriétaire, je suis bel et bien coincé ici... De temps en temps, je vais jeter un coup d'œil sur la voiture autour de laquelle un attroupement grossit de minute en minute. Femmes, enfants, adolescents s'agglutinent autour du véhicule et observent M. comme ils le feraient d'un singe en cage. Excédé, je tente maladroitement de disperser le rassemblement en invitant énergiquement les gamins à s'en aller. C'est exactement ce qu'il ne fallait pas faire : les enfants réagissent en chahutant de plus belle et le désordre augmente rapidement. Ça tourne à l'émeute et je commence à transpirer abondamment en proie à une peur incontrôlable. Je tente en vain d'interpeller les adultes qui passent sur le chemin mais tout le monde se défile. Je remonte dans la voiture, maintenant environnée d'enfants de plus en plus excités qui commencent à tambouriner sur la carrosserie. La chaleur devient étouffante. Quant à M., elle manifeste une sereine indifférence : le pagne remonté sur les cuisses, elle se gratte sans honte à la grande joie de son public. Je décide de prendre la fuite et fais demi-tour sous les huées des enfants.

Pendant une dizaine de minutes, je tourne et vire dans le centre-ville, tâchant de me calmer et surtout de trouver rapidement une solution au problème qui consiste à rejoindre El Adji pour régler cette histoire de chambre, et, pour cela, trouver un endroit où laisser cette femme encombrante sous surveillance. Après avoir réfléchi, je décide finalement d'aller demander de l'aide à Sali qui habite à proximité chez son père. Sans stopper le moteur, je la fais appeler, l'arrache à ses travaux domestiques et lui explique brièvement la situation. Elle accepte de garder M. dans la voiture et reçoit pour consigne de ne la laisser partir sous aucun prétexte.

En passant par un chemin détourné, je rejoins El Adji, remets 4 000 F au propriétaire pour le règlement du loyer et 1 000 F à El Adji pour acheter de quoi manger. Puis je transporte M. aussi près que possible de son nouveau logis en empruntant un chemin détourné. Elle est saoûle, tient à peine sur ses jambes et je suis soulagé lorsque je la vois s'éloigner au bras d'El Adji. »

Sur le chemin du retour (l'heure de mon rendez-vous est passé depuis longtemps), je tente de réfléchir à cet instant de panique et aux circonstances de son apparition. C'est la conjonction de trois acteurs incongrus (un Toubab, une jeune femme saoûle, une voiture) qui a provoqué cette excitation populaire. Quant à mon intervention, elle a été d'une rare maladresse avec pour seul effet d'augmenter l'agressivité des enfants. A présent, je vois d'un autre œil ces bandes de gamins qui occupent la rue, livrés à eux-mêmes. Ils échappent visiblement au contrôle des adultes et semblent, en quelque sorte, chargés d'indiquer les limites au-delà desquelles cette société ne tolère plus les comportements déviants. Dorénavant, il me faudra obtenir une réduction de ma visibilité, si je veux pouvoir continuer à travailler en paix. Autre problème, le réseau de soutien de M. qui semble en bien mauvais état. Il y a peut-être quelque chose à faire avec El Adji, mais j'en doute. De toutes façons, je n'ai pas le choix : à part lui, je ne vois personne d'autre susceptible de l'assister.

Je rentre à la maison, fatigué, déçu et désorienté. Pendant un instant, ce matin, j'ai perdu la maîtrise de la situation sur le terrain et, pour la première fois, j'ai cédé à un mouvement de peur.

« (Mardi 15 décembre) C'est jour de consultation au "Roi-Baudouin". Je passe d'abord récupérer les résultats du prélèvement au labo : contre toute attente, ils sont négatifs... M. m'attend, lavée, coiffée et habillée d'un pagne propre. De nouveau, la gynécologue pratique un examen au spéculum et un prélèvement sur les pertes blanches, nauséabondes. Elle donne ensuite un nouveau traitement antibiotique. Je raccompagne M. et lui remets juste assez d'argent pour se nourrir sur la base de 250 F par repas. Je ne tiens pas à lui remettre trop d'argent d'un seul coup, de crainte qu'elle ne l'utilise pour acheter des "pions". Elle supporte difficilement la présence permanente d'El Adji à ses côtés, me confie-t-elle en aparté, et souhaiterait rester seule. »

« (21-12-87) J'ai été informé entre-temps que le laboratoire a fait une erreur. Il faut refaire un prélèvement sanguin. De nouveau, consultation au "Roi-Baudouin" auprès de la gynécologue qui me conseille de faire pratiquer une biopsie à Dakar. Puis déplacement au centre de santé Dominique pour une nouvelle prise de sang (2). Ensuite j'emmène M. successivement au laboratoire d'histologie de l'université de Dakar (le responsable est absent), au laboratoire voisin d'anatomie pathologique ("pour une biopsie, allez à l'hôpital Le Dantec", m'apprend-on), au pavillon Bichat de cet hôpital où on nous aiguille vers le service de dermatologie dont le "patron" est en train d'effectuer sa consultation privée.

En jouant de ma qualité de médecin, je force la porte de ce mandarin qui exulte à la vue d'un cas aussi spectaculaire et l'adresse immédiatement à son assistant (le Toubab vu lors de notre première visite) pour établir un dossier et pratiquer une biopsie. J'ai honte (pour moi, pour mes confrères) lorsque M. est mise en demeure de se dénuder dans la cour de l'hôpital, et de rester en position debout, penchée en avant de façon à exhiber largement sa plaie qui est photographiée sous divers angles. Je la réconforte comme je peux : *"Fii, amul sutura !"* ("Ici, il n'y a pas de pudeur !") et lui explique qu'elle doit se plier aux exigences des médecins si elle veut être soignée et guérir. Puis il nous faut attendre que l'interne chargé des biopsies dispose de son matériel. Il n'a qu'un jeu d'instruments qu'il est obligé de stériliser après chaque intervention. Il tranche large et me confie le prélèvement que je porte sans délai à l'institut Pasteur voisin. »

Il me semble enfin voir le bout du tunnel. Les deux diagnostics les plus souvent évoqués sont la syphilis et la tuberculose, et avec les résultats de l'examen de sang et de la biopsie, on devrait être en mesure d'établir un diagnostic certain et de commencer un traitement adapté. Je suis si content que je raccompagne M. jusqu'à Pikine en lui faisant faire le grand tour du Cap-Vert par les Almadies, l'aéroport de Yoff et la Patte d'oie.

« Le lendemain de Noël (26-12-87), je rends visite à M. qui me raconte comment, dans l'après-midi du 22, elle s'est mise à perdre du sang en abondance au niveau de l'incision pratiquée pour la biopsie. Cela a duré

---

(2) Prélèvement sur lequel sera pratiqué un « VDRL. », c'est-à-dire un examen destiné au diagnostic de la syphilis.

jusqu'à minuit et, comme elle refusait d'aller au dispensaire, El Adji est allé quérir le chef de quartier qui l'a convaincue d'aller se faire soigner. A Dominique, ils leur ont recommandé d'aller à l'hôpital. Grâce à l'argent que je lui avais laissé, elle a pu se rendre à Dakar où elle a été hospitalisée en urgence à Le Dantec. Elle en est sortie le lendemain après-midi. A présent, elle va bien. »

Dans les deux semaines qui suivent, le résultat du VDRL me parvient (il est fortement positif), tandis que la biopsie n'est pas en faveur d'une origine tuberculeuse (« remaniements non spécifiques »). L'étiologie syphilitique est donc quasi certaine. La gynécologue prescrit un traitement par pénicilline injectable que je commence immédiatement à appliquer. Afin de compléter ce bilan biologique, il est décidé, en accord avec le responsable du laboratoire de « Dominique », de pratiquer une sérologie HIV. Je l'accompagne au laboratoire pour le prélèvement. A cette occasion, survient un incident tout à fait caractéristique de l'intolérance suscitée par M. En effet, exaspérée par la maladresse du laborantin qui la pique à plusieurs reprises sans succès, elle se met en colère et l'apostrophe. Ce qui a pour résultat son éviction immédiate du laboratoire accompagnée d'un échange d'insultes avec le personnel. De toutes façons, j'en sais assez pour la traiter, et décide d'en rester là en ce qui concerne le bilan biologique.

Sur ces entrefaites (début janvier 1988), M. est arrêtée, dans un bar de Pikine, pour D.C.S. (c'est-à-dire Défaut de carnet sanitaire dans le jargon administratif) par des policiers du commissariat de Guédiawaye qui la transfèrent le lendemain matin aux « Cent mètres » (ainsi appelle-t-on la prison centrale de Dakar). El Adji, qui fait l'intermédiaire entre M. et moi (je le charge de lui transmettre quelques médicaments et un peu d'argent pour qu'elle puisse cantiner), me propose de louer les services d'un avocat afin d'accélérer la procédure. Mon principal souci étant alors de poursuivre le traitement, à peine commencé, et d'obtenir la libération rapide de M., j'accepte après discussion de lui verser 15 000 F, ce qui a pour effet de provoquer sa disparition immédiate de la circulation. Au vu de l'amélioration de son état (il semblait devenu sobre) et de l'attachement qu'il manifestait à M., j'avais parié imprudemment sur son soutien actif. Jugée et condamnée le 15 janvier à un mois de prison avec sursis, M. sort le même jour et retourne dans sa chambre de Mousdalifa pour apprendre qu'elle doit la quitter dans les plus brefs délais.

« (19-01-88) Ce n'est qu'aujourd'hui que j'apprends toute l'histoire de la bouche de M. et mesure l'étendue des pertes subies. Les médicaments que M. avait en sa possession au moment de son arrestation (elle sortait de la pharmacie) ont disparu pendant son incarcération. El Adji s'est emparé du montant du loyer que, de toutes façons, le propriétaire de la chambre refusait d'encaisser dans la mesure où il voulait se débarrasser de ses locataires. Enfin, divers objets ont disparu de la chambre (seau, théière, matelas) probablement revendus par El Adji. Pour tout mobilier, il ne reste qu'un lit en bois et une petite table en fer forgé qui lui appartiennent. M. déclare n'avoir rien mangé depuis sa sortie de prison et nous allons manger ensemble un riz dans une "gargotte" du marché Nietti-Mbaar. A notre retour, j'ai la surprise de trouver El Adji installé dans la chambre. J'en profite pour lui faire signer un document, rédigé de ma main, selon lequel il reconnaît me devoir la somme de 15 000 F et me laisse en gage son lit et une table de chevet jusqu'à ce qu'il puisse me rembourser. »

Dès que le soleil est couché, un froid vif s'abat sur la ville, obligeant les habitants à se recroqueviller dans leurs chambres autour des poteries où rougeoient des braises. En partant, je passe voir le chef de quartier et le remercie pour avoir obligé M. à partir à l'hôpital l'autre jour. Du fait que je m'en porte garant, il accepte de lui louer une chambre dans une maison inoccupée pour la modique somme de 2 000 F. Il s'agit d'une toute petite chambre (pantere) dont la porte est dépourvue de serrure. M. est d'accord pour déménager. Elle se chargera de faire installer une nouvelle serrure, ce qui lui permettra de se débarrasser d'El Adji, m'explique-t-elle. Elle accepte aussi de participer à un travail qui consisterait à me raconter sa vie.

« Trois jours après (le 22-01-88, date de l'arrivée du rallye Paris-Dakar dont je croise les concurrents sur la route de Pikine), M. est de nouveau à la rue. Elle m'accueille en me racontant une histoire compliquée qui peut se résumer ainsi : le chef de quartier nous avait loué une chambre à l'insu du propriétaire de la maison qui, aussitôt prévenu par des voisins, en avait chassé M. malgré sa résistance. Le chef de quartier appelé pour témoigner aurait nié nous avoir jamais vus et lui avoir donné l'autorisation d'emménager. A la suite de quoi, M. a pris la fuite et a passé la journée sur la plage de Thiaroye-sur-mer. A son retour, elle a trouvé la porte arrachée et ses affaires transportées chez un voisin.

Une fois de plus, nous voici en quête d'un logis, déambulant dans Médina-Gounasse, interrogeant les femmes installées derrière leurs "tabliers"... A l'évidence, le comportement sans réserve de M. et son franc-parler (elle raconte à qui veut l'entendre le mauvais tour que nous a joué le chef de quartier) dissuadent beaucoup de propriétaires de nous louer quelque chose, malgré la présence d'un Toubab, garantissant le versement du loyer. M. finit par trouver une petite chambre (toujours dans ce quartier Mousdalifa) aux murs imprégnés d'eau et je règle d'avance un mois de loyer (2 000 F). La journée se termine dans la maison du "vieux" qui a gardé les affaires de M. Installé sur une natte de plastique, en compagnie d'un visiteur silencieux, il écoute patiemment la diatribe de M. contre le chef de quartier en égrenant à une vitesse prodigieuse les perles de son chapelet. M. n'en finit pas de répéter son histoire, réclamant justice de façon véhémente et me présentant comme un témoin irréfutable "parce que les Toubabs, ce n'est pas comme les Noirs, ils n'ont qu'une parole"... Elle attend l'obscurité pour déménager ses affaires sans attirer l'attention du voisinage. »

Collecte du récit de vie
(Période du 23 janvier au 17 mars 1988)

« (23-01-88) Premier entretien enregistré de 45 minutes... M. réclame de l'argent pour s'acheter des habits : "C'est parce que je suis mal habillée, avec toujours les mêmes vêtements sales, que les gens du quartier me traitent de folle".

« (26-01-88) Tentative de séduction de la part de M. à mon égard ?... De retour du bain, elle se comporte de façon provocante (déshabillage, massages)... J'examine sa lésion : la cicatrisation est en bonne voie... Je prends conscience des ambiguïtés de notre relation : suis-je un client, un amant, un médecin ou un père ?... Elle me donne l'occasion de préciser ma position lorsqu'à sa demande de prolonger ma visite, je réponds que je suis fatigué et désire "descendre" (3). Comme elle s'étonne de l'emploi de ce terme, je lui rappelle que je suis en sa compagnie pour travailler... Une fois n'est pas coutume, elle accepte sans rien dire l'argent que je lui remets, soit 1 500 F (500 F par jour)... Quant à El Adji, elle l'a chassé et garde en sa possession des vêtements qui lui appartiennent tant qu'il ne lui aura pas rendu le seau "emprunté" l'autre jour.

Je commence à comprendre qu'il me faut abandonner tout espoir d'amener progressivement M. à l'autonomie et que, une fois le travail ter-

---

(3) Dans le français du Sénégal, ce terme désigne le fait d'avoir terminé son temps de travail et de rentrer à la maison.

miné et son état de santé amélioré, mon désengagement devra être net et rapide. »

« (Samedi 30-01-88) El Adji a été attrapé chez M. par des Peul Fouta et emmené à la gendarmerie de Thiaroye après avoir volé de la vaisselle dans une gargotte de Nietti-Mbaar. Voici le récit de sa dernière journée de liberté, telle que me l'a racontée M.

La nuit d'avant, il avait dormi devant le seuil de sa maison. A l'aube, après que sa grand-mère ait ouvert la porte, il lui vole son poulet qu'il revend pour se procurer de quoi acheter des "pions". Lorsqu'un peu plus tard, il passe rendre visite à M., il est complétement ivre et s'endort un moment devant sa porte. A son réveil, il retourne à l'"essencerie" d'où il revient accompagné de deux gars qui veulent acheter des "pions". Il empoche 1 000 F et les laisse plantés devant la porte de sa maison pendant qu'il s'enfuit en sautant le mur de derrière. A la tombée de la nuit, il va manger dans un restaurant et part en emportant un *bool* (récipient en tôle émaillée à usage de plat) et une cuiller. Un peu plus tard, il est reconnu par une femme du restaurant et pourchassé jusque chez M. où il s'était réfugié.

Là-dessus M. me fait part de sa conception du fonctionnement de la justice. Elle m'explique longuement qu'il vaut mieux voler 500 000 F que presque rien. Celui qui a volé beaucoup d'argent pourra se payer un avocat et graisser la patte du juge. A l'inverse, un petit voleur comme El Adji sera sévèrement battu par la police ou les gendarmes et lourdement puni par le juge. De toutes façons, conclue-t-elle, il faut être fou pour voler un peu de vaisselle de manière aussi maladroite. »

En définitive, il semble que tout le monde soit ravi de le voir arrêté : « C'est un voleur, un fou, il est mauvais ». *Exit* El Adji dont je n'entendrai plus reparler si ce n'est deux années plus tard, pour apprendre qu'il aurait disparu à Nouakchott à la suite du massacre des émigrants sénégalais qui aura lieu dans cette ville au mois d'avril 1989.

Conséquence imprévue de cet incident : le propriétaire veut rendre le montant du loyer et expulser M. qui refuse de partir. Je la soutiens entièrement : elle restera ici jusqu'à la fin du mois. Par ailleurs, M. n'est pas décidée à reprendre la suite de notre entretien aujourd'hui et je me contente de prendre des notes. A la suite de ce refus, je reste quelques jours sans rendre visite à M., histoire de lui rappeler que, en contrepartie du soutien que je lui apporte, j'attends une collaboration de sa part.

« (06-02-88) Long entretien (90 minutes) enregistré chez M. après avoir demandé à son ami Chiix de sortir. Ce n'est pas la première fois que je croise ce jeune homme qui paraît très amoureux. »

« (09-02-88) Vent de sable depuis quarante-huit heures, accompagné d'une sensation d'oppression respiratoire. La campagne électorale en vue des élections présidentielle et législative vient de commencer.

En fin d'après-midi, visite à M. A mon arrivée, présence de Chiix qui est en train de préparer un mélange de thé et de lait... Elle réitère d'une voix pâteuse (malgré ses dénégations, elle a certainement pris des "pions") sa demande concernant une visite chez sa mère à Malika. Pour cela, il lui faudrait un boubou neuf et des tresses que je rechigne à acheter. D'un autre côté, je suis intéressé par une visite qui me permettrait de faire connaissance avec sa famille...

Elle se plaint de ne pas manger à sa faim avec l'argent que je lui remets mais, visiblement, on n'a pas la même façon de compter : pour moi, 1 000 F, c'est cinq "riz au poisson" (4) au marché, pour elle, c'est une tête de mouton cuite au four de la "dibiterie" (5) du coin... »

« (12-02-88) Laborieuse séance de travail avec Rama sur le dernier enregistrement avec M. Travail rendu difficile par le bruit autour du bureau. Les mosquées sont les seuls lieux de recueillement et de silence dans la cité.

J'assiste à une discussion entre Toubabs concernant les troubles qui pourraient se produire à cause des élections et mettre en danger la sécurité des résidants étrangers. Un ami me conseille d'éviter de circuler en ville dans les jours précédant le scrutin (prévu pour le 28 février). »

« (Samedi 13-02-88) Dernier entretien de 45 minutes qui se termine (une fois l'appareil débranché) par une discussion sur son avenir immédiat maintenant qu'elle est presque guérie, même si je constate une suppuration persistante et une cicatrisation partielle. M. n'a pas l'intention de chercher du travail... Et d'abord, elle ne pourrait être embauchée parce qu'elle est dépourvue de "dentité" (c'est-à-dire d'une carte d'identité). Elle envisage de se prostituer de nouveau pour survivre mais a peur de retomber malade et surtout de se faire "ramasser" du fait qu'elle n'a pas de "pièce" (carnet sanitaire). J'envisage la possibilité d'en obtenir un pour elle, une fois que sa lésion sera complètement cicatrisée car, à l'heure actuelle, je doute qu'un médecin lui remette un tel document après l'avoir examinée. En attendant, nous nous mettons d'accord pour aller rendre visite à sa famille ("Une première visite de courtoisie et non de travail", précise-t-elle) la semaine prochaine et je lui remets de quoi acheter tissu et tresses pour paraître à son avantage devant ses parents. »

---

(4) Le riz au poisson ou *ceeb-u-jën* est le plat national. Pratiquement sur toutes les tables (ou plutôt nattes) lors du repas de midi.

(5) Terme qui proviendrait peut-être du français « débiter ». Désigne un lieu où l'on peut se procurer de la viande de mouton grillée, à emporter ou à consommer sur place.

« (15-02-88) Temps froid, ciel nuageux, c'est l'hiver dakarois. Premières manifestations violentes des sympathisants de Wade, le leader du PDS, le principal parti d'opposition. Aux cris de *Sopi ! Sopi !...* ("Changement ! Changement !") des bus de la SOTRAC (la compagnie chargée des transports publics dans la région du Cap-Vert) et des voitures particulières sont lapidés sur l'avenue Bourguiba à Dakar. »

« (19-02-88) Passé voir M. en fin d'après-midi. Je ne la reconnais pas tout de suite, tellement sa nouvelle coiffure la change. Nous bavardons un moment en présence de Chiix fasciné par M. qui nous fait son numéro habituel de sortie de bain avec une tranquille impudeur : un rituel compliqué de massages et frictions avec application de crèmes différentes selon les parties du corps. Elle me raccompagne à peine vêtue dans la rue où un "vieux" l'interpelle en lui faisant remarquer la légèreté de sa tenue. Je l'invite également à plus de retenue, comprenant que la marginalité de M. est à mettre aussi en rapport avec cette façon provocante qu'elle a de défier le regard et la langue d'autrui. »

« (20-02-88) Visite aux parents de M. à Malika, village ancien situé à la périphérie de la ville et déjà atteint par le front d'urbanisation. Ils logent dans un bâtiment de trois pièces couvertes de plaques de tôle sur lesquelles crépitent les pattes des pigeons. Dans la cour errent des dindons, des pintades, une oie blanche. Le reste de la volaille est enfermée dans des enclos confectionnés de bric et de broc. Le beau-père de M., un petit éleveur, s'exprime dans un français simple et m'explique comment il a été ruiné par les importations massives de viande de dinde congelée vendue à bas prix. Nous déjeunons d'un riz de *baadoolo* (paysan pauvre), souligne M. devant la simplicité du plat qui nous est servi. Le dénuement de cette maison est manifeste mais je suis impressionné par la dignité de sa mère.

Sur le chemin du retour (la conduite sur cette route creusée de trous profonds et encombrée de "cars rapides" est une redoutable épreuve), M. plaide sa cause : "Tu ne peux pas m'abandonner ainsi ; accompagne-moi jusqu'à ton départ". Je comprends tardivement qu'elle a toujours été dépendante des hommes et que mon discours sur l'autonomie n'a aucun sens pour elle. Rendez-vous est pris pour la semaine prochaine. Je la laisse à l'"essencerie" et, en regagnant Dakar, m'interroge sur les incertitudes d'une méthode qui consiste à travailler dans l'épaisseur du quotidien avec le projet d'en extraire quelque chose qui fasse sens, anthropologiquement parlant. »

Du 23 au 25-02-88, vent de sable très dense avec visibilité réduite à 200 mètres. Impression d'étouffer en respirant un air aussi chargé de poussière. A Pikine, l'insécurité règne : des bandes d'adolescents parcourent la ville, attaquent les voitures pourvues de plaques officielles à coup de pierres aux cris de *Sopi ! Sopi !* et prennent la fuite devant les policiers qui les poursuivent.

« (28-02-88) Une averse inattendue en cette saison a nettoyé l'atmosphère et cette journée d'élections se déroule sous un ciel d'une merveilleuse limpidité. Les feuillages et les fleurs resplendissent. »

Puis, pendant quelques jours, interruption du travail de terrain en rapport avec les troubles consécutifs aux élections. En effet, l'état d'urgence est proclamé dès le 28 février à la suite des émeutes qui se produisent à Dakar. Des rumeurs circulent : des stations d'essence auraient été incendiées de même que des voitures, le leader de l'opposition a été arrêté... Un couvre-feu est en vigueur de 9 heures du soir à 6 heures du matin. Les émeutiers contestent la façon irrégulière dont se serait déroulé le scrutin. Le 1er mars au matin, je prends un taxi pour aller faire un tour en ville et constater en personne l'étendue des dégâts. Sur l'avenue Bourguiba, les « essenceries » ont été cassées et des carcasses de voitures incendiées jalonnent l'avenue. Des gendarmes, en tenue de campagne, montent la garde devant l'entrée de l'université, silhouettes indistinctes dans le brouillard dense qui s'étale en direction de l'océan. Dans la Médina, mon chauffeur me fait observer les traces des combats qui ont opposé manifestants et gendarmes : cabines téléphoniques, kiosques à pain, carcasses de pneus brûlés, arbres brisés jonchent la chaussée et témoignent de la violence des affrontements de la veille.

« (03-03-88) Déplacement à Pikine en "car rapide" (je préfère par prudence laisser ma voiture au garage). Longue marche depuis le cinéma El Hilal jusqu'à Nietti-Mbaar. La ville est calme et il reste peu de traces du passage des manifestants : des kiosques à pain renversés, les enseignes brisées de l'"essencerie" Texaco et du bar Mbin Dieg, des tâches noirâtres sur la chaussée là où des pneus ont brûlé, quelques boutiques pillées. Au total, il semble que Pikine soit resté en retrait de l'agitation dakaroise.
M. a déménagé, expulsée de son logement à la suite de l'agitation et du bruit liés à la présence de Xadi, m'informe une voisine. Personne ne sait où les deux femmes sont allées et je les recherche en vain. »

« (04-03-88) C'est le printemps. Très belle journée, ensoleillée, aérée, légère. Les manguiers sont en fleurs, de même que les eucalyptus... Les résultats officiels des élections viennent de sortir : en gros 75 % pour Abdou Diouf (le président sortant) et le PS, 25 % pour l'opposition. »

« (05-03-88) De passage dans le quartier Mousdalifa, je suis hélé par une "diskette" (jeune fille) qui attend son tour à la borne-fontaine et m'apprend que M. est en visite dans sa famille, dans cette baraque en bois située au bout de la rue. M. m'accueille comme son sauveur : depuis deux jours elle est à la rue, m'explique-t-elle avec des difficultés d'élocution probablement en rapport avec l'absorption de "pions". Je n'ai pas le courage à ce moment-là de la laisser tomber et pendant qu'elle cherche un logis dans le voisinage, je discute avec Chiix, toujours à ses côtés. Peut-être que je tiens en sa personne l'élément autour duquel pourrait s'organiser un réseau de soutien, qui me permettrait de rompre la dépendance dans laquelle elle est prise vis-à-vis de moi.

Il a 32 ans, d'origine toucouleur, sans travail et habite chez ses parents dans un quartier voisin... M. est une amie sans plus, me précise-t-il, et il aimerait bien l'héberger mais ses parents n'accepteraient pas. Il est sans emploi depuis des années après avoir travaillé comme mécanicien-auto et soudeur. En définitive, il n'est guère mieux loti que M. et complètement dépendant de sa famille. »

M. a fini par trouver une chambre dans une maison du voisinage, une de ces maisons pourries dans lesquelles s'entassent les plus démunis pendant la saison sèche. Quand viennent les inondations de la saison des pluies, le quartier est déserté sauf par les plus pauvres, comme cette famille qui réside dans cette baraque. La mère me raconte, avec des sanglots dans la voix, l'épreuve que représente le fait de vivre pendant des mois dans un mètre d'eau. A peine ai-je versé une avance de 4 000 F que le chef de quartier survient et nous prévient qu'il ne tolèrera plus aucune histoires de la part de M., c'est-à-dire précise-t-il, pas de disputes, pas de bagarres ni de visiteurs louches. Les autres locataires sont chargés de la surveiller. J'accepte les conditions au nom de M. malgré le peu de sympathie que je ressens pour cet escroc qui parvient, une fois de plus, à me soutirer un peu d'argent. »

« (08-03-88) Suis passé voir M. installée dans son nouveau logis. Le thé, préparé par un copain, n'est que de l'eau chaude vaguement teintée de rouge et sucrée. La famille d'à côté n'est pas mieux lotie : d'après M., ils ne cuisinent pas tous les jours. Je lui remets 500 F. "Je n'ose plus rien te demander", me dit-elle. »

« (12-03-88) Longue conversation avec M. qui se plaint d'avoir faim. Elle n'aurait rien mangé depuis deux jours. Je lui passe 500 F pour acheter son petit-déjeuner. Chiix a été arrêté ce matin même chez elle par des gardiens du marché Nietti-Mbaar. Il serait accusé d'un vol dans un magasin de tissus qui a été dévalisé dimanche dernier. Aux dires de M., il est innocent puisqu'il aurait passé cette nuit-là en sa compagnie. Elle craint qu'il ne soit sévèrement battu par les gendarmes d'autant plus que, pour éviter à M. d'être mêlée à cette affaire, il a prétendu avoir "voyagé en Gambie" (6). C'est Xadi, dans le rôle de la traîtresse, qui aurait conduit les gardiens jusqu'à la chambre de M. où Chiix se cachait depuis plusieurs jours. Depuis, Xadi a disparu de nouveau, sa dernière née sur le dos, bourrée de "pions", titubant à travers la ville.

M. souffre toujours de sa lésion à la fesse qui suppure malgré le traitement antibiotique. A l'examen, je palpe une tuméfaction indurée et je l'adresse de nouveau en consultation au "Roi-Baudouin" pour avis sur le traitement à suivre. »

« (16-03-88) Visite à M. qui m'explique d'une voix pâteuse qu'elle a été malade (mal au ventre, mal à la tête) et que Xadi, de passage chez elle, en a profité pour lui dérober l'argent remis l'autre jour. Pas de nouvelles de Chiix. Je lui laisse un peu d'argent... Elle en réclame davantage... Je refuse.... Elle me poursuit dans la rue et nous nous disputons. Je l'accuse de "déconner", d'être "à côté de ses pompes". Elle finit par s'excuser et me laisser partir. »

Aspects techniques

A partir de mon expérience personnelle, et des conseils prodigués dans la littérature par les praticiens de cette méthode, je vais tenter à présent de dégager un certain nombre de règles techniques concernant les modalités de recueil d'un récit de vie.

La période pendant laquelle j'ai effectué l'enregistrement du récit de vie de cette jeune femme correspondait à une sorte de « lune de miel » dans nos relations. Son état physique s'améliorait rapidement sous l'effet

---

(6) Molesté par les gendarmes du camp de Thiaroye, Chiix a toujours refusé de signer le procès-verbal comme on voulait l'y obliger. Il aurait été immergé toute une nuit dans un baril d'eau dans lequel, de temps à autre, les gendarmes lui auraient enfoncé la tête. La violence physique à l'égard des délinquants est la règle dans une société où les châtiments corporels sont considérés comme un moyen d'éducation. La justice populaire est encore plus expéditive : les voleurs appréhendés sur le fait sont parfois battus jusqu'à ce que mort s'ensuive.

du traitement médical, d'une alimentation régulière et de la possibilité qui lui était offerte de récupérer, à l'abri des quatre murs d'une chambre louée à son intention.

Conscient de la dette symbolique qu'elle contractait envers moi en acceptant cette prise en charge thérapeutique, je lui proposai de me faire le récit de sa vie comme une sorte de remboursement. Un jour, alors qu'elle me répétait pour la énième fois : « Seul Dieu pourra te rendre ce que tu as fait pour moi », je lui répondis : « Tu peux me le rendre en acceptant de parler avec moi de ta vie. »

Au total, ce sont trois heures qui ont été enregistrées au moyen d'un magnétophone, dans l'intimité d'une relation duelle car M. avait parfaitement compris ce que j'attendais d'elle et se chargeait d'écarter les importuns qui survenaient à l'improviste. Ses copains étaient prévenus à l'avance de ne pas nous déranger : j'estimais en effet que cette intimité était indispensable, d'une part, pour maintenir le système des interactions à son niveau le plus simple en évitant l'intervention de tierces personnes, et, d'autre part, dans le but de contrôler la qualité sonore de l'enregistrement.

En théorie, la prise de notes simultanée est recommandée avec, pour objectif, notamment, d'enregistrer les interactions non verbales (gestes, attitudes, mimiques, regards...) qui constitueront, lorsque sera venu le moment de « comprendre ce qui s'est passé », de précieux indices. En pratique, je me suis contenté, une fois l'entretien terminé, de rédiger des notes sur les événements qui avaient immédiatement précédé et suivi les entretiens.

En effet, au cours de l'entretien lui-même, j'étais bien trop occupé à suivre le discours de M., qui s'exprimait en wolof, en m'efforçant d'en comprendre l'essentiel. A l'époque de ma rencontre avec elle, j'avais acquis, après plus de deux ans de terrain et beaucoup d'efforts, une connaissance du wolof que j'estimais suffisante dans le domaine de la compréhension orale. Par contre, j'étais plus limité quand il s'agissait de m'exprimer (dans un wolof « lourd » dont mes interlocuteurs se moquaient), quoique parfaitement capable de me faire comprendre sans ambiguïté lorsque les circonstances l'exigeaient.

De telle sorte que je pouvais suivre M. dans son discours, attentif à en comprendre le sens général, évitant de l'interrompre à tout bout de champ pour lui demander de m'expliquer le sens d'un mot, une tâche dont elle s'acquittait avec patience et sérieux (en usant de périphrases) lorsque cela était nécessaire, tant était profond son désir d'être comprise avec la plus grande exactitude.

Par la suite, chaque entretien a fait l'objet d'un examen « à chaud » dans les jours qui suivaient. Avec l'aide de mon assistante, je pouvais contrôler mon niveau de compréhension, corriger d'éventuels contresens et éclaircir certaines obscurités. A partir de ce premier déchiffrement, enrichi des commentaires de ma collaboratrice, j'étais à même d'orienter mes investigations ultérieures.

Dans le cas de M., le premier entretien (d'une durée de 3/4 d'heure) avait été largement non directif et elle en avait profité pour faire le récit complet de sa vie d'une façon très schématique. Les deux entretiens suivants ont été plus directifs, dans la mesure où il s'agissait de recueillir des informations supplémentaires sur des événements ou des personnages identifiés comme des facteurs déterminants dans sa trajectoire.

La question de savoir s'il vaut mieux être directif ou non directif revient fréquemment sous la plume des praticiens de l'approche biographique. De la non-directivité totale (dans le cas d'une autobiographie) à la directivité la plus serrée lorsque le récit de vie est recueilli à l'aide d'une grille de questions (*cf.* Balan et Jelin, 1980 : 270-271), tous les cas peuvent se voir. En pratique, c'est la combinaison d'une écoute attentive et d'un questionnement qui semble la règle, mais ce qui est souligné avec force par différents auteurs, c'est le fait que l'interviewé doit devenir l'auteur de son récit :

> « L'une des conditions pour qu'un récit de vie se développe pleinement, c'est que l'interlocuteur soit saisi par le désir de raconter et qu'il s'empare lui-même de la conduite de l'entretien » (Bertaux, 1980 : 209).

Par la suite, ces enregistrements ont été transcrits intégralement par une secrétaire bilingue (wolof-français) du département des sciences humaines de l'ORSTOM à Dakar. Puis, cette transcription a été contrôlée par une collaboratrice sénégalaise et moi-même.

D'habitude, la phase de transcription est tenue pour une pratique courante, allant de soi, ne modifiant pas la nature du document qui sera soumis à l'analyse. Or, cette « opération hétérologique », pour reprendre une expression de M. de Certeau (1980 : 271), qui consiste à substituer l'écrit à l'oral, serait légitimée par la définition de l'objet (la parole de l'autre) comme « fable », c'est-à-dire une parole qui ne sait pas ce qu'elle dit :

> « La "fable" est donc parole pleine, mais qui doit attendre l'exégèse savante pour que soit "explicite" ce qu'elle dit "implicitement". Par cette ruse, la recherche se donne à l'avance, dans son objet même, une nécessité et une place (...). La domination du travail scripturaire se trouve ainsi fondée en droit par cette structure de "fable" qui est son produit historique » (M. de Certeau, 1980 : 271-272).

Où l'on voit que les déconstructivistes ne sont pas au bout de leurs peines, si la matière même de leur entreprise critique est déjà un fruit véreux. En ce qui me concerne, j'ai adopté une position pragmatique en considérant que l'écrit, en tant qu'outil de communication, est encore, malgré ses imperfections, irremplaçable.

Enfin, dans le cas du récit de vie de M., l'abus de pouvoir consubstantiel à l'opération de transcription s'est accompagné d'une trahison, celle de la traduction. Dans les mois qui ont suivi mon retour du terrain, au cœur de l'hiver québecois, je me suis attaqué à la traduction intégrale du texte. Trois versions ont été successivement produites jusqu'à parvenir au point où l'ambiguïté sémantique apparaisse irréductible. Car malgré l'assistance d'un psychiatre sénégalais, de passage à Montréal, le discours de M. a continué à résister : comment traduire des termes argotiques dont le sens n'est pas stable ? Comment restituer la verdeur et le ton sans ambages de cette étonnante informatrice ?...

La traduction (abrégée) qui est proposée ici n'est donc qu'une reconstruction, d'autant plus que le texte définitif a fait ensuite l'objet d'un découpage en respectant autant que possible la chronologie indiquée par M. lors de son récit initial.

Un point de vue linguistique

J'entreprends d'aborder ici, de manière superficielle, une étude qui prend pour objet M., en tant qu'énonciatrice de sa biographie. Il ne s'agit pas, à proprement parler, d'une analyse de discours ou de contenu (7), seulement d'un essai pour comprendre quelques particularités de son langage.

Élevée par sa grand-mère maternelle dans un environnement urbain où le wolof prédomine, M. manie avec aisance une langue dont la syntaxe est conforme au parler populaire et qui me paraît reposer sur une base lexicale relativement étendue.

---

(7) L'ensemble des opérations qui interviennent entre le récit oral et la version destinée à être analysée interdisent de procéder à une analyse de contenu selon l'opinion défendue par Peneff, (1990 : 85-6) : « Le chercheur qui édite le discours, reconstruit, coupe, intervertit les passages pour donner un déroulement cohérent, respecter la chronologie. Ce travail est arbitraire (une autre transcription en donnerait une autre version) et cette part d'intervention est invérifiable par les autres chercheurs. »

M. parle de façon fluide, rapide et imagée (en français, on dirait qu'elle a la langue bien pendue) et cette maîtrise du verbe constitue un atout précieux vis-à-vis du milieu qu'elle est amenée à fréquenter. A plusieurs reprises, j'ai eu l'occasion d'observer l'ascendant qu'elle pouvait prendre sur son entourage, en particulier sur ces jeunes hommes subjugués par sa verve truculente (8). Et ce n'est pas seulement une capacité linguistique qu'elle met ainsi en jeu mais toute une compétence à communiquer qui englobe, également, des formes non verbales d'expression.

Son discours, tel que j'ai pu l'observer en situation d'entretien, est caractérisé par l'emploi de figures de rhétorique assez communément répandues. Ainsi, elle interpelle fréquemment son interlocuteur en utilisant un pronom personnel à la deuxième personne (tu, toi) lorsqu'elle décrit des situations impliquant une tierce personne ou elle-même : « C'est cela être *tumuranke*. Et puis aussi, il n'y a personne qui t'aide. *Tu* seras trop fatigué(e). »

Cela peut aller jusqu'à établir des relations de similitude entre son interlocuteur et le personnage de l'histoire : « Mon grand-père, il était vieux. Ce qu'il avait, c'était pour moi, sa petite fille. Il te ressemble : tout ce que tu as, c'est pour ton fils. »

De même, elle emploie volontiers un style direct (sous forme de dialogue) pour rapporter des événements dans lesquels elle a été impliquée ; elle n'hésite pas à se répéter (ce qui donne un style surchargé de redondances) et son discours est ponctué d'expressions (ou « lubrifiants discursifs ») – du type « Tu sais ?... Est-ce que tu comprends ce que je te dis ?... Tu as compris ?... etc. » – qui visent à relancer, à intervalles rapprochés, l'attention de son interlocuteur.

C'est une pratique commune, surtout chez les jeunes qui en abusent, mais dans le contexte particulier de notre relation, il est possible que M. ait usé, plus que d'habitude, de cette figure de rhétorique dans la mesure où elle était confrontée à un interlocuteur dont la maîtrise du wolof était incertaine. Quoi qu'il en soit, il faut souligner une fois de plus l'importance extrême attachée par M. à l'exactitude de la réception de son récit de vie (elle s'assurait de la fidélité de l'enregistrement magnétique après chaque entrevue) et à sa compréhension correcte de ma part.

De même, on peut se demander si la présence d'un interlocuteur toubab et francophone n'a pas constitué un biais ayant favorisé une plus grande utilisation de termes empruntés au français de la part de M. En effet, comme le lecteur pourra s'en rendre compte à la lecture des extraits de

---

(8) Par contre, ce parler sans façon « passe » plus mal auprès des aîné(e)s qui critiquent sa mauvaise éducation.

son récit de vie, le discours de M. comporte une proportion de termes français relativement importante, en tout cas plus importante que ce à quoi on pourrait s'attendre de la part d'une jeune femme non scolarisée (donc *a priori* sans compétence dans le domaine de la langue française), et c'est sur cette particularité philologique que je vais centrer à présent mon analyse.

Au Sénégal, le français bénéficie d'un statut de langue officielle : c'est la langue de l'administration, celle de l'enseignement (dès l'école primaire), de la presse écrite et, en partie, celle des médias audiovisuels (radio, télévision). En outre, six langues nationales ont été reconnues officiellement (wolof, sérèr, peul, diola, mandingue, soninké) avec une nette prédominance du wolof, la langue la plus usitée en milieu urbain, en passe de devenir la langue nationale de fait.

Dans le cas du Sénégal, à l'instar de ce qui se passe dans de nombreux pays africains (Ngalasso et Ricard, 1986), on peut raisonnablement penser que le maintien du français comme langue de l'État et de l'enseignement permet de ne pas aborder de front les rapports entre les langues et l'État, et d'éviter ainsi les risques d'éclatement de l'État-nation sur des questions linguistiques. De ce fait, le statut socio-linguistique de la langue de l'ancien colonisateur n'a pas seulement une fonction de prestige, de pouvoir, de communication, d'enseignement et de participation aux échanges économiques mondiaux. Il est aussi garant de la survie de l'État sénégalais.

En pratique, la coexistence du wolof et du français aboutit à un mélange des deux langues qui peut prendre, selon les compétences linguistiques des locuteurs, plusieurs formes. On distingue ainsi deux phénomènes : celui de l'alternance et celui des emprunts.

Le terme « d'alternance codique intraphrastique » (ou « code-switching ») est employé lorsque des fragments de phrases appartenant à deux langues différentes coexistent à l'intérieur d'une même phrase. Cette capacité de faire alterner deux langues suppose une double maîtrise linguistique qui fait défaut à M. Elle ne parle pas le français et sa compréhension en est très limitée, même si une lecture attentive de son récit permet de repérer quelques exemples de ce que j'appellerai une « pseudo-alternance » avec l'emploi d'expressions toutes faites du genre : « ça veut dire », « c'est vrai, c'est faux », « c'est-à-dire », qui émaillent son discours. Il en est de même des expressions en langue arabe qui apparaissent çà et là.

Par contre, les emprunts (dans le texte, ils sont distingués pour la plupart par l'utilisation d'une orthographe française et de guillemets) qu'elle fait au français (9), par leur importance quantitative, méritent un examen plus approfondi. Ils sont caractérisés, en premier lieu, par le fait qu'ils ne supposent nullement que l'on parle la langue à laquelle on fait l'emprunt (Dumont, 1983 : 113) et, ensuite, par la propriété qu'ils ont de s'intégrer aux structures de la langue réceptrice (Poplack, 1988 : 30).

Parmi ces emprunts, les linguistes font la distinction entre emprunts spontanés (ou citations), qui signeraient l'accès au lexique entier de la langue, et les emprunts établis qui constituent un stock restreint, permanent, même si, en pratique, il est apparu difficile de les distinguer.

Pour identifier les *emprunts établis,* j'ai dû consulter le dictionnaire wolof-français le plus récent (Fal *et al.,* 1990) ainsi qu'un ouvrage dont un chapitre est consacré à cette question (Dumont, 1983 : 113-163). Mais ces deux ouvrages de référence reposent sur des bases déjà anciennes, en l'occurence les résultats d'une grande enquête réalisée dans les années 60 à l'échelle du Sénégal qui avait permis d'évaluer à 2 % le pourcentage réel des emprunts du wolof au français (10).

Or, seule une minorité des emprunts énoncés par M. entre dans cette catégorie :

– des termes lexicaux : *afeer* (affaire) ; *sigarett* (cigarette) ; *làmp* (lampe, phare) ; *ordonaas* (ordonnance) ; *paas* (titre de transport, billet) ; *marse* (marché) ; *darap* (drap) ; *koïn* (coin, rue), etc. ;

– des termes grammaticaux : *pur* (pour) ; *lue* (louer) ; *bale* (balayer) ; *komaase* (commencer) ; *kontaan* (content) ; *dàkkor* (d'accord) ; *garaw* (grave) ; *fokk* (faut que) ; *noos* (faire la fête) ; *paskë* (parce que), etc.

Mais la majorité des emprunts énoncés par M. sont du type *spontané* et, si nous considérons dans un premier temps les termes lexicaux, on se rend compte que leur emprunt obéit à différentes fonctions : il peut s'agir de termes employés dans le but de désigner des objets ou activités importés d'une autre société (fonction cognitive), ou bien encore, à partir du moment où ils sont en compétition avec des synonymes wolof, de marquer une distinction entre groupes (fonction de différenciation sociale).

Dans la catégorie des concepts nouveaux, il faut souligner (à côté de cas particuliers comme « cadeaux Noël ») leur importance quantitative

---

(9) On note de rares emprunts à la langue anglaise dans le cours de son récit : « boy » (au sens d'enfant), « pills » (les comprimés d'hypnotiques), « businessman » (homme d'affaire). A signaler un emprunt à l'espagnol : « vino ».

(10) Vingt ans après, à cette liste restreinte, il faudrait rajouter des termes comme « fòtò » (à la fois verbe et substantif : photographier et photographie) ou encore « luas » (loyer), couramment employés en milieu urbain et qui ne sont pas en concurrence avec des synonymes wolof.

dans deux champs lexicaux, celui du mobilier domestique, celui de l'espace urbain :

– ainsi, sous le terme générique de « matériel », M. fait l'inventaire des objets qui symbolisent à la fois la modernité (chaîne à musique, réfrigérateur, télévision, magnétophone, montre, ventilateur...) et le statut social (fauteuils bourrés, salon, bibliothèque, rideaux, bois rouge...) ;

– en ce qui concerne l'espace urbain, on note les termes suivants : ville, secteur, coin, demi-parcelle, boîtes, bars, poste, terminus-cars, garage, port, circulation, etc.

Dans le même ordre d'idée, pour tout ce qui concerne les échanges monétaires, M. (comme la majorité de ses concitoyens) fait un usage intensif du français.

Dans le deuxième cas, c'est-à-dire lorsque les termes empruntés au français ont des synonymes wolof, on peut supposer que leur usage relève d'une logique sociale ou culturelle plutôt que d'un besoin d'ordre cognitif. Dans cette catégorie, on note la fréquence des emprunts concernant le comput du temps et, au premier chef, le terme même de « temps » employé au sens de « en ce temps-là ». Il y a aussi le temps du calendrier (des termes comme « année », « mois », « jour » sont en concurrence avec des synonymes wolof) et celui de l'horloge (« minuit », « une heure », « huit heures, sept heures »...). A ce propos, on pourrait parler d'emprunts établis, tant il est commun de communiquer en français à propos de l'heure.

En ce qui concerne le champ lexical de la parenté, l'utilisation fréquente d'emprunts est à mettre en rapport avec le fait que « la terminologie wolof se caractérise par sa pauvreté en termes élémentaires s'expliquant par son caractère classificatoire : un seul terme pouvant désigner plusieurs parents à la fois » (Diop, A.B. 1985 : 32).

Cette relative ambivalence du wolof (une plus grande précision exige l'emploi de termes composés) peut expliquer l'emprunt de termes français comme « grand-mère » *(mam bu jiggen)*, « sœurs » (pour désigner les sœurs germaines utérines ou agnatiques) ou « parents » (sans équivalent en wolof au sens restreint du couple père/mère) dans la recherche d'une plus grande précision lexicale. Mais est-ce encore une explication valable lorsque M. emploie un terme comme « famille » dont le synonyme wolof *(njaboot)* est très usité ? S'agit-il alors d'une façon différente de concevoir la parenté ?...

A l'inverse, il y a perte de précision lorsque le terme emprunté au français, par exemple « marié », est inadéquat pour rendre compte des différentes phases d'un processus matrimonial complexe, dont témoigne l'existence en wolof de différents termes. Dans ce cas, on peut se demander si l'emprunt au français n'est pas corrélé avec cette tendance à la simplification du rituel matrimonial que l'on peut observer dans un contexte urbain.

Mais ce qui me paraît la singularité la plus intéressante de son discours a trait à la proportion relativement élevée d'emprunts de termes grammaticaux par rapport aux termes lexicaux, un phénomène peu fréquent si on en croit les linguistes (Poplack, 1988 : 31). On observe, à ce propos, que la majorité des verbes empruntés sont des verbes d'action (11) : tester, suivre, aider, récupérer, arranger, attirer, gêner, ramasser, obliger, passer, corrompre, arriver, provoquer, engager, exploiter, se défouler, etc. Cette tension de l'individu vers la réalisation de ses buts, à travers une action sur le monde, est très clairement exprimée dans l'utilisation particulière que fait M. du verbe créer, au sens de volonté appliquée à « inventer le quotidien » pour reprendre la belle expression de Michel de Certeau.

Dans un certain nombre de cas, ces verbes empruntés au français sont le siège de glissements sémantiques, et ils ont un sens différent dans la bouche de mon interlocutrice de celui qu'il possède en français (12) :

– « Suivre » au sens de : s'occuper de (par exemple, « suivre une affaire d'élevage ») ;

– « Orner » au sens de : décorer mais aussi équiper, meubler ;

– « Étudier » au sens de : observer ;

– « Moraliser » au sens de : négocier pour aplanir un conflit ;

– « Complexé » au sens de : timide, honteux, gêné ;

– « Fatigué » au sens de : qui a beaucoup de soucis, malade.

Par contre, certains termes lexicaux et grammaticaux empruntés au français signent l'appartenance de M. à des sous-cultures marginales :

– Celle des usagers de drogues illicites :

• « prexion » : état altéré de conscience produit par l'usage de psychotropes ;

• « science » : idées, réflexions, images mentales produites ou non par l'absorption de psychotropes. Par extension, toute activité mentale de nature réflexive ;

• « sciencer » : réfléchir, méditer ;

• « déconner », « déplaner » : être en état d'ivresse et perdre le contrôle de son comportement.

---

(11) Les verbes d'état apparaissent plus rarement : (être) « affecté », (être) « indisposée », (être) « en état » (sous-entendu « de grossesse »), etc.

(12) En l'absence d'enquête systématique auprès de locuteurs appartenant à différents niveaux sociaux, je ne suis pas en mesure de préciser si ces transferts sémantiques sont le fait de tel ou tel groupe social ou bien s'ils traversent la hiérarchie sociale.

– Celle du « maquis » entendu au sens restreint de l'ensemble des personnes qui fréquentent les lieux où se vend et se consomme de l'alcool (bars et clandos) :

- • « défouler » (se), « noos » : faire la fête, s'amuser sans contrainte ;
- • « financer » : entretenir, pourvoir aux besoins de ;
- • « concentrer » (se) : se replier sur soi-même ;
- • « soûlard » : ivrogne ;
- • « bourrer la tête » : tromper quelqu'un en lui racontant des histoires.

En conclusion de cette ébauche d'analyse linguistique, il faut souligner à quel point le langage employé par M. est quelque chose qui lui est propre. A partir d'une base wolof et de nombreux emprunts au français, elle a bricolé un langage hybride qui peut donner l'impression à un interlocuteur non francophone qu'elle est bilingue.

Cette manipulation rhétorique, qui s'inscrit dans une logique de différenciation sociale (dans la mesure où l'apprentissage du français est un indicateur de niveau social) doit être interprétée comme une stratégie mise en œuvre par M. dans l'intention de brouiller les signes de son origine sociale. Son langage révèle aussi qu'elle est, avant tout, une citadine située aux marges d'une société urbaine socialement hiérarchisée et culturellement diversifiée.

CHAPITRE VII

CROYANCES ET PRATIQUES RELIGIEUSES

« Je suis mouride »

Le premier enregistrement a lieu le 23 janvier 1988, au domicile de M., dans cette chambre louée la veille. Les murs sont encore humides, imbibés d'eau comme le sol en ciment. Le premier geste de M. a été d'emprunter un balai et de liquider les cafards établis à demeure dans ces locaux insalubres. Je suis surpris de la rapidité avec laquelle elle s'est installée avec des rideaux aux fenêtres et un morceau de tissu qui fait office de couvre-lit, de drap et de couverture.

Dans l'angle formé par deux murs tachés de grandes plaques brunâtres, est installé un petit guéridon de métal comme en produisent les ateliers locaux de menuiserie métallique. Un simple plateau de forme rectangulaire, monté sur quatre pieds, sur lequel elle a disposé, dans un désordre apparent, un assortiment hétéroclite des quelques objets qu'elle a pu sauver du naufrage :

– une théière de fer dont le métal émaillé est percé par la rouille à plusieurs endroits ;

– un paquet de cigarettes Marlboro ;

– une boîte d'allumettes de fabrication sénégalaise ;

– un peigne métallique à longues dents fixées sur un manche en plastique qui imite la forme d'une main ou d'une patte ;

– un fragment de journal (écrit en néerlandais, peut-être) qui sert d'emballage à deux morceaux de pain ;

– un sac en plastique transparent contenant des cacahuètes ;

– une photo en noir et blanc d'un petit format, sur laquelle on distingue la figure d'un jeune homme assis à côté d'une jeune femme que l'on distingue à peine ;

Instantané d'un naufrage
(Mousdalifa, janvier 1988)

– une petite corbeille en vannerie dans laquelle on aperçoit notamment des produits de toilette.

Il y a encore deux portraits, dressés contre le mur, en appui sur la bordure du plateau. Le plus petit, posé dans l'angle et placé derrière une bougie à moitié consumée, représente une jeune femme au regard flou fixé sur l'objectif. Elle est coiffée de tresses qui descendent jusque dans le cou et porte des boucles d'oreille. Une fine chaîne qui enserre son cou apparaît dans l'échancrure d'une robe en tissu imprimé. La photo est entourée d'un cadre de bois.

Entre le portrait de la jeune femme et deux pagnes usés et salis, qui pendent au mur, est dressé un deuxième portrait. C'est la reproduction en noir et blanc (à partir d'un dessin ou d'une photo) de la figure d'un homme au visage énergique, saisi dans sa maturité. Les lèvres sont bien dessinées et un pli marqué entre les deux yeux exprime la détermination (1).

L'entretien débute avec les questions que je lui pose à propos d'une image en sa possession : il s'agit du portrait d'un marabout.

« W – Lui, qui est-ce ?

M – Lui ? Mam Seex (2) Ibrahima Fall.

W – Mam Seex Ibrahima Fall ?

M – Oui. "Lampe" Fall (3). Tu vois, quand tu vas à Touba (4)... La "lampe" (...) oui, le minaret tout en haut...

W – En haut ? A l'intérieur de la mosquée ?...

M – Oui, la "lampe" à l'intérieur de la mosquée (...). C'est comme ça qu'on l'appelle : Lampe Fall.

W – C'est la "lampe" de *Sëriñ* Touba, Lampe Fall. C'est le maître des baye-fall. Est-ce que tu es baye-fall ?

M – (Elle rit) Moi, je suis baye-fall, je suis mouride... C'est lui qui a dit à *Sëriñ* Touba : "Laisse-moi boire la mer".

W – Laisse-moi boire la mer ? (...) Pourquoi ?

M – Il voulait la boire.

---

(1) Il s'agit du portrait de Chiix Mohamadou Falilou Mbacké, l'un des fils du fondateur de la confrérie mouride et qui en fut le deuxième calife de 1945 à 1968.

(2) *Seex, sheex, shiix* ou *chiix* est un mot d'origine arabe désignant un « clerc » et plus spécialement le leader d'une confrérie soufie. Synonymes : *Sëriñ* (en wolof), marabout.

(3) Surnom donné par les mourides à Ibra Fall en reconnaissance de son rôle joué dans l'expansion de la confrérie. Le minaret central de la grande mosquée de Touba est appelé « Lampe » en son honneur : de même que le minaret permet de voir la grande mosquée de loin, Seex Ibra Fall a répandu au loin la renommée de Chiix Amadou Bamba.

(4) Ville sainte et capitale de la confrérie mouride, elle est située au cœur du Baol, une région de culture arachidière située à 200 km au nord-est de Dakar.

Chiix Amadou Bamba et les Toubabs : précédé par l'ange Gabriel et suivi par Ibra Fall, le fondateur de la confrérie mouride fait face aux soldats français venus l'arrêter
(Reproduction photographique d'une peinture)

W – Il avait soif ?

M – Il n'avait pas soif. C'était à l'époque où les Toubabs avaient pris *Sëriñ* Touba pour l'emmener à l'étranger et le "tester" afin de savoir "si c'est vrai ou faux" qu'il avait recours au "maraboutage". Il était en colère et il a dit : "*Sëriñ*, laisse-moi boire l'océan de telle sorte que le bateau ne pourra pas partir. Ce sera une 'preuve' éclatante". Est-ce que tu comprends ce que je te dis ? Alors le *Sëriñ* a dit : "Non. Laisse tomber. Je vais partir et accomplir mon devoir afin que, dans l'avenir, mes esclaves puissent en bénéficier." (...) Mais il aurait pu la boire. La boire jusqu'à la dernière goutte (5). (...)

W – Lampe Fall, c'était l'ami de *Sëriñ* Touba ?

M – Voilà. Son ami intime ! (...)

W – Mais *Sëriñ* Touba, quand est-il né ?

M – Hooouuu !... Ça, c'est dans les "livres".

W – Dans les "livres" ?

M – Oui. Moi, j'ignore en quelle "année"… Ça fait longtemps. Je n'ai jamais pu le savoir. C'est dans les "livres" : on a marqué quand il est né, quand il est mort, on a tout marqué dedans. Mais moi, je n'en sais rien. »

D'entrée de jeu, M. ancre son discours dans une perspective temporelle : les personnages mentionnés ainsi que les événements rapportés sont historiquement documentés. Chiix Amadou Bamba est le fondateur de la confrérie mouride et Ibra Fall son disciple le plus fervent. Mais ce faisant, elle va plus loin : elle revendique clairement une identité, « je suis mouride, je suis baye-fall », qui renvoie à des pratiques et des croyances religieuses dont il me faut maintenant préciser le contenu. Enfin, en considérant ses propos dans le cadre de notre interaction, il apparaît qu'elle distribue à chacun de nous un rôle en mettant l'accent sur nos positions sociales respectives.

Un peu d'histoire

Si la pénétration de l'islam au Sénégal est ancienne (on la fait remonter au XIIᵉ siècle), ce n'est qu'à la fin du XIXᵉ siècle, à la suite de l'effondrement des structures politico-administratives traditionnelles (les divers

(5) Amadou Bamba fut envoyé en exil au Gabon de 1895 à 1902 par les autorités coloniales françaises.

royaumes wolof) consécutive à la conquête coloniale, que l'on assiste à une conversion en masse de la population, qui peut être interprétée comme une forme de résistance au pouvoir colonial : « L'islam marabou-tique au Sénégal se présente bien comme un champ authentiquement politique... un lieu de pouvoir et de résistance, d'intégration et d'autonomie » (Coulon, 1981: 5).

C'est dans ce contexte de crise, liée à la profonde désorganisation/réor-ganisation de l'ordre politique par l'administration coloniale que Ama-dou Bamba rassemble, au lendemain de l'ultime défaite militaire (1886), ses premiers disciples. Ceux-ci se recrutaient, au départ, au sein de la population wolof, parmi les esclaves récemment affranchis, les artisans castés et, dans une moindre mesure, les *ceddo*, ces guerriers violents et paillards en quête d'une revanche.

Ce bouleversement de l'ordre social ancien allait conduire les masses désorientées à se rassembler autour des marabouts des différentes confré-ries, confortés dans leur rôle traditionnel de protecteurs des faibles contre leurs oppresseurs.

Car la confrérie mouride n'est pas la plus importante ni la plus ancien-ne des confréries qui existent au Sénégal. Ainsi la confrérie tidjane (ou tidjanyya) fondée au Maroc au XVIIIᵉ siècle, s'est développée au Sénégal dans le courant du XIXᵉ grâce à l'activité des marabouts mauritaniens et aussi de ces guerriers-marabouts toucouleur engagés dans la guerre sain-te aux côtés de El Hadj Omar Tall. A l'heure actuelle, les tidjanes sont encore numériquement plus nombreux que les mourides. La qadiryya, encore plus ancienne, puisque fondée à Bagdad au XIIᵉ siècle, vient en troisième position quant au nombre de ses adeptes. Enfin, il faut citer la confrérie layenne (fondée au début de ce siècle par Limamou Laye), qui concerne presque exclusivement la population lebou, occupant depuis deux siècles la région du Cap-Vert.

Toutes ces confréries constituent autant de voies (ou *tariqa*) que les disciples empruntent pour accéder à la fusion extatique avec Dieu par la mise en œuvre de divers rituels sous la conduite d'un maître spirituel (détenteur de la grâce divine ou *baraka*). Nous sommes ici dans cette tra-dition mystique soufie qui remonte aux premiers temps de l'islam (6) et perdure jusqu'à nos jours en opposition à l'islam orthodoxe et normatif des docteurs de la Loi, les *ulemas*.

---

(6) Le mysticisme fut très répandu dans la première génération de musulmans si l'on en croit Ibn Khaldun, cité par Lings (1977 : 56) : « Lorsque la mondanité se répandit, et que les hommes devinrent de plus en plus dépendants des attaches de cette vie, ceux qui se consacraient à l'adoration de Dieu se distinguèrent des autres par l'appellation de soufis ».

Le terme de *tariqa* est employé pour désigner les confréries ou ordres qui, historiquement, recrutent leurs fidèles parmi les pauvres et les exclus des villes (*cf.* les descriptions faites par Gilsenan, 1973, qui a travaillé au Caire ou encore par Crapanzano, 1973, pour le Maroc). Leurs fonctions sont multiples et, à côté des aspects proprement religieux de leurs activités, les *tariqa* peuvent jouer un rôle politique, fournir une assistance médicale ou psychiatrique à leurs membres ou encore verser dans la magie ou l'astrologie. Elles sont dirigées le plus souvent par un personnage charismatique (Martin, 1972 : 276).

Amadou Bamba (1850-1927) fut un personnage charismatique de cette sorte (7). Détaché des préoccupations matérielles, il laissait à ses parents et disciples le soin d'organiser la confrérie, pour se consacrer à la prière et à l'enseignement religieux. Sa pensée religieuse, telle qu'elle apparaît à travers ses textes (Dumont, F., 1975), est conforme à l'orthodoxie musulmane. Ce qui distingue les mourides des autres confréries, c'est l'accent mis sur la soumission du *taalibe* (disciple) à son marabout et une éthique du travail qui en fait un moyen de se sanctifier. Travailler, c'est être en accord avec Dieu proclame le dicton mouride : « *Liggey ci topp u Yalla lë bokk !* »

Pour devenir mouride (8), le disciple fait acte de soumission *(njëbbel)* à son marabout ce qui entraîne le respect d'obligations religieuses (observance des prescriptions islamiques) et économiques (paiement en argent ou en nature au marabout). En retour, le marabout est tenu de redistribuer une partie de ces offrandes et de fournir une assistance à ses disciples.

Actuellement, la confrérie mouride est dirigée par les descendants du fondateur. Leur pouvoir économique est considérable : les capitaux dégagés de la culture de l'arachide (Copans, 1980) ont été investis de préférence dans des activités commerciales. De même, leur influence sur la vie politique sénégalaise est décisive : l'État ne peut se passer des services des marabouts qui jouent le rôle d'intermédiaires dans ce qui apparaît, sous la plume de certains auteurs, comme une forme d'administration indirecte (Coulon, 1981; Cruise O'Brien, 1975).

Enfin, contrairement à ce qu'avait pronostiqué un chercheur anglais (Cruise O'Brien) qui a travaillé sur la confrérie mouride, dans les années 60, en zones rurales, la confrérie a réussi à s'implanter avec succès

---

(7) Il faut lire par exemple la description des manifestations collectives provoquées par son passage, telle qu'elle est rapportée par un observateur. Les fidèles sont transportés au point de blasphémer car « la fusion avec le Très Haut est si complète que les sons proférés par une bouche humaine n'ont plus d'importance... » (Coulon, 1981 : 85).

(8) Le terme mouride (d'origine arabe) qui signifie aspirant, novice, disciple, est employé communément dans l'islam soufi pour désigner quelqu'un qui suit un leader religieux.

en milieu urbain par l'intermédiaire d'un réseau d'associations (les *daa'ira*), auto-organisées par les *taalibe*, qui ont pour fonction de collecter les cotisations des membres, de préparer des cérémonies religieuses hebdomadaires (prières, chants religieux) et d'assurer une éducation religieuse par le moyen de causeries sur la vie et l'œuvre du fondateur (*cf.* Diop M.C., 1981a : 83-84).

Si les mourides sont souvent brocardés et méprisés par les membres des autres confréries (ainsi des tidjanes qui se moquent de leur soumission aveugle à des marabouts ignorants), que dire des baye-fall qui se situent bien souvent aux limites de ce que peuvent tolérer des musulmans.

Chiix Ibra Fall, le fondateur de cette branche de la confrérie mouride à laquelle M. fait allusion, fut l'un des premiers disciples d'Amadou Bamba. Il lui a manifesté toute sa vie une attitude de soumission absolue et de dévotion, qui allait devenir la règle dans la confrérie, et le récit de sa vie est devenu un élément essentiel de la tradition mouride, connu en détail même par ceux qui n'appartiennent pas à cette confrérie.

Entièrement dévoué à son marabout, il était réputé pour son ardeur au travail et ses pratiques peu conformes aux principes fondamentaux de l'islam. Sa forme personnelle d'observance religieuse se bornait à s'adonner aux travaux physiques les plus durs. Cela justifiait le fait qu'il ne priait pas : nul besoin de prier puisque sa vie entière était au service de Dieu (« des actes plutôt que des paroles », répondait-il à ceux qui le critiquaient). De même, il ne jeûnait pas pendant le mois de Ramadan car cela aurait diminué sa capacité de travail.

Cette forte personnalité imposa progressivement son style sur les premiers mourides. Venant d'une famille *ceddo*, il attira des membres de cette classe de guerriers dans la confrérie. Leurs descendants, les baye-fall, forment encore une branche distincte de la confrérie sous la direction des marabouts de la famille Fall. Ils ne prient pas, ne jeûnent pas et sont connus pour consommer de l'alcool, du tabac et même fumer du chanvre indien. Ces pratiques peu orthodoxes, leur tendance à la violence (les baye-fall ont servi d'hommes de main dans les premiers temps de la confrérie (9)), leur accoutrement (des vêtements bariolés en patchwork) peuvent être interprétés comme autant de références à ces guerriers turbulents et cruels de l'ancien temps.

Coiffés de nattes qui ne sont pas sans évoquer les « dreadlocks » des rastafari jamaïcains, porteurs d'imposants gourdins en bois, ils arpentent à

---

(9) Notamment lors des affrontements avec les bergers peuls pour le contrôle de la terre dans les zones dévolues à la culture de l'arachide.

la saison sèche les rues de Dakar et de Pikine, chantant les louanges de Chiix Amadou Bamba et mendiant leur pitance de maison en maison.

Si les baye-fall sont en marge de la confrérie mouride du fait de leurs pratiques et de leurs comportements, rien ne les en distingue du point de vue de l'organisation. De façon générale, ils sont respectés par les autres *taalibe* mourides et ils n'ont jamais été condamnés publiquement par les leaders de la confrérie.

Croyances et pratiques

En s'identifiant d'emblée comme mouride, M. est dans la norme par rapport aux résultats de notre enquête sur un échantillon de jeunes marginaux usagers de drogues (10). On note, en effet, une majorité de musulmans (avec 96,2 %, leur représentation est conforme à leur pourcentage dans la population sénégalaise en général), dont les mourides (ou, du moins, ceux qui se définissent comme tels) constituent plus des trois quarts :

Mourides	Tidjanes	Qadirs, Layennes	Sans réponse
80 %	18 %	1,3 %	0,7 %

Il est important de signaler que cette adhésion à la confrérie mouride est, dans de nombreux cas, purement symbolique, dans la mesure où elle n'est pas fondée sur un acte d'allégeance formel *(njëbbel)* à un marabout, ni sur la participation aux activités d'une *daa'ira* ce qui fait dire à certains mourides orthodoxes qu'il s'agit de « faux mourides ».

Comme la majorité de la population islamisée de Pikine, M. est passée dans son enfance (entre 7 et 9 ans) par l'école coranique. Là, en compagnie d'autres enfants du quartier (en général, il y a plus de garçons que de filles), elle a reçu un enseignement religieux dispensé par un maître coranique prompt à jouer de la férule (11).

---

(10) Précisons d'emblée que les femmes constituent moins de 5 % de cette population..

(11) Pour un témoignage de « l'intérieur », se reporter à l'ouvrage de Hamidou Kane (paru en 1961), intitulé *L'aventure ambiguë.*

« Le premier degré d'enseignement est principalement et souvent uniquement axé sur la lecture et l'écriture du Coran, sans compréhension ni explication de texte (12). Après un enseignement rudimentaire des caractères arabes, le maître écrit tel passage du Coran que les élèves recopient à l'encre sur les tablettes de bois et psalmodient jusqu'à ce que leur mémoire l'ait enregistré. Le but suprême est de savoir par cœur le Coran au bout de 8 à 9 ans de scolarité... » (Coulon, 1983 : 91).

Bien peu arriveront jusqu'à ce niveau et, pour la majorité de nos informateurs, les connaissances religieuses sont limitées.

« W – Mais à présent est-ce que tu te souviens de ce que tu as appris ?
M – Non. Un peu seulement.
W – Tu l'as oublié ?
M – J'ai oublié... un peu...
W – Qu'est-ce qui reste ?
M – Ah ! Ce qui reste, c'est pas grand-chose. Je ne me souviens pas de grand-chose...
W – Dis moi ce qui reste.
M'– Que je te récite le Coran ?

« Au nom de Dieu, le Tout Miséricorde, le Miséricordieux
Louange à Dieu, Seigneur des Univers,
le Tout Miséricorde, le Miséricordieux,
Le Roi du Jour de l'Allégeance.
C'est Toi que nous adorons, Toi de qui le secours implorons » (13).

Il faut ajouter que si la majorité de ces jeunes sont capables d'énoncer les cinq piliers de l'islam (14), en pratique, leurs comportements s'écartent de la norme.

---

(12) L'accent mis sur la mémorisation du Livre au détriment de sa compréhension peut surprendre la rationalité occidentale tant que l'on n'a pas compris que l'arabe, en tant que langue de la révélation divine, est sacrée autant dans sa forme que dans son contenu.

(13) M. récite en arabe les premiers vers de la sourate la « Fatiha » qui ouvre le Coran (Berque, 1990 : 23, pour la traduction française).

(14) Les obligations cardinales de l'islam, couramment dénommées les cinq piliers, sont : la « Shahâdah » ou profession de foi, la prière rituelle cinq fois par jour, le jeûne pendant le mois de Ramadan (*Koor* en wolof), l'aumône rituelle (*asaka* en wolof) et le pèlerinage à La Mecque (si les circonstances le permettent).

« W – Mais je ne t'ai jamais vue prier.

M – Quand tu viens ce n'est pas « l'heure » de la prière.

W – Oui, c'est vrai... Chaque jour tu pries ?

M – Je prie.

W – Combien de fois?

M – Combien de fois ? « Cinq fois par jour » (15) (...) C'est avec *subë* (16) que tu vas commencer à prier, tu me comprends ? Quand c'est *tisbar*, tu pries... Ensuite quand arrive *takusaan*, tu pries. Tu attends jusqu'à *timis* et tu pries. Quand tu as fait la prière de *géé*, c'est fini. Si ça te plaît, « après », dans la nuit, « avant » de te coucher tu peux refaire tes ablutions jusqu'à être bien propre et prier simplement comme ça – est-ce que tu comprends ce que je te dis ? – en disant : "J'offre cette prière à mes ancêtres".

W – Mais pendant le "Ramadan" est-ce que tu jeûnes ?

M – Je prends Dieu à témoin, Werner, je ne jeûne pas. Jeûner ! Il n'en est pas question. »

A ce propos, un sondage effectué en 1986, pendant le mois de Ramadan, sur un groupe d'une trentaine de jeunes consommateurs de drogues, tous de sexe masculin, a donné les résultats suivants :

– Jeûne complet : 25 %

– Jeûne incomplet (de 3 à 16 jours) : 35 %

– Pas de jeûne : 40 %

On note, pendant cette période, une diminution globale de la consommation des psychotropes illicites (*yamba*, « pions ») attestée par le ralentissement des activités commerciales des dealers même si ceux qui s'abstiennent de manger, boire et fumer entre le lever et le coucher du soleil se rattrapent partiellement la nuit. Par contre, cette consommation augmente de façon notable à l'occasion des grandes fêtes religieuses comme la Korité (à la fin du Ramadan) ou la Tabaski (Aïd-el-Kebir, en arabe) qui ne laissent personne indifférent.

Si le pèlerinage à La Mecque est au-dessus des moyens de nos enquêtés, ces derniers manifestent une attirance pour ces pèlerinages nationaux qui draînent chaque année les foules vers Tivaouane (à l'occasion du

---

(15) En l'occurrence, mes observations contredisent ses propos : au terme d'une relation de neuf mois au cours de laquelle j'ai eu l'occasion de lui rendre visite à différents moments de la journée, je ne l'ai jamais vue prier.

(16) Comme les autres termes qui suivent, noms donnés aux cinq prières rituelles quotidiennes.

Gammou des tidjanes) ou Touba (pour le Magal des mourides). Mais il y a bien d'autres lieux de pèlerinage d'une importance moindre et les croyant(e)s se déplacent volontiers, parfois sur de grandes distances, pour participer à des fêtes qui ont un caractère à la fois sacré et profane.

« W – Est-ce que tu es déjà allée à Touba ou à Tivaouane. Au Magal ? Au Gammou ?

M –Tchii !... Tivaouane, j'y suis allée je ne sais combien de fois au temps de ma jeunesse, du temps où j'étais chez ma grand-mère. "Chaque année" nous allions ensemble à Tivaouane. A Tivaouane, j'y suis allée "maintes et maintes fois", tu comprends ?

Quant à Touba, "vraiment", j'y suis partie une fois mais je ne suis pas arrivée jusqu'à Touba. C'est à Mbacké que je me suis arrêtée. Tu connais Mbacké ?... Alors, je ne connaissais pas encore Touba. Mon amie, celle que j'accompagnais pour aller au Magal (et moi) on est arrivées donc chez un de ses parents à Mbacké. Quand le jour du Magal est arrivé – moi j'ignorais où se trouvait Touba, de quel "côté" et je ne savais pas combien il y avait de "kilomètres" entre Touba et Mbacké – je lui ai dit : "Partons ! Partons ! Partons !..." Tu sais, Mbacké est "toujours" très agréable pendant le Magal. A Mbacké là-bas, c'était très agréable : on fumait, on buvait. A Touba, les cigarettes ne rentrent pas et, à présent, c'est même interdit à Mbacké. Mais à cette époque, c'est là qu'on fumait, c'est là qu'on buvait et qu'on se "défoulait". Ça n'existe plus ! C'était tellement agréable que ma copine n'a pas résisté. Je lui ai répété : "Viens ! Partons ! Allez ! Partons ! Viens ! Partons !" jusqu'à ce que finalement on n'y soit pas allé... »

A chacun sa place

En revendiquant clairement son appartenance à la confrérie mouride, M. jouait simultanément sur différents tableaux : elle indiquait la fondation de sa reconstruction identitaire, inscrivait notre relation dans une histoire et en révélait la nature inégalitaire pour mieux la subvertir.

En premier lieu, penchons-nous sur cette référence au miracle qu'aurait pu accomplir Chiix Ibra Fall si son *Sëriñ* lui en avait laissé l'occasion, en rappelant d'abord que, dans la tradition soufie, l'expérience du miracle est essentielle en tant qu'elle témoigne de la *baraka* du saint homme et qu'elle est au fondement de sa légitimité et, par voie de conséquence, de celle de la confrérie (17). Ainsi, grâce à ses pouvoirs miraculeux, Amadou Bamba a pu survivre aux épreuves infligées par les Français : être enfermé dans une cellule en compagnie d'un lion affamé, jeté dans un four brûlant, enterré sept jours dans un puits profond, etc. Un des miracles les plus populaires serait survenu pendant son voyage au Gabon. Lorsque le capitaine du navire qui le transportait lui a refusé le droit de prier, Amadou Bamba a sauté par-dessus bord pour étendre sa natte sur l'océan et prier en paix...

Ainsi, le miracle est l'expression de l'extraordinaire pouvoir de Dieu qui bouleverse la routine du quotidien et permet d'entrevoir, au-delà des apparences de la réalité mondaine, une réalité plus « vraie ». Pour des analphabètes (c'est le cas de M.) exclus du monde des textes, le miracle est ce qui authentifie leur parole en attribuant à un savoir populaire (et oral) dominé une légitimité radicalement différente de celle du savoir savant (et écrit).

Mais une telle signification n'épuise pas la réalité du phénomène miraculeux et on peut en proposer, à la suite de Gilsenan (1982 : 82), une interprétation de nature sociologique. Cet auteur fait remarquer, à partir d'études réalisées sur une confrérie soufie du Caire, que la majorité de ses membres sont des pauvres dont l'existence est soumise à des forces imprévisibles dont la compréhension leur échappe.

Dans ces conditions, il observe que rien n'est fortuit, accidentel et que la notion de hasard n'a pas de place dans la conception du monde de ces déshérités. Il en est ainsi pour M., et le reste de son récit de vie le confirme : tout est déterminé et chaque événement (faste ou néfaste) possède un sens caché qui ressort d'une volonté divine, par essence indéchiffrable. Que ce soit la folie de son frère, le fait que son beau-père la rejette, sa propre stérilité, sa déchéance, tout a été voulu par Dieu, au même titre que notre rencontre.

D'autre part, en rappelant les persécutions subies par Amadou Bamba du fait des autorités coloniales françaises (il a été exilé à deux reprises, d'abord au Gabon puis en Mauritanie), elle met en évidence la vitalité d'une mémoire collective qui n'a rien oublié des exactions de l'époque coloniale ou des atrocités de la traite des esclaves. C'est ainsi que j'ai été confronté à plusieurs reprises, et ce tout au long de mon séjour sur le terrain, à cette inscription forcée dans une histoire dans laquelle mes « ancêtres » avaient joué leur rôle. A mon arrivée à Dakar, j'avais fait preuve de beaucoup de naïveté en prétendant faire table rase d'un passé qui ne me

---

(17) Ces miracles ne sont pas seulement transmis oralement (récits, chansons). Ils font l'objet d'une multitude de représentations picturales, vendues à travers la ville par des *bana-bana* (colporteurs), et destinées à orner les murs des maisons.

concernait pas. Plus tard, j'ai fini par comprendre que les rôles avaient été distribués depuis longtemps et qu'en l'occurrence je n'avais guère le choix. Que je sois un « bon » Toubab (généreux, sympathique, solidaire) ou un « mauvais » Toubab (raciste, dur, égoïste), je n'étais que toléré. En fin de compte, ce qui m'était répété avec insistance c'est que ma présence au Sénégal dépendait d'un rapport de forces qui m'était favorable, comme il avait été favorable à ceux de ma nation depuis des siècles.

Mais dans l'imaginaire de M., la figure du Toubab est ambivalente : à la fois oppresseur et dispensateur de cadeaux. Un « père Noël » somme toute facile à berner, comme elle me l'explique en racontant cette anecdote :

« M – On avait l'habitude d'aller chercher des "cadeaux Noël". Parce que, lui aussi, ce grand-père (18), il n'a jamais eu d'enfants et, tu sais, "chaque année", quand il travaillait chez ce Toubab, on lui disait : " Quel 'nombre' d'enfants as-tu ?" et on l'écrivait. A la fin de l'"année", on allait chercher nos "cadeaux Noël". Bon alors, moi je suis sa petite fille : il écrivait mon nom et l'épouse qu'il avait, qui avait un enfant d'un premier mariage, une fille (...) et bien il écrivait mon nom et le nom de celle-ci comme si on était ses enfants. On nous donnait son patronyme de telle sorte que, chaque "année" on partait avec lui, jusqu'à Dakar prendre les "cadeaux Noël". En ce temps-là, on était des "boys"... »

Si nous considérons la référence à cet événement historique, qui a vu s'affronter mourides et Toubabs, comme une métaphore de notre relation ethnologisant/ethnologisée, on pourrait la reconstruire sous la forme d'une série d'oppositions binaires où le rapport dominant/dominé s'inverse selon que l'on considère le monde naturel (où le Toubab-colonisateur-chercheur détient le pouvoir politique et économique ainsi que le savoir profane) et le monde surnaturel (celui du sacré, du pouvoir divin qui confère à l'africain-colonisé-ethnologisé un pouvoir supérieur).

En bref, M. met en évidence la nature inégalitaire de notre relation tout en subvertissant cette logique sociale par sa référence à une appartenance religieuse garante d'une légitimité supérieure.

---

(18) Il s'agit d'un grand-oncle maternel, employé à cette époque par un Toubab.

CHAPITRE VIII

L'ENFANT DU LIGNAGE (1)

L'origine

M. a 26 ans (elle est née en 1962) et son père est mort :

« Quand je suçais encore le sein pour téter. Alors comment peux-tu connaître ton père ? Tu vois bien, tu ne peux pas le connaître. Je ne le connais pas, je l'ai jamais vu. On m'a même montré des photos. Parfois ma mère m'a même montré des photos en me disant : "lui c'est ton père", mais moi, si ça me plaît, j'y crois, si ça me plaît, je refuse d'y croire... Oui, parce que je ne l'ai jamais vu. Je ne sais pas de quoi il a l'air. »

C'est tout ce qu'elle est capable de m'en dire lors de notre premier entretien. Rama, qui m'aide dans les jours qui suivent à traduire ce passage, s'étonne que la mère de M. n'ait pas communiqué à sa fille un savoir plus important concernant son lignage paternel. Pour cette raison, je reviendrai sur le sujet dans le but de lui faire préciser ses connaissances.

« W – Et tu ne sais pas où il est né ?

M – Je ne sais pas où il est né. C'est pour ça que l'autre jour, tu sais, quand tu es venu ici, je t'ai dit : "Werner, quand irons-nous à Malika ?" – tu sais – et tu m'as répondu : "Quand j'aurai le temps". Sais-tu ce que j'ai-merais (...) quand on ira à Malika, voir ma mère, voir ma "grand-mère" – tu comprends – et faire des recherches avec elles. Faire des recherches, ça veut dire leur poser des questions (...) Ce qu'il était, je le sais. Il était bambara. (...) »

---

(1) Une référence, à prendre au second degré, à l'ouvrage de J. Rabain (1979) dans lequel elle se penche sur les modalités d'éducation dans la société wolof.

En l'interrogeant davantage, j'apprends que son père était originaire du Mali (mais elle ne sait pas où il est né). Elle-même serait née au Mali (du moins, c'est ce qu'on lui aurait dit) alors qu'il avait été « affecté » dans ce pays.

« W – Qu'est-ce qu'il faisait comme travail ?
M – Va savoir !
W – Dans l'armée ?
M – Non. S'il avait été dans l'"armée", on me l'aurait dit. Mais on m'a seulement parlé de travail. On l'avait emmené là-bas pour travailler (...) Ma mère est partie d'ici pour le retrouver là-bas. En ce "temps"-là, elle était en "état" : c'était moi et, alors, c'est là-bas que je suis née. C'est "après" ma naissance que mon père est mort là-bas. "Après", ma mère est revenue. »

Elle n'en sait pas plus sur son père, mais affirme avec force que c'était un pur *géer* (« *géer gu set wecc* ») (2). De même que sa mère (bambara également) dont elle ignore le lieu de naissance. Par contre, M. connaît le lieu d'origine de sa grand-mère maternelle, Dagana dans le Waalo (3) :

« M – Mais elle a quitté le Waalo-Waalo pour se marier avec un Bambara, tu comprends ? (...) Ce Bambara qui l'a épousée, il a engendré ma mère et je ne sais pas combien d'enfants. Il y en a quatre qui sont vivants : ma mère avec ses deux sœurs cadettes et son grand-frère. Tu sais, on est bambara parce que, ce que ton père est, c'est ce que tu es. C'est comme ça ! C'est pour ça que ma mère est bambara. Puis, regarde, ma mère, elle aussi est retournée se marier chez les Bambaras. Elle m'a eu avec Bougounta le fou et Siidi qui me précède. Tu vois, on est des Bambara. "Voilà" comment ça s'est passé ces "affaires".
W – Mais ta mère jusqu'à présent elle n'a pas de mari ?
M – Elle a un mari (...) Lorsque mon père est mort (quand je tétais encore et que mon père est mort), c'est alors qu'elle s'est "mariée". Alors un autre père l'a vue, tu sais, l'a épousée. C'est lui qui a engendré tous mes petits frères et sœurs. C'est moi qu'il n'a pas engendrée et mon frère le fou et Siidi, nous "trois". »

---

(2) En ce qui concerne le système des castes, il existe une division binaire (toujours actuelle) essentielle dans la stratification sociale wolof entre la catégorie des *géer* (des paysans) et celle des *ñeeño* qui regroupe artisans, griots et serviteurs (*cf.* Diop A.B., 1981 : 34).

(3) Portant le nom d'un ancien royaume wolof, cette région située au nord du pays, sur la rive gauche du fleuve Sénégal, constitue en quelque sorte l'arrière-pays de Saint-Louis.

A la fin de 1990, soit presque deux ans plus tard, je fais procéder par Rama à un entretien avec la mère de M. dans le but de contrôler ces informations.

Sa mère est née à Dakar, en 1946, d'un père d'origine malienne et d'une mère waalo-waalo. Elle a passé son enfance à Dakar à la charge d'une grand-tante maternelle. Elle s'est mariée vers 17-18 ans avec le père de M., un *géer*, originaire du Waalo qui exerçait le métier de maçon. Lors d'un séjour au Mali, la mère de M. qui était « maltraitée » (4) par son mari décide de divorcer (peu après la naissance de M.) et rentre à Dakar. Quelque temps après, elle apprend le décès de son ex-mari, en Côte-d'Ivoire où il aurait émigré.

Elle est incapable de me préciser les dates de naissance de M. et de ses deux frères : tous les bulletins de naissance ont été perdus.

M. évoque ensuite ses deux frères plus âgés : Sidi Bougounta, le premier-né de sa mère (« il est fou, il est dérangé ») et Siidi dont elle m'a dit un jour, au cours d'une conversation, qu'il avait quitté très jeune la maison familiale pour aller tenter sa chance ailleurs. Il a littéralement disparu depuis plusieurs années (5).

Après le remariage de leur mère, les trois enfants ont été confiés à leur grand-mère maternelle qui les a élevés. La folie de son frère a commencé brutalement, vers l'âge de vingt ans, alors qu'il était chez sa grand-mère. C'est chez elle qu'il réside jusqu'à ce jour, livré à lui-même depuis que celle-ci, malade, a quitté récemment son domicile de Tali-bou-Bess pour résider chez sa fille à Malika :

« W – Il est là-bas ?

M – Oui. Dès son réveil, il suit les gens du coin qui le connaissent bien. Après déjeuner, s'il reste quelque chose, "Donne-le" (Elle imite le ton implorant d'un mendiant). Après le dîner, s'il reste quelque chose, "Donne-le". Il erre... A celui qu'il croise dans la rue, "Donne-moi des 'cigarettes'". Tu prendrais la fuite si tu voyais son "déguisement"... "Donne-moi des 'cigarettes'"... Il ne peut s'empêcher de fumer. Il est

---

(4) Lorsque, au cours d'un entretien ultérieur, je cherche à lui faire préciser le sens de cette expression empruntée au français, elle m'explique qu'il ne subvenait plus aux besoins de sa femme et de ses enfants, sans que je parvienne à clarifier si c'était par incapacité pure et simple ou par mauvaise volonté.

(5) Propos confirmé ultérieurement par la mère de M. qui ajoute que le jeune homme serait parti en Côte-d'Ivoire, aux dires de ses amis. En septembre 1993, Siidi refait surface : il avait passé plusieurs années au service d'un marabout de Touba. Sans aucune formation professionnelle, sans aucun savoir sacré utilisable pour gagner sa vie (comme enseignant dans une école coranique, par exemple), ce jeune homme a été libéré par son marabout et renvoyé sans autre forme de procès à sa famille.

capable de fumer cinq "grosses" (cartouches) de "cigarettes" par jour. Rien que fumer. Il n'a d'"affaires" avec personne. Tout ce qu'il dit aux gens c'est : "Donne-moi des 'cigarettes'". Il suit quelqu'un et puis il lui dit : "Eh ! Donne-moi des 'cigarettes'". C'est tout. Quand il est fatigué, il repart à la maison pour se coucher et récupérer. Brusquement il bondit de nouveau, repart. C'est comme ça qu'il fait, même la nuit. Il va rester coucher jusque vers "minuit, une heure", il bondit chercher des "cigarettes", revient fumer, se recouche. Quand il en a "marre", il se couche et dort jusqu'à l'aube. Il se réveille, prend son petit-déjeuner, se débarbouille et repart. C'est ce qu'il fait. A présent, les gens du "coin" le connaissent. Ils savent que c'est l'enfant de ma grand-mère et qu'il est dérangé. C'est eux qui l'ont élevé. Il est resté là-bas et ma grand-mère est partie...

W – Mais personne ne l'a soigné ?

M – On a essayé. Ma mère a essayé mais ma mère tu sais, c'est une femme démunie. En bref, elle me ressemble (...) Moi je suis "seule", je ne travaille pas. Elle ne travaille pas, elle n'a personne pour l'aider, elle n'a rien... Et les marabouts, "il faut" que tu leur donnes de l'argent. Tu vas être là et on va te dire : "Pars en Casamance, le marabout est là-bas, si tu y vas, il te soignera". D'accord, mais pour aller en Casamance, tu vas te procurer des "billets", tu vas payer son passage et tu vas payer le tien. Une fois arrivé, tu vas donner quelque chose au marabout et au retour tu devras payer ton passage et le sien. N'est ce pas vrai ? Ça, elle ne l'avait pas. »

A ma question concernant la cause de cette folie, elle répond :
« M – Des *rab* (6) peut-être.

W – Un *rab*, c'est quoi ? D'où ça vient ?

M – Les *rab* viennent de Dieu.

W – Ils viennent de Dieu ?

M – Oui, Dieu prend les *rab* et les met dans une personne.

W – Pour faire du mal ?

M – Oui. C'est Dieu qui prend les *rab* et les met dans les gens, tu comprends ? Mais il y a beaucoup de *rab*. Ils ne sont pas tous pareils. Chaque *rab* a ses "qualités", tu comprends ?

W – Chaque *rab* a quoi... ?

M – Il est particulier quoi ! Les *rab* ont des "qualités" parce qu'il y a des *rab* qui sont vraiment bons. Ils vont rester en toi mais ils ne te feront

---

(6) Les *rab* sont des esprits ancestraux qui assurent une médiation entre les hommes et Dieu. « Le postulat fondamental de l'univers des *rab* est le suivant : tous les traits et écarts différentiels présents dans la société humaine se retrouvent (...) dans le monde des *rab*. Les *rab* ont donc un nom, un sexe, une religion, une personnalité, des traits de caractère » (Zempleni, 1968 : 153).

aucune "affaire". Ils ne sont pas agressifs, ils sont bons, tu comprends ? D'un autre côté il peut y avoir des *rab* qui sont méchants. Il y a un qui va te rendre fou. Il peut y avoir un *rab* qui va te paralyser, paralyser ton pied et ta main. Il y a un *rab* qui va te terrasser. N'as-tu jamais vu des gens convulser à cause des *rab* ? Pour eux, "il faut" que l'on frappe les tam-bours, le *ndëp* (7), tu connais ? On égorge un mouton ou une vache et il va commencer à te laisser tranquille. Au bout de "quelques instants" ils vont te terrasser de nouveau. C'est incroyable et puis aussi ça va trop te faire souffrir. Parce que au cas où tu n'as rien... par exemple, dans ma situation actuelle, si j'avais un *rab* comme cela, où est-ce que j'irais ?... Et c'est le *rab* lui-même qui va te demander quelque chose. Il te demandera un mou-ton ou une vache. Une fois que tu seras couché, dans la nuit, il va t'appa-raître et te demander du sang...

W – Les *rab*, c'est du sang qu'ils veulent ?

M – Rien que du sang et du lait caillé.

W – Du lait caillé ?

M – C'est tout ! Tu vas te coucher et dans la nuit ils vont te demander du lait caillé. A ton réveil, tu feras une aumône de lait caillé. Des fois, alors que tu es couché la nuit, ils vont te demander du sang de vache ou de mouton. A ton réveil, tu vas en parler à tes parents, ou bien toi, si tu as quelque chose, tu vas aller faire tes achats et dire : "Je vais verser". Cette "affaire là" on l'appelle verser. Tuer et verser le sang, oui. Après ça, tu feras l'aumône de la viande. Et cette maladie qui t'a attrapée, avant qu'elle ne te "fatigue", elle va te laisser. Après quelques "instants", tu refais "la même chose". C'est comme ça que le *rab* agit ! »

Enfance

« M – Bon, maintenant, quand j'ai eu deux ans, au moment du sevrage, mon père est mort et ma mère m'a prise et m'a emmenée chez ma grand-mère. Ma grand-mère m'a élevée ici à Tali-bou-Bess. Elle m'a élevée, élevée, élevée... Quand j'ai eu sept ans, elle m'a rentrée à l'école cora-nique. J'ai appris le Coran pendant deux ans puis j'ai laissé. Tu vois,

---

(7) Le *ndëp* est l'un des grands rituels thérapeutiques institués par les adeptes du culte des *rab* dans la région de Dakar. Au cours de la cérémonie, qui dure plusieurs jours et s'accompagne de sacri-fices, le *rab* est appelé puis « fixé » dans un autel domestique. Le rituel s'accompagne de séances de danse et de possession publiques (Zempleni, 1968 : 243-280).

j'avais neuf ans. Alors quand j'ai laissé, elle m'a dit : "Va chercher du travail" et je suis partie chercher du travail. On m'a embauchée pour sept cent cinquante francs.

W – Où as-tu travaillé ?

M – Ici, dans le "secteur", seulement. Tali-bou-Bess. C'est là que j'ai cherché du travail.

W – Dans une seule maison ?

M – Non dans deux maisons. L'une au "terminus" des "cars", l'autre au "marché" Zinc. Quand je suis partie au marché Zinc, on m'a augmentée. On m'a embauchée à mille francs mais là-bas ça avait été sept cent cinquante.

W – Chaque jour, combien d'heures tu travaillais ?

M – Dès que je me réveillais (dès que je me réveillais à l'aube, chez nous, hein) je me débarbouillais et partais de suite. C'est là-bas que je prenais mon petit-déjeuner. Après le petit-déjeuner, aussitôt je "commençais" : prendre les "affaires" du petit-déjeuner, aller les laver, balayer, tu sais, aller au marché, revenir faire la cuisine. Après le déjeuner, laver de nouveau la vaisselle, faire revenir le dîner (faire chauffer le dîner, quoi) puis rebalayer, me laver bien proprement et rentrer à la maison. Comme ça enfin ! S'il y avait à laver, je faisais la lessive, s'il y avait à repasser, je repassais.

W – Qui t'a appris à cuisiner ?

M – Qui m'a appris à cuisiner ? Ma grand-mère.

W – Parle-moi de ta grand-mère.

M – Ma grand-mère ? Ma grand-mère, elle m'aimait, c'est sûr. Je suis sa petite fille. Elle n'aimait que moi. Dès son réveil, elle s'occupait de mes "problèmes". Elle me lavait bien proprement, me donnait plein à manger, m'habillait de beaux habits et me parait de bel "or"... Tu sais, celle que nous avons rencontrée hier, cette femme que nous avons rencontrée, tu vois, c'est une griotte, elle tresse. Quand j'ai eu "neuf ans" environ, c'est avec elle que ma grand-mère m'avait mise en relation pour aller me faire tresser par elle dès que mes tresses seraient "usées" et pour la rembourser le jour où j'aurais un mari. Le jour où je serais grande et aurais un mari, je lui dirai : "Quand j'étais une petite enfant, c'est elle qui me tressait" et alors, tu sais, on règlera cette affaire complètement en lui donnant quelque chose. C'est d'elle dont il s'agit, elle habitait notre coin. C'est avec elle que ma grand-mère m'avait mise en relation quand j'ai eu neuf ans. Dès que mes tresses étaient "usées" ma grand-mère les défaisait, les lavait bien proprement et me disait : "Allez hop ! huile-les et va-t-en !" et je partais me faire tresser encore d'autres jolies nattes. Au retour, elle me lavait bien proprement, m'habillait de beaux habits, me paraît d'"or" et me donnait plein à manger (...)

W – Mais ta grand-mère, comment se procurait-elle de l'argent ? Est-ce qu'elle travaillait ?

M – En ce temps-là, elle avait un mari. Et son mari avait des champs à Cambérène (8), beaucoup de champs.

W – Il avait des champs à Cambérène, alors il y avait de l'argent à la maison ?

M – Oui, il y avait de l'argent. C'est lui qui "finançait". Il était détaché des problèmes matériels. Il était vieux. Ce qu'il avait, c'était pour moi, sa petite fille. Il te ressemble : tout ce que tu as, c'est pour ton fils... "Prends et règle tes 'problèmes'"... Tout ce que tu as, c'est pour ton fils... C'est comme ça qu'il était. En ce "temps"-là, il était au terme de sa vie. Il n'avait plus que moi, sa petite fille, il m'aimait. C'est pour ça : ce qu'il possédait, il me le donnait. »

Au cours d'un entretien ultérieur, elle mentionnera aussi l'existence d'un frère de sa grand-mère maternelle qui aurait possédé une maison sur Tali-bou-Bess et avait l'habitude d'aider sa grand-mère :

« M. – Et bien, cet oncle maternel, il avait loué dans le "coin" et il avait "loué" pour ma grand-mère dans le "coin". Donc mon grand-père était dans le "coin" et quand l'épouse de mon grand-père avait préparé le déjeuner, elle en donnait une part à ma grand-mère qu'un enfant était chargé de lui apporter. A la fin du mois, mon oncle maternel payait le "loyer". C'est ainsi que ça s'est passé... »

Propos confirmé plus tard par la mère de M. qui précise que sa propre mère a un frère aîné (célibataire et maçon) et deux sœurs qui « vivent avec difficulté et ne peuvent même pas subvenir à leurs besoins. »

Adolescence

« M – Ça faisait huit mois que je travaillais là-bas quand ma mère a eu un enfant, et ma grand-mère m'a dit de quitter le travail et d'aller chez ma mère. J'ai dit à ma grand-mère : "Je n'irai pas chez ma mère, je ne la connais pas, c'est toi seule que je connais et c'est avec toi que je resterai",

---

(8) Village lébou qui borne l'agglomération pikinoise au nord-ouest. Fief de la confrérie layenne. Les Lébou, propriétaires traditionnels de la terre dans la région du Cap-Vert, louent ceux-ci aux cultivateurs.

et j'ai "commencé" à pleurer. Ma grand-mère a dit : "Ce n'est pas la peine de pleurer pour ça. Comme tu veux rester ici, reste, mais maintenant, dès que tu seras réveillée, tu iras aider ta mère dans son travail et le soir tu reviendras". J'ai répondu "D'accord !"

« A partir de ce moment, chaque matin je partais l'aider dans son travail et je revenais le soir. Je l'ai fait, je l'ai fait pendant longtemps. J'avais une amie là-bas et on était si proches qu'elle venait sans arrêt me dire : "Viens, allons chez notre amie pour s'asseoir et discuter". Alors je l'accompagnais et on restait là-bas à discuter jusque vers "huit heures, sept heures".

« Alors le père – cela n'avait même pas duré un mois – le père m'a dit : "Toi, tu n'arrêtes pas d'accompagner tes amies et de partir chez elles. Sors de ma maison ! Sors de ma maison !"… J'avais seize ans ! "Sors de ma maison !"… Je n'étais qu'une enfant... Ah !... Mon amie a dit : "Partons ! Il est méchant. Il ne t'a pas engendrée, c'est pour cela qu'il t'a dit 'Sors de ma maison' mais s'il t'avait engendrée, il ne t'aurait pas dit 'Sors de ma maison'... Viens ! Allons chez moi. Je lui ai répondu : "Si je pars chez vous, est-ce que ta mère ne me dira rien ?" Elle m'a dit "Ma mère ne te dira rien." On est partie ensemble chez elle. Sa mère ne m'a rien dit et je suis donc restée là-bas. Chaque matin on retournait chez notre amie où on avait l'habitude d'aller. T'as compris ? »

Plus tard, je chercherai à en savoir plus sur la personnalité de son beau-père et la genèse de ce conflit. Sa famille est dakaroise et il a choisi depuis longtemps d'exercer une activité économique qui, si elle a été florissante dans le passé, ne lui permet plus actuellement de subvenir aux besoins de sa famille. M. évoque sa situation économique précaire.

« M – Et lui aussi, ce père, il n'a rien. "Depuis" qu'il est "jeune" il ne travaille pas. Tu sais à quoi il s'est "intéressé" depuis qu'il est "jeune" ?… "Affaire d'élevage".

W – "Affaire d'élevage" ? Élevage de poulets...?

M – Oui. Des pigeons, des poulets, ce genre "d'affaires" quoi.

W – Là bas, à Malika ?

M – Oui. Depuis le "temps" où il était "jeune", donc il se consacre à cette "affaire". J'ai entendu dire que ses "parents" lui avaient trouvé un boulot et qu'il l'a laissé. C'est "l'élevage" qu'il avait en tête. Et il a continué à être dans "l'élevage" jusqu'à ce qu'il "marie" ma mère, jusqu'à ce qu'il achète cette maison à Malika, jusqu'à ce qu'il baptise tous ses

enfants. Jusqu'à présent il est dans "l'élevage" mais maintenant "l'élevage" ne marche plus. (...)

W – Dans la vie, comment est-il... ?

M – Comment est-il dans la vie ? (...) "En tout cas", il reste à la maison
à s'occuper de ma mère, à s'occuper de ses enfants et de ma mère, tu comprends ?... C'est également une personne respectable. Est-ce que tu comprends ce que je te dis ? Quand il a de l'argent, les gens de la rue n'en
savent rien. Quand il est démuni, hein, les autres n'en savent rien. Il ne
quémande pas. Il ne va pas se rendre chez n'importe qui en disant : "Je
n'ai pas déjeuné. Je n'ai pas dîné. Chez moi, ceci, cela..." "Ces affaires-
là", "non". Personne ne sait rien de lui. Il vit honnêtement quoi.

W – Il a de la *sutura* (9).

M – Il a de la *sutura*. Il vit honnêtement. S'il a quelque chose, il le
partage avec les siens. S'il n'a rien, il patiente tranquillement. Il sait que
Dieu viendra. Il s'occupe de son "élevage", il ne va pas avec les hommes.
Il ne va pas avec les femmes. Personne ne sait rien de lui. Ma mère aussi
est comme cela. C'est cet "esprit" que ma mère possède. Personne ne peut
rien savoir sur elle. Elle va être privée de tout mais personne n'en saura
rien. Elle ne dit rien à personne. Si tu la voyais passer, tu supposerais
qu'elle possède des "milliards" alors qu'elle n'a pas de quoi manger. Ils
ont tous les deux le même caractère : ils ne se disputent pas, ils ne se battent pas, ils ne s'occupent pas de ce qui ne les regarde pas, ils ne restent
pas à la porte de la maison, ils ne parlent pas des "problèmes" des autres.
C'est comme ça qu'ils sont. Que Dieu me soit témoin !

W – Mais pourquoi ne t'aime-t-il pas ?

M – Ah ! Ça c'est Dieu qui l'a mis dans son cœur !

W – C'est Dieu qui l'a mis dans son cœur ?

M – Il n'est pas le seul.

W – Pas le seul ?

M – Non, il n'est pas le seul *(bis)*. Il arrive souvent ici que des « boys »
se marient avec des femmes qui ont déjà des enfants, tu comprends ? Tu la
prends et la maries jusqu'à faire encore des enfants avec elle. Tu sais, ces
deux sortes d'enfants, tu ne les considères jamais comme égaux. Il y en a
dont le cœur est bon : ils vont regarder et comprendre que chaque enfant
n'est qu'un de leur fils, tu comprends ? Il y en a qui vont regarder et comprendre que celui-ci est mon fils, et lui aussi, et celui-là je ne l'ai pas

---

(9) Le terme wolof *sutura* (bonheur, prospérité, discrétion, respect) est de la même famille que le
verbe toucouleur *sùrde* qui signifie précisément « ne pas dénoncer quelqu'un qui a commis une mauvaise action. » En français, une meilleure traduction serait « s'abstenir par pudeur d'attirer l'attention
sur quelqu'un » (Ly, 1966 : 364-368). Employer ce terme comme je le fais ici dans un sens réfléchi
est en fait un contresens.

engendré mais je ne sais pas à qui il profitera dans l'avenir. Demain, il peut me rapporter plus que ce que mon propre fils me rapportera. Dans ce cas, on va te séduire au point que tu seras mieux traité que ceux à qui ils ont donné naissance. Il y en a comme cela. Il y en a d'autres qui, s'ils ne t'ont pas engendré – mon vieux ! – ils vont "carrément" te montrer que "moi je ne t'ai pas engendré, c'est eux que j'ai engendrés !" Lui, il cherche des "différences". C'est son "problème".

W – Quand tu étais enfant, est-ce qu'il t'a battue ?

M – Moi ? Non je ne me "rappelle" pas qu'il m'ait battue. Je ne m'en souviens pas. Mais par contre, tu as vu ce qu'il m'a fait, et bien j'aurais préféré qu'il me batte plutôt que ça. Parce que – regarde – "Sors de ma maison !" Si je sors de sa maison, où est-ce que je vais ? Je vais rester dans la rue, ça va être encore plus mauvais pour moi, tu sais. Celui-là, il a démoli mon "avenir", parce que, en sortant dans la rue, je ne vais pas me comporter correctement, n'est-ce pas ? Je vais être tout le temps en compagnie des hommes, à boire de l'alcool, fumer des "cigarettes", ce genre d'"affaires". Il aurait mieux valu qu'il me batte : j'aurais pleuré et puis c'était fini. N'est-ce pas vrai ? Oui, ce qu'il m'a fait m'a plus fait souffrir que des coups. Même s'il m'avait battue jusqu'au sang, cela aurait mieux valu pour moi que "Sors". Parce que quelqu'un qui te dit "Sors", c'est comme s'il te disait : "Va te détruire ! Continue à déconner !" Oui...

W – Je comprends... (...) mais que s'est-il passé pour qu'il te chasse ?

M – Tu vois... Sais-tu ce qui s'est passé ? Tu vois, en ce "temps"-là, il avait "l'intention pour" me chasser de chez lui mais il n'avait pas eu "l'occasion". Il a gardé ça ici, dans son cœur et a attendu que je fasse la "moindre chose", tu sais, pour l'"exploiter" et me dire de partir. Est-ce que tu comprends ce que je te dis ? Dès que j'avais terminé mon travail, Ndeye arrivait et nous partions ensemble pour aller rendre visite à notre amie. Est-ce que tu comprends ce que je te dis ? Il observait (...) et au bout de même pas "cinq jours", il m'a dit : "Eh !" – j'ai dit "Ouais" – "Ici, je suis chez moi. C'est moi qui commande ici" – je lui ai répondu "Oui" – "... et ce qui ne me plaît pas n'a pas sa place ici" – j'ai dit "Oui" – "Tu tournes et vagabondes. A présent, regarde, si tu continues à tourner et vagabonder tu t'en vas et tu sors de ma maison !" C'est ce qu'il m'a dit. Et moi je n'étais qu'une enfant.

W – Mais quand il t'a chassée, pourquoi est-ce que ta mère n'a rien dit ? Pourquoi ne s'est-elle pas opposée à ce qu'il te chasse ?

M – Ma mère s'y est opposée mais elle n'a rien pu faire.

W – Elle s'y est opposée ?

M – Laisse-moi parler ! Ma mère s'y est opposée mais elle n'y pouvait rien, parce que ma mère, ce n'est pas elle qui possédait la maison.

C'est lui le propriétaire. Est-ce que tu comprends ce que je te dis ? Imaginons qu'elle s'y oppose jusqu'à ne pas être d'accord avec lui, que va-t-elle faire ? Parce qu'elle a eu de nombreux enfants avec lui, tu sais ? Si le fait de me voir chassée la tourmente au point qu'elle lui "crée" des "histoires" et brise son mariage. Elle va souffrir encore plus. Et moi, en ce "temps"-là, je ne pouvais lui "louer" une chambre, je ne pouvais lui donner de quoi déjeuner, je ne pouvais lui donner de quoi dîner, à elle et à ses enfants. Tu comprends ? C'est pour cela qu'elle est restée à supporter ça avec ses enfants. Où est-ce qu'elle serait allée avec ses enfants ? Si elle m'avait accompagnée, où serions-nous allées ? Et ses enfants ? (...) Mais, en ce "temps"-là, si ma mère avait eu les moyens de partir et d'avoir un endroit où rester avec moi, où elle aurait pu manger et boire avec ses enfants, où elle aurait simplement été en paix, alors elle m'aurait accompagnée parce que, aussi mauvaise que je puisse être (...), c'est elle qui m'a faite. C'est de son ventre que je suis sortie. Oui, que je le veuille ou non. Et aujourd'hui... si aujourd'hui dans la rue je souffre, ça va sûrement la "toucher", mais elle n'avait pas les "moyens". »

La mère de M. devait préciser plus tard : « Ma fille éprouve beaucoup de pitié pour moi et essaie de m'aider le plus qu'elle peut. Si elle ne menait pas la vie qu'elle mène, on serait beaucoup plus proches. » Elle ajoute aussi que son mari a bien exclu M. du domicile familial, alors qu'elle n'était qu'une adolescente, quand elle a commencé à mener une vie dissipée : « Cette exclusion m'a déplue, mais je n'ai rien pu faire. Ce que j'aurais souhaité, c'est la garder avec moi et la surveiller. »

La question du père

Dans la société wolof, le mode de filiation (fondamentalement le même partout, quelles que soient la région ou la catégorie sociale considérées) est unilinéaire double ou bilinéaire, c'est-à-dire que l'on attribue des qualités et des fonctions différentes aux deux lignages :

> « Le matrilignage a un contenu essentiellement biologique ; il transmet le sang, fondement de la parenté. (...) Le patrilignage a un aspect biologique secondaire mais son contenu est principalement social, politique. Les valeurs auxquelles il se réfère sont l'honneur, le prestige, le courage (...) » (Diop, A.B. 1985 : 29).

Si le patrilignage a une importance secondaire par rapport au matrilignage (de la branche agnatique, l'enfant reçoit les os, les nerfs, le courage), par contre, c'est à lui qu'appartient socialement l'enfant malgré la primauté reconnue aux liens utérins dans le domaine biologique. Ainsi, traditionnellement, et encore de nos jours, la fille était donnée en mariage par le patrilignage et, à la mort du père, l'enfant était pris en charge par l'oncle paternel. D'autre part, la filiation agnatique transmet la plupart des vertus sociales : honneur, puissance, renommée, autorité, etc.

Comme mon informatrice le déclare simplement : « Ce que ton père est, c'est ce que tu es ». C'est ainsi qu'elle a hérité de sa branche paternelle une condition sociale dans le système des castes (elle est *géer*) :

> « Les *géer* constituent la caste supérieure (...) Ce sont des non-artisans ; leur spécialisation professionnelle est, peut-on dire, négative : l'artisanat leur étant interdit (...) Ils étaient généralement paysans... » (Diop, A.B. 1981 : 34).

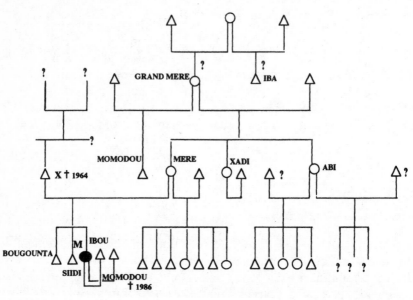

L'enfant du lignage

De son père, M. a hérité aussi une origine étrangère (elle serait bambara) qui aurait été dissimulée, à ses dires, par l'adoption d'un patronyme typiquement wolof. Cette identité relève largement de l'imaginaire si l'on en croit sa mère qui affirme au contraire que le père de M. était wolof. Par ailleurs, il apparaît clairement que M. participe activement (par l'adoption de la langue, de valeurs propres à la société wolof et de son « affiliation » au mouridisme) à ce processus général de wolofisation en cours de façon évidente dans cette société urbaine. Finalement, on peut avancer que cette référence a une origine ethnique étrangère (les Bambara sont surtout installés au Mali) témoigne du flou identitaire auquel M. est confrontée.

C'est davantage la question du père qui semble être au cœur des interrogations de M., qui souligne à plusieurs reprises le caractère incertain de sa filiation. Son père est un inconnu, elle ignore pratiquement tout de son lignage paternel et elle-même se montre sceptique vis-à-vis des fragments de savoir qu'elle détient. Ces observations m'amènent à supposer que le père n'est pas seulement mort biologiquement parlant mais qu'il a été aussi symboliquement liquidé. Dans ces conditions, sa disparition a représenté une véritable catastrophe, si l'on admet à la suite de P. Legendre (1985) que c'est autour d'une logique de filiation que les sociétés humaines entreprennent de ficeler le biologique, le social et l'inconscient. Socialement, M. est la fille de personne et, si elle a pu échapper à la psychose (son frère aîné quant à lui semble avoir échoué à devenir un sujet), par contre son rapport à la loi et à l'interdit est dominé par la figure de la transgression.

Le lignage maternel

Seul le lignage maternel a quelque réalité pour M. et, en l'occurrence, un segment de celui-ci appelé *meen* (en wolof, lait maternel), terme qui désigne la parenté utérine proche qui va d'Ego à la grand-mère ou à l'arrière-grand-mère maternelles. En font partie, ceux et celles dont les mères ou les grands-mères ont têté le même sein.

Le côté maternel transmet non seulement le sang *(deret)*, la chair *(soox)*, mais aussi le caractère *(jikko)* et l'intelligence *(xel)* ce qui en fait le principal support de l'hérédité biologique et psychique. Qualitativement, c'est la branche maternelle qui fonde la parenté la plus proche, ce qui explique que c'est au sein de ce dernier qu'on trouve affection, protection et une solidarité profonde en cas d'épreuve, notamment en cas de maladie grave. Ainsi, par exemple, c'est dans le lignage maternel que seront confiés les jeunes orphelins si la mère ne se remarie pas avec le frère de l'époux. Cette solidarité a existé dans le cas de M. et de ses frères recueillis par leur grand-mère maternelle, elle-même épaulée au besoin par son frère ou ses propres enfants. Il faut signaler aussi que les rapports entre grands-parents et petits-enfants, dans plusieurs sociétés ouest-africaines, constituent traditionnellement un espace de jeu et de tolérance par rapport aux relations parents-enfants.

Enfin pour terminer, soulignons que, dans la société wolof, le rôle de la mère vis-à-vis du devenir de ses enfants est capital :

> « Il existe chez les Wolof un "concept sociologique", celui de *ndey-ju-liggey* (la mère-qui-a-travaillé) qui définit cette situation. "La-mère-qui-a-bien-travaillé" est la femme qui a rempli toutes ses obligations vis-à-vis de son mari et des parents de son mari (...) Les enfants d'une telle femme ont dans la croyance populaire "toutes les facilités pour réussir dans les entreprises quelles qu'elles soient". Ils seront "épargnés par le mauvais sort et les malheurs de toutes sortes"... » (Ly, 1966 : 256).

Un apprentissage culturel

Lorsque je demande à M. de m'expliquer quel est le comportement de son beau-père dans la vie, elle répond en traçant le portrait idéal de l'honnête homme selon la conception wolof traditionnelle, ce qui lui donne l'occasion de passer en revue un ensemble de valeurs morales articulées autour d'une figure centrale, le couple honneur-honte.

Dans la langue wolof, le *jom* désigne l'amour-propre, le respect de soi, le sentiment que l'on a de sa dignité personnelle. En quelque sorte, c'est l'aspect positif de la honte car seul celui qui a de l'honneur peut éprouver de la honte. C'est un terme difficile à traduire en français, car il ne désigne pas tout à fait l'amour-propre et pas tout à fait l'honneur :

> « L'honneur nous est apparu comme un phénomène total qui entraînait dans son sillage un grand nombre de valeurs, comme une motivation profonde et intense à l'accomplissement des valeurs (10) » (Ly, 1966 : 3).

---

(10) Motivation renforcée par le fait que l'honnête homme qui n'accomplirait pas ses obligations serait déconsidéré auprès de ses égaux qui le mépriseront (*yep* en wolof) et auront, de ce fait, une prise sur lui.

La première chose, nous dit M., c'est que son beau-père reste à la maison à s'occuper de sa femme et de ses enfants, ce qui est le devoir essentiel du *borom kër* (maître de maison). Elle précise ensuite son propos en utilisant, pour le qualifier, le terme de *jaambur,* employé ici dans le sens d'une personne indépendante, respectable, discrète (pour une analyse détaillée de sa signification, *cf.* Ly, 1966 : 139-176). Le *jaambur* est un homme indépendant qui ne s'occupe pas des affaires d'autrui et ne fait de tort à personne. Il est maître de sa langue dans une société où son rôle néfaste est souvent souligné (11).

Enfin, j'ajouterai que cette notion de *jaambur* est fondée sur une morale de la condition au sens d'une acceptation du statut social hérité de ses parents :

> « La structure de caste et la structure politique qui créent des inégalités de statut entre les hommes, font que chacun de par sa naissance a un statut social particulier. Ces statuts sont inégaux. (...) Chaque individu doit accepter sa place dans la société » (Ly, 1966 : 158).

Puis, elle continue à faire l'inventaire des qualités de son beau-père. Cet homme d'honneur fait preuve de générosité envers les siens quand le sort lui est favorable (il assure la redistribution de ses biens (12)) ; il affronte aussi l'adversité avec patience *(muñ)*, une vertu cardinale dans nombre de sociétés africaines et, particulièrement, la société wolof. Elle est aussi un des éléments essentiels de l'éthos (13) des femmes dans cette société, comme on l'a vu dans la définition de la « femme-qui-a-travaillé. »

Avant de clore ce paragraphe, signalons que des années plus tard *(cf.* chapitre XV, Ethnographie V) elle me fera un portrait beaucoup moins idéalisé de son beau-père à l'occasion de la mort de son frère aîné.

---

(11) En wolof, le *cat* désigne le fait de porter malheur à autrui par un usage inconsidéré de la langue *(lamiñ).*

(12) Très tôt dans le processus éducatif de l'enfant, on lui apprend à partager (en particulier de la nourriture) comme l'ont mis en évidence les observations de J. Rabain qui en arrive à considérer la société wolof comme « mobilisée autour des problèmes de partage et de nourriture » (Rabain, 1979 : 56).

(13) Au sens batesonien du terme, désigne la « personnalité sociale » telle qu'elle est modelée par un apprentissage culturel (Bateson, 1986).

Interprétations

Je voudrais m'arrêter, un instant, sur cet événement que constitue dans la trajectoire de M. le départ de la maison familiale et le prendre comme exemple des difficultés que rencontre l'ethnologue dans son travail d'interprétation.

A la suite de son exclusion du domicile familial, j'ai d'abord commencé à penser que M. se trouvait placée devant une bifurcation, de telle façon qu'elle avait la possibilité de choisir entre plusieurs voies, ou en tout cas au moins deux. D'un côté, elle pouvait retourner chez sa grand-mère et continuer à vivre « normalement », de l'autre, elle pouvait « partir à l'aventure » avec ses copines, ce qui représente, pour des femmes, un mode de vie déviant.

Dans cette optique, je faisais du moment de l'acceptation ou du rejet des normes dominantes l'objet privilégié d'une analyse organisée autour d'une

> « représentation "dramaturgique" selon laquelle la genèse de la délinquance se noue essentiellement dans un débat de conscience particulier au délinquant (...) Le jeune délinquant, tel le héros de la tragédie classique, mène une délibération quasi rationnelle où s'opposent deux systèmes de valeurs, nettement opposés, placés sur le même plan, valeurs "conventionnelles" et valeurs délinquantes, puis "choisit" la délinquance d'un seul coup et sans ambiguïté » (Chamboredon, 1971 : 337).

A partir des critiques énoncées dans la suite de son analyse par cet auteur envers une telle interprétation, j'ai dû reconsidérer ma position, même si je ne suis toujours pas disposé à refuser à mon « objet » son épaisseur subjective... Et d'abord, je suis bien obligé de reconnaître que ma connaissance sociologique de la société pikinoise est réduite. Ainsi, je ne dispose d'aucune statistique qui permettrait, par exemple, de calculer un taux de délinquance juvénile pour chaque catégorie sociale et, par conséquent, je ne suis pas en mesure d'évaluer le degré de déviance de M. par rapport au groupe social auquel elle appartient. Autrement dit, j'ignore jusqu'à quel point son choix a été quelque chose de singulier ou, au contraire, relève d'un comportement couramment répandu dans ce groupe.

D'autre part, si j'ai admis jusqu'à présent, pour plus de commodité, l'hypothèse implicite d'une socialisation uniforme dans les différentes classes sociales, il est probable que :

> « L'étude des "ratés" de la socialisation appelle une sociologie des formes de régulation, et de leur différence d'une classe à l'autre ; à défaut,

on admet l'hypothèse implicite d'une socialisation uniforme et l'on pose le problème de la délinquance comme celui d'un choix entre deux systèmes de normes, les normes "conventionnelles" et les normes de la sous-culture délinquante... » (Chamboredon, 1971 : 346).

En fin de compte, dans l'ignorance où je suis des normes en vigueur dans son groupe particulier, je ne suis toujours pas en mesure d'identifier avec précision quelles étaient les options entre lesquelles M. pouvait choisir.

Cela dit, et en adoptant maintenant un point de vue interactionniste sur la question, il est possible également de concevoir l'entrée de M. dans la déviance comme le résultat de la relation conflictuelle qu'elle entretenait avec son beau-père. Dans cette hypothèse, elle serait passée sans transition d'un comportement réprouvé dans son entourage immédiat à des actes explicitement condamnés par la communauté, sans faire beaucoup de différence entre les deux. C'est peut-être dans ce sens qu'il faut comprendre l'expression qu'elle utilise pour qualifier sa conduite à l'époque : « Je me suis comportée comme un enfant ».

Ce que je voudrais souligner avant de redonner la parole à M., c'est l'importance pour l'anthropologue urbain d'une connaissance sociologique du contexte dans lequel il travaille ou, à tout le moins, d'une prise de conscience de l'hétérogénéité de son terrain. Cette confrontation permanente avec une complexité qui le dépasse fait de la pratique de l'ethnographie urbaine une leçon permanente d'humilité.

Chapitre IX

ÊTRE FEMME I

Prendre sa liberté

« W – Mais en ce "temps"-là, quand ton père t'a chassée, pourquoi n'es-tu pas retournée chez ta grand-mère ?

M – Alors, j'ai agi comme une enfant. Ndeye m'a dit : "Viens ! Allons chez moi". C'est pourquoi je ne suis pas partie chez ma grand-mère. Je lui ai dit : "Est-ce que ta mère ne dira rien ?"... Elle a dit : "Ma mère ne te dira rien du tout". Je l'ai accompagnée chez elle. Et puis sa mère m'a plus aimée que sa fille, elle m'a accueillie à bras ouverts. Et moi, je ne vais pas partir d'un lieu où l'on m'accueille à bras ouverts, où l'on m'accorde la paix. La paix, c'est tout ce que je désire. Je suis restée et, je te le dis, il ne s'est pas passé deux mois, même pas deux mois, avant que Faatou – chaque jour nous allions ensemble chez notre amie Faatou, tu comprends ? – déclare qu'elle allait partir à Kaolack. Elle a voulu m'emmener mais sa mère lui a dit : "Laisse ici l'enfant d'autrui. Laisse-là ici. Si tu pars, pars toi seule, mais laisse l'enfant d'autrui ici (…)".

Faatou a dit "d'accord" et elle est partie. Mais ça ne m'a pas empêchée d'aller chaque jour chez Faatou, jusqu'au jour où j'ai rencontré une autre jeune fille, une amie de Faatou, qui s'appelle Maïmouna. C'est comme ça qu'elle s'appelle, Maïmouna. Elle aussi a dit qu'elle allait partir à Kaolack. Aussitôt, je lui ai dit : "Allons y ! Je t'accompagne". Elle m'a répondu : "Allons-y ! Partons !". Elle a payé mon billet, elle a payé son billet et nous sommes parties ensemble à Kaolack y retrouver Faatou. On est restées là-bas, nous trois. Nos mères étaient loin, nos pères étaient loin. On n'avait aucun parent là-bas. Elles ont "loué" une chambre et je suis restée avec elles. En tout, j'ai passé deux ans là-bas, à Kaolack. (...)

Oui, c'est là-bas que Faatou avait "loué" une chambre. Elle a acheté une "paillasse" – tu sais ce dont je te parle ? – et des "rideaux" et des "draps" et les a installés. Elle connaissait déjà là-bas. Elle connaissait des gens... Elle n'est pas du genre à rester assise en désirant quelque chose d'impossible. Ce qu'elle désirait, elle allait en "ville" pour le "créer" : le déjeuner, le dîner, le petit-déjeuner, les "cigarettes", ces "affaires"-là enfin, l'alcool...

Quand la nuit arrivait, on se lavait bien proprement et puis on sortait dans les "boîtes", moi et elle. Mais moi, les "boîtes", je n'y ai pas fait "cinq jours", tu comprends, qu'un "militaire" m'a vue... Il s'appelle Badou... Il est de Pikine (...) En ce "temps"-là, il était "militaire", il était dans un "camp", le "camp" de Kaolack, tu comprends ? Dès qu'il m'a vue, il s'est mis à m'"étudier", sachant bien que je n'étais qu'une enfant, tu me comprends ? Il avait pitié. Il est resté à m'observer, en réfléchissant, quoi. En comprenant que je n'étais qu'une enfant, tu comprends, et que le chemin que j'avais pris... enfin, ce que je voulais commencer, ce n'était pas bon pour moi, j'allais me détruire. Est-ce que tu comprends ce que je te dis ? Il a bien observé tout cela et puis m'a "attirée" à lui, est-ce que tu comprends ? C'est ainsi que ça s'est passé. "C'est que il" était amoureux de moi mais, en même temps, il me considérait comme sa petite sœur de même mère et même père, car, tu sais, il avait des "sœurs". Il m'a "louée" une chambre, tu vois, où Maïmouna avait "loué". Il m'a "louée" une chambre, toute proche. Il m'a installé une "paillasse" et tout, tu comprends ? C'est ainsi que nous avons été ensemble pour sortir comme ça, retourner dans les "boîtes" – n'est-ce pas – et "consommer", manger et puis nous coucher. A la "fin du mois", il me prenait par la main et m'emmenait au marché. Il m'achetait toute sortes de "déguisements". Personne ne se moquait de moi. Personne ne me frappait. Personne ne m'insultait. Il était entièrement "res" *(diminutif de responsable)* de moi enfin. Oui, il a porté ma "responsabilité" sur ses épaules, lui "seul", jusqu'au jour où je suis rentrée à la maison... Je n'avais pas honte... »

C'est pendant son séjour à Kaolack que M. a commencé à fumer des cigarettes et à boire de l'alcool :

« M – Oui, c'est à l'Olympic que j'ai bu pour la première fois de l'alcool. En ce "temps"-là, j'étais "indisposée", enfin j'avais mal au ventre. On m'a dit que le Pastis était bon pour ça. Je suis allée demander une "double consommation" avec un Spark Tonic. Je les ai mélangés.

W – Du Tonic avec du Pastis... c'est bon ?

M – C'est bon !

W – "Après" est-ce que tu as été ivre avec le Pastis ?

M – Ah. Tu le sais très bien. Impossible de ne pas être ivre ! Je suis partie aussitôt me coucher, tu comprends se coucher ?... Je me suis endormie et au réveil la douleur au ventre avait disparu. Ça ne me faisait plus mal.

W – Mais avant de partir à Kaolack, est-ce que tu avais déjà couché avec des hommes ?

M - Oui, mais pas souvent. En ce "temps"-là, je n'étais qu'une "boy". Les "gars", rien qu'en me voyant, ils savaient que j'étais une "boy". Ils venaient me "bourrer la tête", me donnaient un peu d'argent, trois fois rien. Mais pas souvent, pas souvent...

W – Mais quand tu étais à Kaolack, est-ce que tu es sortie seulement avec Badou ?

M – Non. "Avant" que je rencontre Badou, "avant" de nous mettre à sortir ensemble nous deux, j'avais l'habitude de sortir dans les "boîtes". Ils voyaient bien que je n'étais qu'une enfant, tu sais ? Oui, ils me donnaient beaucoup d'argent pour sortir avec moi (...) A cette époque, l'argent avait de la "valeur" ! A cette époque, à cette époque. Oh !... Tu vois, à cette époque, si tu avais "cinq cent francs" seulement, tu allais "régler" beaucoup de tes "problèmes" est-ce que tu comprends ce que je te dis ? On me donnait "trois mille, quatre mille ou cinq mille"... Enfin, "ça dépend !"

« (...) Mais quand j'ai rencontré Badou et que nous sommes sortis ensemble, je ne l'ai plus fait. Je me suis contentée de Badou seulement. Il savait me "satisfaire". Ce que je voulais, il me le procurait. A la fin du mois, il m'achetait des vêtements, il payait mon "loyer" et restait à mes côtés, oui, à discuter avec moi.

W – Mais Maïmouna, est-ce qu'elle faisait comme toi ? Est-ce qu'elle sortait dans les "bars" ?

M – Elle ! "Tout le temps !"

W – (...) Mais à présent, où est-elle ?

M – On l'a "mariée", mais elle a rompu, elle a "divorcé", quoi. Elle a été "mariée". Le gars lui a acheté un lit de "bois rouge", une "télévision" et tout le "matériel" pour lui installer une belle chambre. Celui qui l'a "mariée" il était propriétaire d'un "bar", le "bar" qui est du côté de la "poste" de Pikine (...)

W – Oui, je le connais.

M – Et bien, c'est lui qui l'avait "mariée" et qui avait "orné" pour elle une chambre qui soit "bien". Mais, tu sais, ce genre de personnes ils sortent avec toutes sortes de filles, tu comprends ? Ils ne se contentent pas d'une seule. Je sais qu'il en a rencontré une autre qui était plus belle que

Maïmouna. Il l'a abandonnée, est parti avec l'autre et a donné à cette dernière tout le "matériel". »

L'entretien est interrompu à la demande de M. qui boit un *yoff* (bière)
cachée sous le lit par un de ses copains. Il est venu tout à l'heure jusqu'à
la porte sans que M. le laisse rentrer : « Laisse-moi tranquille ! Je suis en
train d'enregistrer. » Elle ajoute, ravie du tour qu'elle lui joue : « Il ne
trouvera plus rien. Je vais la boire ! ».

« W – Mais, quand tu étais à Kaolack, tu n'as jamais eu de maladie
d'homme ?
M – Quand j'étais là-bas ?...
W – Ou bien, mal au ventre ?
M – "Si".
W – Tu as déjà eu ça ?
M – Si ! Je ne mens pas ! Moi, je ne te dirai rien que la "vérité". J'en ai
déjà eu une là-bas.
W – Plusieurs fois ?
M – Une seule fois.
W – Une maladie d'homme ?
M – Oui.
W – Grave ?
M – Trop ! Ici, sur mon sexe, là, ici, ici, ici... Il y avait un de ces abcès,
je ne te dis pas. Oui. Un abcès accompagné d'une douleur au ventre ter-
rible au point que j'ai failli mourir. Je suis allée droit à l'"hôpital". Arrivée
là-bas, on m'a dit : "C'est une maladie des hommes"... Ils m'ont écrit une
"ordonnance". Je ne sais pas comment on appelle ces "piqûres"... "deux
millions", je ne sais pas, "cinq cent mille", enfin, je ne sais plus... »

Au bout de deux mois d'un traitement associant injections et comprimés, elle a été guérie... Puis je reviens sur les circonstances dans lesquelles s'est effectué son départ de Kaolack.

« W – Tu as passé deux Tabaski (1) là-bas ?
M – J'en ai passé une première. La deuxième, je me suis assise à regarder égorger les moutons, ce genre d'"affaires"... Tout le monde était
content, mais moi, j'étais "concentrée". En ce "temps"-là, j'ai "sciencé"

---

(1) La plus grande fête du calendrier musulman. Commémore l'intervention divine qui a empêché
le sacrifice de son fils par Abraham.

ce qui se passait quand j'étais chez ma grand-mère ou chez ma mère, avec mes jeunes frères et sœurs : on tuait un mouton, on mangeait de la viande, puis on allait quêter le *dëwënal* (les menus cadeaux faits aux enfants ce jour là), ces "affaires"-là, quoi... J'ai réfléchi et j'ai compris que j'étais loin de mes "parents". Et ce n'est pas moi, hein, qui l'avais voulu... Ce sont eux qui ont tout fait pour que ça tourne comme ça. Mais moi, hein, ce n'est pas ce que j'avais "préféré". C'était de leur faute. Et, tout à coup, mon cœur s'est brisé et j'ai pleuré, tellement pleuré... "Au nom de Dieu tout-puissant" *(en arabe)*. Tu vois, ce jour-là, je n'ai pas mangé de viande. J'étais "triste". Je n'ai pas mangé de viande, je ne me suis pas "défou-lée", je n'ai rien fait. Je suis restée à me "concentrer" : toutes mes idées étaient ici. J'ai eu leur nostalgie jusqu'à désirer mourir, jusqu'à vouloir rentrer à la maison. Mais il ne s'est pas passé "vingt jours", même pas ça... avant que je ne rentre, hein ! Je n'avais que l'argent du transport, "sept cent", je ne sais plus, "sept cent" ou "sept cent cinquante"... C'est tout ce que j'avais. Je prends Dieu à témoin !... »

Premier mariage

« M – Je suis allée au garage Dakar prendre une "auto 404". Il restait une place, je me suis installée, ai payé "sept cent cinquante", suis descen-due ici, à la "poste" de Thiaroye. J'ai marché jusqu'à Thiaroye où j'ai passé la nuit chez une amie (...) A l'aube, je suis d'abord allée chez ma mère et mon père : ils m'ont vue. Ensuite, je suis allée chez ma grand-mère : elle m'a vue. Et puis ensuite de là... Il y a cette autre sœur cadette de ma mère qui vit avec son mari au Premier Pikine. C'est là qu'elle avait "loué" dans une maison, elle et son mari, au Premier Pikine. A mon retour, je suis restée là-bas, chez cette sœur cadette de ma mère. Elle et ma mère ont même mère et même père. Elle s'appelle Xadi. Je suis restée chez elle dans la maison où elle et son mari avaient "loué".

« Et alors, le propriétaire de la maison était une femme – son mari était mort – elle avait des fils. Il y en avait un qui travaillait au "port", Ibou... On était dans cette maison quant Ibou m'a vue et a dit qu'il m'aimait et qu'il voulait me prendre pour épouse. Alors le mari de ma tante – le mari de la sœur cadette de ma mère – lui a dit : "Si ce que tu dis est vrai, vas en discuter avec tes parents et envoie-les en délégation. S'ils viennent, je te donnerai une épouse". Il est parti dire ça à ses parents et ils sont venus en délégation et on m'a donnée, et nous nous sommes mis en ménage (...).

W – Mais Ibou est-ce qu'il a donné de l'argent à ta mère ?

M – Attends un peu ! Il n'a rien donné à ma mère. Mais attends ! Quand le père a dit cela, Ibou est allé voir ses "parents", tu comprends ? Ils sont arrivés en disant : "C'est Ibou qui nous envoie – tu comprends ? – il a dit qu'il aimait M. et qu'il la voulait pour femme". Ils m'ont dit : "Alors, es-tu d'accord ?" Alors, moi aussi, j'ai dit : "Oui, je suis d'accord". Ils m'ont dit : "Qu'est-ce que tu lui demandes ?"... Tu sais, il faut que tu demandes, quoi, le *may-gu-jëk* (cadeau de fiançailles). En ce "temps"-là, tu demandais seulement "quinze mille" en argent. Des "magnétophones" en ce "temps"-là il n'y en avait pas beaucoup, quoi, des "magnétophones".

« J'ai demandé "quinze mille" francs, tu sais, avec un "magnétophone" et une "montre". Il est revenu en apportant les "quinze mille" et la "montre" et la "radio" pour moi.

W – Et il n'a rien apporté à ta mère ?

M – Non. Non.

W – Et après ?

M – Après, il a acheté de la cola, les pères sont allés ensemble à la *jakka* (petite mosquée) et on m'a donnée (...) Comme il n'avait qu'une petite chambrette dans la maison de sa mère, toute petite, il a "loué" dans le "coin" une grande chambre. On passait la journée à la maison et, le soir, on allait passer la nuit là-bas (...)

« Mais, par la suite, il a "déconné", oui. C'était un grand "soûlard". Il travaillait au "port", sur les "cargos espagnols". Il comprenait l'espagnol, je ne te dis pas, comme un Espagnol. *"Je prends Dieu à témoin"* (en arabe). Il avait commencé par faire "trois ans" là-bas en Espagne, ensuite il était reparti pour y faire encore "cinq ans". Il comprenait très bien l'espagnol. Tu vois, pendant notre "mariage", quand un bateau d'Espagnols arrivait, il en prenait "deux" ou bien "trois", les amenait à la maison où ils passaient la nuit (...)

« C'était un "soûlard", à boire jusqu'à être ivre. Il me battait. Des disputes et des bagarres, enfin. Au bout d'un an, mon père – le mari de ma tante – a dit : "Lui, il est mauvais. Ce n'est pas un bon mari car si tu as une femme, tu ne la bats pas. Tu vas lui donner de quoi manger, de quoi boire, lui donner de quoi s'habiller et la laisser en paix. Mais lui, il ne te donne pas à manger, il ne te donne pas à boire, il ne te laisse pas en paix. A présent, je romps ce mariage" (...)

W – Avant de l'épouser, tu n'avais pas vu que c'était un "soûlard" ?

M – Je l'avais vu mais sa "soûlardise" ne me concernait pas ! Moi, j'ai pensé que même s'il était un "soûlard", quand on serait "mariés", il allait faire ce qu'il fallait pour que ça marche entre lui et moi. Après, qu'il sorte pour aller boire de l'alcool, ça ne me concernait pas. C'est ce que j'ai pensé. Quant à moi, bien sûr que je l'avais vu et même très, très bien. Parce que c'est au "port" qu'il allait prendre des caisses de "vino", du "vino" hein, du "vino espagnol", du blanc, "blanc et rouge". Il apportait tout ça à la maison et buvait comme un trou. Bien sûr que je l'avais vu, mais cela ne me regardait pas.

M – Est-ce que toi et lui vous buviez ensemble ?

W – Qui ? Moi ? En ce "temps"-là ? Non. En ce "temps"-là, je le faisais en cachette parce que ma tante et son mari habitaient sur place et je ne voulais pas qu'ils sachent quoi que ce soit sur mon compte. Parce que moi, quand j'ai été obligée de me conduire mal, je suis partie d'ici et suis allée à Kaolack. Là-bas je n'ai vu personne, ni mère, ni père, ni tante. J'ai pu faire ce qui me plaisait, tu comprends ? Mais je ne vais pas venir chez ma tante et son mari et faire ces "affaires", je leur porterai préjudice... Rien ne me faisait plus envie mais je me suis "concentrée" jusqu'à être dure, comme... je ne sais pas quoi (...) Oui, Ibou n'achetait pas de vêtements, n'achetait pas de chaussures, ne donnait pas d'argent... Un mariage comme ça, à quoi ça rime ? J'ai rompu le mariage.

W – Une fois le mariage rompu, tu es retournée chez ta grand-mère ?

M – Après, je suis retournée chez ma grand-mère, oui (...) Ensuite, il m'a poursuivie pour que je lui rembourse ses biens : "quinze mille" et la "radio" et la "montre". Je lui ai dit : "Ce que j'ai accompli comme femme mariée, rembourse-le moi. Si tu me rembourses tout ce que j'ai fait pour toi, je te rendrai ton argent". Mais avant qu'on en arrive là, il a compris ce que je lui disais et a laissé tomber. »

Deuxième mariage

« M – Je suis partie de là-bas pour venir "encore" ici, chez ma grand-mère, à Tali-bou-Bess. J'y suis restée longtemps, longtemps, longtemps, jusqu'à ce que mon mari – celui qui est mort – me voit. Il s'appelait Momodou... Il habitait tout près d'ici, là où je t'ai montré leur maison (...) Donc, quand j'étais chez ma grand-mère à Tali-bou-Bess, il m'a vue lui-aussi et m'a dit qu'il m'aimait... Il m'a courtisée en "79"... En "80", c'est en "80" qu'il m'a épousée et on a vécu ensemble (...) en "81, 82, 83, 84, 85", tu vois, jusqu'en "86"... Alors, je ne manquais de rien. Il était bon. Il m'aimait "trop, trop, trop", le pauvre. Il me donnait à déjeuner – encore, encore et encore – de quoi me remplir, au dîner de quoi me remplir et au petit-déjeuner de quoi me remplir. Si tu étais entré dans ma chambre, tu aurais été content : il y avait une "chaîne", un "ventilateur", un "lit", une "bibliothèque", un "fauteuil", c'était extra !...

W – Qu'est-ce qu'il faisait comme travail ?

M – Il travaillait au port (...) C'était un "business man". Il achetait une "affaire", comme par exemple il achète une "affaire cinquante mille francs" et la vend "cent mille", tu vois, c'était ça son travail. "Chaque jour" il descendait du travail avec beaucoup d'argent, et quand il arrivait, il me "finançait". En ce "temps-"là, j'étais belle. Ma photo, c'est en ce temps-là, ce n'est pas vieux ! Tu vois ? Je faisais du *xeesal* (2) pour être rouge. J'étais grosse. Oui ! du *xeesal* pour devenir rouge, j'étais grosse et quand je jetais mes tresses, je m'en faisais faire d'autres. Je portais de l'"or", je portais de l'argent. Mais on a vécu ainsi ensemble jusqu'à "Caire 86".

W – Tu avais une femme de ménage ?

M – Bien sûr que j'avais une femme de ménage ! Je ne faisais pas la lessive, je ne repassais pas, je n'allais pas chercher de l'eau. J'ai été une Toubab jusqu'à "Caire 86"... (Elle rit).

W – Caire... ?

M – "Caire 86, le match, le match de Bocandé" (3)... C'est ce jour là qu'il est mort, "fin d'année 86".

W – Qu'est-ce qui lui est arrivé ?

M – Il ne lui est rien arrivé. "En tout cas", c'était un "samedi", il est parti faire la "noce" en ville, "virer" jusqu'à "six heures du matin". Il est arrivé pour se coucher, il est arrivé jusqu'à la porte de la chambre, jusqu'à la porte de la chambre, s'est effondré tout à coup et a commencé à vomir.

W – A vomir ?

M – Oui, et ce qu'il vomissait ainsi, c'était du sang, oui. Il sortait ici par le nez et par la bouche. Il a fait peuf ! peuf !, le sang n'arrêtait pas de couler et, rapidement, il est mort... comme ça... treeu... Alors, on l'a pris pour le transporter à "Dominique", comme cela, plein de vomi et tout et quand nous sommes arrivés à "Dominique", le "médecin", tu sais ce qu'il a dit ?... Il a dit que ce qui l'a tué, il a dit : "C'est la "tuberculose".

---

(2) Faire du *xeesal* consiste à se blanchir la peau en utilisant différents produits, dont notamment des pommades corticoïdes.

(3) Caire 86 : référence à un match de la coupe d'Afrique des nations (football) qui a eu lieu en Égypte cette année-là. Bocandé est un joueur de football sénégalais très célèbre.

W – La "tuberculose" ?

M – Oui, c'est ce que le "médecin" a dit. Il a dit que c'est la "tuberculose" qui l'a tué (4). C'est pour cela que, depuis sa mort et jusqu'à présent, oooh... ! j'ai souffert... »

Pendant notre premier travail de traduction effectué sur ce texte, nous nous sommes demandés, Rama et moi-même, comment M. avait pu si rapidement sombrer dans la misère alors qu'elle possédait des biens et que, selon le droit musulman, au moins 1/8ᵉ des biens de son mari aurait dû lui revenir. Lors de l'entretien suivant, je reviens sur cette question.

« W – Mais quand ton mari est mort, ensuite, est-ce que tu n'as pas hérité de quelque chose ? "Parce que", l'autre jour, tu as dit que dans la chambre il y avait une "télévision" et une "chaîne" et un "lit"...

M – Tu vois, ma chambre, si tu y étais entré, tu n'aurais pas su où poser tes pieds. A cause de quoi ? Du "matériel" ! Il n'y manquait rien : une "chaîne à musique", un "ventilateur", une "télévision", une "bibliothèque" (...) des "fauteuils bourrés" (un "salon"). Oui mon vieux !... Une "glacière". Tout ! Il y avait tout le "matériel" dans ma chambre.

W – Une "glacière", c'est un "frigidaire" ?

M – Tu ne sais pas ce qu'est une "glacière" ? c'est une "espèce" de "pot" assez grand et si tu y mets de la "glace" elle ne fond jamais... Il y avait tout dedans : deux "tables bois-rouge" – est-ce que tu comprends ce que je te dis ? – des "porte-rideaux", il y avait tout, je te dis. Il ne "manquait" rien, tu comprends ? Mais, tu vois, après sa mort même la "glacière" qui est toute petite, je ne l'ai pas eue, je ne l'ai pas emportée.

W – Tu ne l'as pas emportée ?

M – Non. Non. Non.

W – Pourquoi ?

M – Pourquoi ? A cause d'eux, les "parents"...

W – Les "parents" de ton mari ?

M – Oui, de Momodou. Oui. Ce sont des "traîtres"...

W – Des "traîtres" ?

M – Oui, ils sont mauvais, quoi. "C'est-à-dire", parce que, moi et lui de "79" à "Caire 86" on a vécu ensemble, moi et lui. Il me supportait et je le supportais. Et ce qui était mon "devoir", je l'ai fait jusqu'à ce que Dieu le rappelle auprès de lui, est-ce que tu comprends ce que je te dis ? Ces "bagages"-là, hein, ça ne leur aurait rien coûté, ils auraient pu prendre le

---

(4) Bien des années plus tard, je me suis laissé raconter, par un informateur, une autre version de l'affaire. En fait, Momodou aurait été un voleur et serait mort des suites d'un passage à tabac administré par des complices avec lesquels il aurait refusé de partager le butin d'un mauvais coup.

lit en sachant qu'on s'était couché dessus et me le donner, n'est-ce pas vrai ? Mais, écoute, les photos, ses photos, j'avais beaucoup de photos, j'en avais "collectionné" beaucoup, des "en couleurs", écoute, je n'en ai pas eu une seule.

W – Ils ont tout pris ?

M – "Tout !" (...) Ils ont dit que je n'avais pas d'enfant.

W – Que tu n'avais pas d'enfant ?

M – Oui.

W – C'est pour cela !

M – Je n'ai pas eu d'enfant. Mais si Dieu m'avait donné un enfant, ils n'auraient touché à rien. J'aurais hérité de tout (...) Mais aussi, s'ils avaient été *gore* (...) Est-ce que tu comprends *gore* (5) ?

W – *Gore* ?

M – S'ils avaient été intelligents, enfin ! Savoir que les biens matériels ce n'est rien, c'est ça être honnête, est-ce que tu comprends ce que je te dis ? Ne pas avoir d'enfants... Que je n'ai pas eu d'enfants, cela n'empêche pas qu'ils prennent quelque chose et me disent : "Tiens ! Prends ça ! Ça te rappellera Momodou". N'est ce pas vrai ? Mais ils ont été vraiment malhonnêtes. Ils ont tout pris. Grâce soit rendue à *Sëriñ* Touba Mbacke, je n'ai rien pu emporter de là-bas...

« Rien !... Une fois sortie de là-bas, je te le dis, je n'avais pas de quoi me coucher. Les couvertures et les "draps", ils ont tout "ramassé". Rien ! Ils ne m'ont même pas donné un vieux "drap" en me disant : "Si tu couches par terre, tu t'envelopperas avec". Parce que pour eux je n'avais pas eu d'enfant. Mais les enfants, ce n'est pas moi qui décide d'en avoir. Si ça ne dépendait que de moi, hein, à cette "heure" j'en aurais "dix". Personne n'en veut plus que moi. Ce désir-là, j'en crève. Tu vois, j'en veux à en crever. Mais enfin, regarde, c'est Dieu qui les accorde. Mais ce n'est pas encore "passé" pour avoir des "enfants". Chaque matin j'espère. »

Dans la semaine qui suit, au cours d'une conversation, M. me raconte comment, peu de temps avant sa mort, son mari l'avait répudiée. A ses dires, ils étaient en train de se réconcilier lorsque sa mort est survenue. Or, selon le droit musulman, dans le cas où le mari, après avoir répudié sa femme, décède avant que le délai de trois mois et dix jours soit écoulé, la femme est tenue d'accomplir le rituel du deuil comme si elle était encore mariée. Muni de ces informations, je commence notre dernier entretien

---

(5) Traduit par « honnête » dans le dictionnaire wolof-français le plus récent (Fal *et al.,* 1990), le terme de *gore*, par son étymologie, fait référence de manière plus générale au comportement respectable de l'homme d'honneur.

bien décidé à savoir ce qui s'est passé dans la mesure où je suppose que le fait de ne pas avoir accompli un rituel de deuil après la mort de son mari a été une des causes principales de son effondrement psychologique ultérieur.

« W – Parce que, ce qui m'étonne, c'est que tu n'as pas pris le deuil.

M – Pas pris le deuil ? Oui. Parce que je te l'ai déjà dit, "avant" qu'il meure, on s'était disputés. Je l'ai harcelé : "Rends-moi ma liberté ! Rends-moi ma liberté !" Tu connais les femmes et leurs "histoires"... "Rends-moi ma liberté ! Rends-moi ma liberté !" Il y avait là des gens qui observaient, alors, tu sais, lui, c'est un homme, il est "complexé". Il "fallait" qu'il me dise "Je te rends ta liberté !" à cause de la présence des autres mais il ne le pensait pas vraiment. Il m'a dit : "Je te rends ta liberté !" et alors je suis immédiatement partie chez nous. Et bien, après mon départ, il venait chez nous, le pauvre (...)

W – Rends-moi ma liberté ?

M – Ça veut dire, répudie-moi.

W – Oui.

W – "Répudie-moi ! Répudie-moi !" Il m'a dit "Je te répudie". Alors je suis partie de suite chez moi. La première nuit que j'ai passée là-bas, il n'est pas venu. Il a attendu jusqu'au "deuxième jour". Vers "minuit" – j'étais couchée avec ma grand-mère – il est venu frapper à la porte. J'étais en train de dormir. Ma grand-mère m'a dit. "Réponds !" J'ai dit : "Qui est-ce ?" Il a répondu : "C'est moi, Momodou". J'ai ouvert. Il y avait un "canapé" défoncé installé dans la cour de la maison. Il était assis dessus. J'ai ouvert et l'ai trouvé assis là, le pauvre ! Je me suis assise à côté de lui. Il est resté longtemps comme cela à regarder par terre, et puis il m'a dit : "Est-ce que tu as mangé depuis hier ?" Je lui ai répondu "Non et toi ? Est-ce que tu as mangé ?" Il a dit non et, regarde, il a commencé aussitôt à pleurer.

W – Il a commencé à pleurer ?

M – Le pauvre ! C'est qu'il m'aimait ! Il s'est mis à pleurer. Il a mis la main dans sa poche et a sorti "dix mille francs" en me disant : "Prends !" puis il a filé. "Chaque jour" il est venu. Ce qu'il avait, ce qu'il ramassait au "port", il venait m'en apporter une part, selon ce que Dieu lui accordait... Il me donnait de l'argent. Ce qu'il avait. Il ne dépensait rien chez lui sans penser à moi. Tout ce qu'il avait, il le partageait et m'apportait ma part, là-bas, chez nous. Il me donnait de l'argent, à moi et à ma grand-mère pour satisfaire nos besoins. En fin de compte, on se débrouille, on "s'arrange" jusqu'à ce qu'un jour, il arrive et dise : "Partons tout de suite chez ton père parce que, moi, je ne t'ai pas répudiée. J'étais en colère et tu t'es énervée de suite. Je ne t'ai pas répudiée. Viens, partons maintenant en parler à ton père et on "arrange" cette "affaire". On est partis ensemble chez mon père. Il a dit : "Je ne l'ai pas répudiée. J'étais furieux qu'elle me dise 'Rends moi ma liberté' alors je lui ai dit 'Je te rends ta liberté' mais moi je n'ai pas répudiée mon épouse. Aujourd'hui je l'aime encore plus". Mon père lui a dit : "Je ne sais pas si tu l'as répudiée, je ne sais pas si tu ne l'as pas répudiée, mais il y a trois sortes de répudiation..."

W – Oui ?

M – ... "Pour répudier quelqu'un, il faut le faire trois fois d'après le Coran. Mais à présent vous en êtes à la première. Il en reste deux. Si ça te plaît, reprends ta femme. Si ça te plaît, quitte-la" !

« Il a répondu qu'il allait reprendre sa femme, la "récupérer" de nouveau, puisqu'il ne l'avait pas répudiée. On était en train d'"arranger" cette "affaire" – on n'était pas encore prêts – quand il est mort. Et c'est à cause de ses parents que cette "affaire" a tant duré et que nous ne l'avons pas "arrangée". Tu sais, eux... quand leur fils a pris femme, l'a amenée à la maison, lui a installé une chambre qui soit bien, s'est occupé de sa femme pour qu'elle soit bien, mais tout en s'occupant d'eux très bien, oui, il veillait sur eux, ce qu'il faisait pour moi, il le faisait d'abord pour eux et ensuite pour moi... Mais eux, ce qu'il faisait pour eux, ils ne le voyaient pas tu comprends ? C'est ce qu'il faisait pour moi qu'ils surveillaient. Il fallait qu'ils m'excluent. C'est ça ! Ils ont "créé" des "histoires" et tout embrouillé pour m'empêcher de revenir. C'est pour cela que cette "affaire" a tant duré. Mais si ça n'avait tenu qu'à moi et Momodou, il ne se serait pas passé une "demi-journée" avant que je ne revienne dans ma chambre. Mais il avait une mère, il avait des jeunes frères et sœurs, il avait un père. Comme ils étaient à côté de lui à "difficiler" cette affaire, il fallait qu'il les "moralise". C'est parce qu'il était en train de "moraliser", de "moraliser" avec sa "famille" que l'"affaire" a "duré" jusqu'à sa mort et que je ne suis pas revenue chez lui. Oui. Ça s'est passé comme ça !

W – Pourquoi n'as-tu pas pris le deuil ?

M – Pourquoi je n'ai pas pris le deuil ? Parce que, eux, cette parole qu'il avait dite, comme quoi il me rendait ma liberté (...) c'est là-dessus qu'ils se sont fondés pour dire que je n'étais plus sa femme, qu'il m'avait répudiée »

En ce qui concerne le délai entre la répudiation et le décès de son mari, M. ignore s'il a excédé ou non trois mois et dix jours. De toutes façons, elle n'était pas au courant de cette règle. D'après Rama, son « père » devait la connaître et aurait dû la mettre au courant. Elle ajoute : « Tout ce qui est arrivé à M. c'est parce qu'elle n'avait pas de *kilifa* (6)... »

« W – (...) Mais pourquoi est-ce que vous vous êtes disputés, toi et Momodou ?

M – Pourquoi nous nous sommes disputés ? Je me suis mal comportée, c'est tout.

W – Toi ?

M – Oui, moi. Je me suis simplement mal comportée. Il s'est mal comporté avec moi alors ensuite je lui ai rendu la monnaie de sa pièce.

W – Mal comportée de quelle manière ?

M – Se comporter mal, personne ne sait d'où ça vient. C'est simplement être incorrecte. J'ai été vraiment incorrecte et, en plus, je n'avais rien contre lui... C'était un "samedi". Mes amies sont arrivées. Il leur a acheté "trois mille francs" de viande. On s'est bien remplis. Après le dîner (...) il a acheté "deux litres de boissons" que je leur ai servis et on a bu. Puis on s'est assis pour écouter de la "musique". Quand j'ai pris la cuvette avec l'eau du lavage des mains – il était étendu sur le lit, les pieds posés sur la "table" – j'avais la possibilité de passer de l'autre côté mais je lui ai dit : "Eh ! Soulève tes pieds" pour qu'il les remette après mon passage, tu comprends, pour aller jeter l'eau. Et me voilà debout, la cuvette à la main et tout le monde assis à écouter de la "musique". Il m'a dit : "Passe là-bas ! Je n'enlèverai pas mes pieds". Alors je lui ai dit : "C'est ici que je passerai", en restant debout. Il n'a pas prêté attention à moi, il a "continué" à discuter et discuter. J'ai tapoté ses jambes en lui disant : "Eh ! 'Pourtant' c'est à toi que je parle. Pousse-toi que je passe ici". Il m'a répondu : "Va foutre ta mère ! Laisse-moi tranquille ! Ne me répète pas 'pousse-toi que je passe'. Passe par l'autre côté !" Je lui ai dit : "Arrête d'insulter ma mère !" Il m'a insulté de nouveau. Je lui ai dit : "Arrête de m'insulter". Il a recommencé "quatre fois". Je l'ai insulté à mon tour. Il s'est levé, m'a frappée et les gens se sont interposés.

W – Il t'a frappée ?

M – Presque rien, comme ça *(Elle joint le geste à la parole)*. Il m'aimait. "C'est à cause" des gens seulement. Il m'a donné un seul coup. Parce qu'il m'avait insultée et je lui avais répondu, tu comprends, il était obligé de se jeter sur moi, faire le premier geste et me frapper. Il a frappé, je me suis enfuie dehors et me suis arrêtée dans la cour. C'est là que je me suis arrêtée en lui disant : "Répudie-moi ! Répudie-moi !" Des gens sont arrivés. Il a regardé à travers le "rideau" et a vu plein de monde et lui

---

(6) *Kilifa* ou *kélifa*, en wolof, le chef, le patron, le responsable moral. Par extension, une personne honorable, un(e) aîné(e) à qui l'on doit le respect et qui peut agir aussi comme un protecteur.

c'était un "complexé", une personne de *kersa* (7). Il m'a dit : "Je te répudie" en voulant simplement donner le change pour que je me taise. C'est comme ça que ça s'est passé ! »

D'après Rama, M. a provoqué son mari en présence de ses amies pour leur montrer combien elle le dominait. Elle apporte aussi d'intéressantes précisions concernant les circonstances dans lesquelles s'effectue la répudiation. Si c'est la femme qui demande à être répudiée, elle quittera le domicile conjugal sans rien emporter excepté ses vêtements et ses ustensiles de cuisine. Si c'est le mari qui prend l'initiative de répudier sa femme, celle-ci quittera la maison en emportant toutes ses affaires, c'est-à-dire ses vêtements, ses ustensiles de cuisine et tout ce qui est dans la chambre à coucher. De plus, le mari devra acquitter les frais de transport de sa femme jusque chez ses parents. « Des obligations, glisse Rama ironiquement, à même de faire réfléchir un mari impulsif. »

Commentaires

Les informations démographiques concernant la nuptialité des jeunes femmes en Afrique concordent avec ce que l'on sait de la trajectoire de M. :
– l'âge moyen au mariage est en hausse. Pour le Sénégal, il est de 17,7 ans en 1978 (Population Information Program, 1987 : 6). C'est, à peu de chose près, l'âge de M. à l'époque de son premier mariage ;
– avec, pour conséquence, des individus de plus en plus nombreux à être sexuellement actifs avant le mariage et de plus en plus tôt ;
– enfin, on note une grande instabilité conjugale avec un taux élevé de divorce.

De ce point de vue, le cas de M. est représentatif comme il l'est de ce que j'appellerai le phénomène de modernisation du mariage qui consiste en une simplification du processus matrimonial (tel qu'il existait dans la société wolof rurale) qui va de pair avec une mercantilisation accrue des prestations rituelles.

---

(7) *Kersa* : substantif commun aux Wolof et aux Toucouleur. Se traduit en français par « avoir honte » au sens de « avoir la pudeur d'autrui », la pudeur envers quelqu'un étant fondamentalement mesure, retenue, respect (*cf.* Ly, 1966 : 327-362).

En effet, traditionnellement, le *may-gu-jëkk* (premier don) ou *ndàq far* (chasse-rivaux) mentionné par M. intervenait après que la jeune fille ait donné son consentement, et marquait le début d'une période de fiançailles qui durait environ une année. A propos de l'emploi plus fréquent, actuellement, du terme *may-gu-jëkk*, un connaisseur de la société sénégalaise souligne la signification de ce glissement lexical :

> « Il est un signe du changement profond, structurel, qui atteint la société wolof où la richesse tend à primer sur la parenté, l'individu à se substituer au *socius* et au groupe, l'échange social des femmes à la concurrence économique, dans la recherche des épouses » (Diop, 1985 : 105).

Dans le cas qui nous intéresse, il y a télescopage entre ce cadeau de fiançailles et la prestation appelée *alali farata* qui représente la dot véritable et dont le versement intervient lors du mariage religieux ou *takk*. Elle était donnée auparavant en nature (feuilles de tabac, noix de cola) mais, actuellement, on offre de l'argent. Cette dot est attribuée expressément à la femme et il s'agit là d'une modification fondamentale introduite par l'islam (8). Le mariage religieux célébré dans la cour de la mosquée, en présence de l'imam et des représentants des pères, est suivi de la distribution de noix de cola aux membres de l'assistance (uniquement des hommes).

A noter, d'une part, que le montant de l'ensemble des prestations versées à M. avoisine les 60 000 F CFA (ce qui me paraît un minimum en milieu urbain) et, d'autre part, qu'elle ne fait mention à aucun moment d'une quelconque redistribution de ses biens à destination des femmes du lignage maternel ou bien d'un don au mari de cette dernière (« la chèvre du père » (9)).

En ce qui concerne le divorce, il existe, en ville, une grande instabilité matrimoniale qui semble plus importante chez les Wolof que pour les autres ethnies (Peul et Sérèr). Une étude effectuée au début des années 60 à Pikine a mis en évidence que 44,5 % des mariages se terminaient par un divorce (chiffres cités par Diop A.B., 1985 : 213). Parmi les motifs de divorce les plus fréquemment mentionnés par les femmes, on note, en

---

(8) Autrefois, la dot servait à procurer une épouse au frère de la mariée.

(9) « La cérémonie religieuse ne peut avoir lieu sans le versement d'une prestation appelée aujourd'hui *béy-u-baay* (chèvre du père) et qui porte un autre nom certainement plus ancien : *ndagaan* (cadeau de légitimation du mariage) (...) Le père l'exige, en ce moment précis, parce qu'il joue le rôle de tuteur matrimonial de sa fille sans lequel le mariage religieux ne peut être célébré » (Diop, 1985 : 110 -1).

première place, le défaut d'entretien puis l'abandon du domicile conjugal et, en troisième lieu, les sévices. Pour les hommes, les motifs les plus souvent mentionnés sont l'abandon du domicile conjugal et l'adultère.

L'islam a contribué à développer l'individualisme en matière de divorce en accentuant la supériorité de l'homme sur la femme. C'est ainsi que le mari a le droit de répudier (*fase* en wolof) son épouse en lui notifiant la rupture devant deux témoins (10). La répudiation est révocable avant l'expiration d'un délai de viduité de trois mois. A la suite de trois répudiations de la même épouse, le remariage avec elle n'est plus possible sauf après mariage et divorce avec une autre femme. Quant à la femme, elle peut seulement demander le divorce à son mari, comme le fait M., en employant la formule rituelle « *may ma baat* ». Dans ce cas, la femme divorcée n'emporte que ses effets personnels en quittant le domicile conjugal et devra rembourser les prestations matrimoniales. La référence à cette coutume explique en partie le comportement de la belle-famille de M. après le décès de son mari et le fait qu'elle ait été dépouillée des biens qui auraient dû lui revenir.

---

(10) Le code de la famille entré en vigueur au Sénégal depuis 1974 écarte la répudiation : le divorce ne peut plus être prononcé que par les tribunaux. En pratique, beaucoup de mariages se font en dehors de la mairie et la répudiation est encore un moyen fréquemment utilisé par les hommes pour divorcer.

CHAPITRE X

ÊTRE FEMME II

Au cours du travail d'interprétation, qui a consisté à organiser de manière significative les éléments disparates qui composent le puzzle de la destinée de M., le fait qu'elle soit une femme m'est apparu rapidement comme une catégorie organisatrice primordiale, dans laquelle je pouvais lier ce qui ressortissait à la fois à la biologie, à l'organisation sociale et à la culture. Mais, chemin faisant, je me suis heurté à deux ordres de difficultés : celles qui tiennent à la complexité des interactions entre des facteurs dont l'agencement varie dans le temps, et celles qui tiennent à l'impossibilité de réduire le sujet à un ensemble de déterminations.

Analyse culturelle

En tant que femme, M. a été soumise dès son plus jeune âge à un apprentissage culturel destiné à modeler ce que Bateson, à partir des résultats de son premier travail ethnologique, dénomme un « éthos » c'est-à-dire une personnalité sociale conforme à « un système culturellement normalisé d'organisation des instincts et des émotions dès individus » (Bateson, 1986 : 159).

Ainsi en est-il de l'éducation qu'elle reçoit de sa grand-mère et qui vise à l'inscrire dans l'institution du mariage, à la préparer à son rôle d'épouse par l'apprentissage des tâches ménagères (1) et d'un comportement conforme.

_____

(1) Il faut noter, au passage, cette prédominance quasi exclusive du travail domestique pour les femmes en milieu urbain, à la différence des zones rurales où elles sont impliquées aussi dans des tâches productives (agriculture, maraîchage, élevage...).

Mais, dans l'esprit de Bateson, la formation de l'éthos individuel est non seulement le résultat d'un apprentissage à la charge des personnes de même sexe (en l'occurrence, la grand-mère de M.) mais aussi d'un « processus de différenciation dans les normes de comportement individuel » qu'il propose d'appeler « schismogenèse » (étymologiquement, naissance d'une séparation) en précisant qu'il en existe deux modalités essentielles, respectivement complémentaire et symétrique :

« Soit, par exemple, un des modèles de comportement culturellement approprié à l'individu A et considéré comme un modèle autoritaire. On s'attend à ce que B y réponde par ce qui est considéré culturellement comme de la soumission. Il est probable que cette soumission favorisera un autre acte autoritaire qui exigera à son tour la soumission. Nous avons ainsi une relation qui change progressivement et, à moins que d'autres facteurs n'interviennent, A deviendra nécessairement de plus en plus autoritaire et B de plus en plus soumis (...) A côté de ce type de changements progressifs que nous appellerons schismogenèse "complémentaire", il existe un autre modèle de relation entre individus ou groupes d'individus qui contient également les germes d'un changement progressif : si par exemple la vantardise constitue le modèle culturel de comportement d'un groupe et si l'autre groupe y répond aussi par la vantardise, une situation de compétition peut se développer dans laquelle la vantardise mène à une surenchère, et ainsi de suite. Nous pouvons appeler ce type de changement progressif schismogenèse "symétrique" » (Bateson, 1986 : 221-2).

Dans la société sénégalaise, comme dans la société iatmul étudiée par Bateson (et à l'instar de ce qui se passe dans la majeure partie des sociétés), les interactions entre hommes et femmes sont caractérisées par une domination des premiers sur les secondes (2) dont témoignent par exemple les conseils rituels donnés par l'oncle paternel à la jeune épousée sur le point de rejoindre le domicile conjugal :

« Ma fille, les conseils que j'ai à te donner c'est de suivre ton maître de maison. Ne prends jamais une voie différente de la sienne. Exécute tout ce qu'il te demande de faire. Abstiens-toi de tout ce qu'il t'interdit. Sois l'amie de tous ses amis. Ne te lie à personne contre son gré. Le mariage

---

(2) De façon analogue à ce qui se passe entre les hommes et les femmes, des rapports de type supérieur/inférieur impliquant des comportements de domination et de soumission s'établissent entre les aînés et les cadets et, dans ce cas également, la différenciation entre les comportements des uns et des autres passe par une schismogenèse complémentaire.

n'est pas une chose facile, il faut de la patience pour le rendre agréable »
(cité par Diop, A.B., 1985 : 129).

Ce qu'il me paraît important de souligner, à ce stade, c'est le comportement déviant de M. du point de vue de l'éthos culturel. Il est tout à fait
significatif à cet égard de noter comment son second mari a été littéralement « obligé » de répudier M. (au risque de perdre la face) lorsque cette
dernière a défié son autorité. De même, en de nombreuses occasions, M.
manifeste peu de respect envers ses aîné(e)s et, de manière générale,
comme elle le souligne, son comportement est celui d'une personne
« mal élevée ».

Avant de quitter ce premier niveau d'analyse en termes d'interactions
comportementales, je propose l'hypothèse suivante : le comportement de
M. relèverait plutôt d'un éthos masculin (violence, désobéissance, indépendance) et constituerait une insupportable provocation pour les hommes
avec lesquels elle serait en relation de compétition (schismogenèse symétrique). Cette transgression des règles qui régissent les rapports entre les
sexes pourrait expliquer également des réactions de rejet à son encontre,
beaucoup plus violentes de la part de femmes (qui la considèrent comme
un être socialement dangereux) que de celle des hommes.

Analyse sociologique

Si tous les jeunes en général ont des difficultés, dans les pays en voie
de développement, pour accéder à l'école et à un emploi, les jeunes de
sexe féminin sont relativement plus défavorisées. En effet, malgré l'augmentation du nombre des effectifs scolarisés, l'écart entre les garçons et
les filles persiste au détriment de ces dernières. Ainsi, pour le Sénégal, le
pourcentage de garçons scolarisés dans le secondaire est de 16 % et celui
des filles de 8 % (Population Information Program, 1987 : 3). Pour la
région du Cap-Vert, on observe une différence quasiment constante entre
les deux sexes – que ce soit à Dakar ou à Pikine – quant au nombre
d'élèves :

DAKAR		PIKINE	
Hommes	Femmes	Hommes	Femmes
29,7 %	23,6 %	19,6 %	14,8 %

Cette différence atteint un ordre de grandeur du simple au double
lorsque l'on considère le nombre d'élèves ayant complété le deuxième

cycle (sources : enquête démographique réalisée par Antoine et coll. en 1988-1989 pour le compte de l'ORSTOM).

Dans le domaine de l'emploi, il faut savoir que 20 % de la population active dans les PVD a moins de 20 ans et que, depuis une dizaine d'années, on note un accroissement spectaculaire du nombre de chômeurs et chômeuses qui se recrutent principalement parmi les jeunes à l'instruction insuffisante (Population Information Program, 1987 : 4). De plus, la crise économique actuelle accentue les difficultés d'accès à un emploi pour les femmes et augmente la ségrégation : implicitement, l'emploi des hommes, chefs de ménage, est favorisé.

Aujourd'hui, sur le marché du travail dakarois, la proportion des femmes dans des emplois salariés est faible et en majorité elles sont cantonnées dans des activités saisonnières et intermittentes. Ainsi ces conserveries de poisson qui emploient une main-d'œuvre journalière composée de jeunes femmes vivant seules ou en concubinage (Kane, 1977). C'est le genre d'emploi auquel pourrait prétendre M. si elle parvenait à se faire embaucher. Dans ce cas, elle gagnerait environ 1 500 FCFA (en 1987) pour une journée d'un travail pénible et dangereux, sans aucune sécurité d'emploi ni couverture sociale en cas de maladie ou d'accident, les frais de transport et de nourriture étant à sa charge.

Parmi les autres emplois salariés accessibles aux femmes non scolarisées, celui d'employée de maison (c'est-à-dire domestique) est un des plus mal payés : une jeune fille à Pikine gagne environ 7 000 F par mois (en 1988), et on a vu comment le travail des enfants est très faiblement rémunéré.

La marginalisation économique subie par M. en tant que femme et en tant que jeune, est redoublée par son appartenance au sous-prolétariat pikinois, cette « armée de réserve » qui campe en permanence aux portes de la métropole dakaroise. Sans entrer dans le détail, je rappellerai les caractéristiques essentielles de cette marginalité économique à partir d'une analyse en termes de rapports de production (A. Marie, 1981 : 347-374) :

– elle est immense (« il serait plus simple de chercher ce qui n'est pas marginal ») et doit être conçue comme la situation permanente de populations chassées des campagnes et rejetées par une société urbaine structurellement incapable de les intégrer ;

– en Afrique, ce sous-prolétariat urbain est caractérisé par sa capacité adaptative (urbanisation spontanée, développement du secteur informel) et par l'hétérogénéité des conditions de vie et des statuts socio-économiques.

En définitive, ce phénomène de marginalité ne prend tout son sens que s'il fait l'objet d'une analyse en termes de dynamique sociale, et dans cette perspective, la trajectoire de M. doit être appréhendée par rapport à une histoire familiale que l'on peut reconstituer ainsi sur trois générations : la prolétarisation de paysans émigrés vers la ville (la grand-mère maternelle), la paupérisation-marginalisation de la génération suivante (oncles maternels, beau-père) et, pour finir, la chute de M. dans ce « lumpenproletariat » décrit par Marx au XIXᵉ siècle (3), avec comme aboutissement la transformation de son corps en un objet-marchandise.

Un itinéraire sexuel

> « Les formes de relations que nous examinerons ici présentent un trait commun : *l'échange s'y fait toujours dans le même sens*. De la part des femmes, il y a fourniture d'un service ou prestation, variable en nature et en durée, mais comprenant l'usage sexuel ; de la part des hommes, il y a remise d'une compensation ou rétribution d'importance et de nature variables, mais de toute façon liée à la possibilité d'usage sexuel de la femme, à son accessibilité sexuelle » (Tabet, 1987 : 2-3).

Dès la puberté, M. commence à avoir des relations sexuelles avec des partenaires masculins qui, en échange, lui remettent une compensation (de type monétaire). Il s'agit là d'une pratique généralisée dans la société sénégalaise comme dans beaucoup d'autres sociétés (*cf.* par exemple ce que dit Malinowski des mœurs sexuelles des Trobriandais). Le montant dérisoire de cette compensation laisse supposer que M. est en train de passer du jeu au service sexuel, en faisant l'apprentissage d'une différence entre les sujets sexuels dans une société à domination masculine :

> « Le seul fait de donner systématiquement (plus ou moins systématiquement), en échange de l'acte sexuel d'un autre, non seulement son propre acte sexuel, mais par surcroît un don, suppose qu'on ne reconnaît pas (...) la même autonomie à la sexualité de l'autre (...) On peut considérer l'unidirectionnalité de l'échange économique (...) comme ce qui crée le terrain de la transformation de la sexualité féminine en une sexualité de service » (Tabet, 1987 : 34-5).

---

(3) « ... Marx fait un sort à part au "dernier résidu", qui "habite l'enfer du paupérisme" (...) chômeurs, vagabonds, criminels, prostituées, mendiants, malades, vieillards, veuves et enfants sans ressources. Cette dernière couche, celle du chômage permanent, de la délinquance et de la misère, c'est ce qu'on appelait au XIXᵉ siècle les "classes dangereuses". » (Marie, 1981 : 355).

Dans un deuxième temps (elle est alors âgée de 16 ans), lors de son séjour à Kaolack, M. entreprend de se prostituer, c'est-à-dire de vendre ses services sexuels pour une période déterminée et à un tarif relativement élevé qu'elle fixe elle-même. A cette occasion, elle fait l'apprentissage de la liberté (et du plaisir) et se constitue comme sujet dans la mesure où elle s'approprie et gère elle-même les biens versés en échange de ses services. A ce propos, il faut souligner la difficulté de penser une pratique comme celle de la prostitution, qui peut faire l'objet selon le point de vue considéré d'interprétations contradictoires. Ainsi, on a vu dans les pages qui ont précédé, comment, à un niveau sociologique, la prostitution renvoyait à des rapports sociaux que l'on peut qualifier en termes d'aliénation et de domination. Paradoxalement, une analyse plus fine, microsociologique, du cas de M. fait apparaître comment un individu peut accéder à une relative autonomie en subvertissant, à son profit, une relation de domination.

A partir d'un point de vue intégrant également la dimension biologique, la perspective s'inverse de nouveau et les symptômes pathologiques donnent à lire l'inscription irrémédiable de rapports sociaux inégalitaires dans le corps de M. En effet, on se rappelle comment, à l'occasion de son séjour à Kaolack, elle avait été amenée à consulter dans un hôpital pour une « maladie des hommes » (en termes médicaux, une maladie sexuellement transmissible, ou MST) dont sa description laisse supposer la gravité. En l'occurrence, il s'agissait certainement d'une infection des voies génitales (salpingite ?), très probablement responsable d'une stérilité secondaire.

Il faut savoir que chez les jeunes en général, la fréquence des MST est non seulement élevée mais aussi en augmentation sensible dans les pays du Tiers monde. Elle est associée à une grande ignorance en matière de prévention, à mettre notamment sur le compte du faible niveau de scolarisation. De plus, des études récentes effectuées en Afrique à l'occasion de l'épidémie de sida (Engelhard et Seck, 1989 ; Schoeps, 1988), ont mis en évidence que les femmes en général – et les prostituées en particulier – n'étaient pas en mesure, même lorsqu'elles étaient informées et conscientes des risques, d'imposer à leurs partenaires masculins l'emploi de préservatifs (Werner, 1991).

En bref, et pour clore momentanément cette parenthèse, on peut dire que la prostituée se constitue, dans le même mouvement, en individu par rapport au groupe et en objet épidémiologique. Dans le cas de M., le prix à payer est exorbitant : sa stérilité probablement définitive la condamne à une sexualité génitale non reproductive et la prive d'une partie essentielle de son identité de femme, telle qu'elle est comprise dans cette culture.

Ensuite, elle va passer sans transition à une relation de concubinage (ou de prostitution de longue durée avec un partenaire exclusif) caractérisée par ce qu'on pourrait appeler une commercialisation incomplète des services sexuels (don-paiement plutôt que tarif), la fourniture de travail domestique et l'importance de la dimension affective.

De retour à Pikine dans le giron du lignage maternel, M. contracte un premier mariage (elle a entre 17 et 18 ans) dont il s'avère intéressant d'étudier les modalités de réalisation. D'une part, il y a intervention du lignage maternel en la personne du mari de sa tante maternelle qui assume le rôle du père et « donne » M. en mariage comme il le ferait de sa fille.

Or, on observe que M. parvient à subvertir un cadre aussi contraignant et à s'affirmer comme sujet, pas tant par le fait qu'elle choisit librement son conjoint, mais de façon plus essentielle en détournant à son profit exclusif les biens exigés et obtenus au titre des prestations matrimoniales. Il est significatif, à cet égard, que sa mère ait été exclue du circuit de redistribution et qu'elle ne fasse aucune mention des dons rituels à la tante maternelle *(lekk-u-ndey)* ou au père de substitution *(béy-u-baay)*. Cette individualisation de fait du processus matrimonial est à mettre en relation avec la modification fondamentale introduite par l'islam (la dot est attribuée expressément à la femme) mais aussi avec la mercantilisation générale des relations sociales dans la société sénégalaise actuelle :

> « C'est l'avènement de l'*homo œconomicus* mettant ses intérêts matériels propres au-dessus de ses relations sociales, ces dernières devant être au service des premiers » (Diop, A.B. 1985 : 143).

Enfin, il faut s'arrêter sur les arguments avancés par M. lorsque, à la suite de son divorce (le mariage a duré environ une année), elle refuse de restituer à son mari le montant de la dot. Il apparaît que celle-ci n'est plus considérée comme la garantie d'un contrat passé entre deux lignages mais comme une sorte d'avance sur la rétribution d'un ensemble de services (domestiques et sexuels) à l'exclusivité du mari. Dans cette optique, M. considère que les services rendus à ce dernier la dégagent de toute obligation de remboursement.

Suit une période de célibat de plusieurs mois, à laquelle allait mettre fin un second mariage alors qu'elle était âgée de 19 ans environ. Cette union allait durer plusieurs années sans aboutir à une naissance. Or, la relation matrimoniale implique avant tout de la part de la femme l'accomplissement d'un devoir de reproduction comme en témoigne le sort cruel réservé à M. par sa belle-famille après le décès de son deuxième mari.

Dans cette perspective, on peut supposer également que les obstacles opposés par les parents de ce dernier à l'annulation de la répudiation furent en rapport avec cette stérilité. Et, dans le contexte sénégalais, il est même étonnant que, après plus de cinq ans d'une union stérile, le mari n'ait pas été contraint par sa famille à prendre une deuxième épouse. Quoi qu'il en soit, à la suite de sa répudiation, M. se retrouve dans une situation de concubinage de fait qui prendra fin brutalement avec la mort de son deuxième mari.

Puis elle revient à la prostitution comme unique moyen de survie, et se trouve de nouveau impliquée dans des relations où son corps fait fonction de marchandise. Mais une marchandise dont la valeur est fortement diminuée par les stigmates de la maladie au point que, au moment de notre rencontre (elle est âgée de 26 ans), elle se trouvait réduite quasiment à zéro.

Marché sexuel ou femmes libres ?

Le terme de « femmes libres » a été souvent utilisé pour rendre compte des rôles nouveaux joués par les femmes africaines sur la scène urbaine. Ainsi, à Kigali (Rwanda), ces femmes libres sont des prostituées, des salariées ou bien, de façon générale, des femmes indépendantes qui ont comme dénominateur commun celui d'être célibataires et financièrement indépendantes (Vandersypen, 1977).

En Côte-d'Ivoire, ce terme (réservé aux femmes qui occupent la position de « maîtresse » ou « deuxième bureau ») n'indique pas la reconnaissance d'une émancipation féminine, mais signifie qu'elles ne sont plus contrôlées par leur groupe de parenté (Vidal, 1977). Cet auteur ajoute que, dans le discours populaire, l'autonomie intellectuelle et matérielle de la femme crée un être socialement dangereux, une délinquante morale (Vidal, 1979).

Plus récemment, dans le cadre d'une enquête réalisée au Sénégal, cette catégorie de femmes libres a été définie ainsi : « jeunes femmes célibataires ou divorcées qui acceptent fréquemment des relations sexuelles avec ou sans contrepartie monétaire de façon non protocolaire (4) avec

---

(4) Le caractère « non protocolaire » est défini comme « l'aquiescement rapide d'une relation sexuelle ».

différents partenaires » (Engelhard et Seck, 1989 : 85). En examinant attentivement la composition de leur échantillon, on se rend compte que le tiers, environ, est constitué de prostituées officiellement reconnues (c'est-à-dire en possession d'un carnet sanitaire) et la majorité de ces jeunes femmes reconnaissent que leurs activités sexuelles sont motivées avant tout par le « manque de moyens », même si affectivité et recherche du plaisir sont associées.

Par contre, une étude effectuée au Cameroun aboutit à des conclusions inverses, puisque seulement 25 % des prostituées interrogées ont déclaré avoir commencé leurs activités pour résoudre des problèmes de subsistance. D'après cette étude, dont l'auteur est une femme,

> « ... au Cameroun, la prostitution est un choix libre, et les prostitué(e)s sont en réalité joyeuses, parce qu'elles se plaisent à séduire, jouer avec leurs charmes, satisfaisant un besoin fondamental de la femme. Il y a aussi une satisfaction, dans un contexte où les hommes dominent, de pouvoir ainsi les piéger sous le rapport du sexe » (Songue, 1986 : 113).

En fin de compte, sans nier la dimension culturelle du processus d'individualisation soulignée par l'emploi du terme de « femme libre », je lui préfère la notion de marché telle qu'elle a été proposée dans une étude sur les nouveaux statuts féminins et l'urbanisation en Afrique (Antoine & Nanitelamio, 1989). Ce terme a le mérite de mettre, d'emblée, l'accent sur la mercantilisation des échanges et de favoriser la compréhension de la circulation des femmes entre les différents marchés (matrimonial, sexuel et celui du travail) dans une perspective globale.

Ainsi, le développement d'un marché sexuel (dont la prostitution n'est qu'une composante) serait à mettre en relation avec la montée du célibat féminin, lui-même lié aux transformations du marché matrimonial. La proportion relativement élevée de femmes vivant seules (jeunes filles, divorcées, veuves) dans les villes africaines s'expliquerait notamment par les transformations de la polygamie (habitat séparé, par exemple), l'autonomie matérielle (accès à un travail salarié), la montée de l'individualisme, etc.

En guise de conclusion

Dans un effort pour dépasser le niveau des rapports inter-individuels, il me paraît intéressant de nous arrêter un instant sur les mécanismes d'inter-action, plus généraux, à travers lesquels s'élabore une image sociale de la prostituée.

Si l'on considère, par exemple, le traitement législatif de la prostitution au Sénégal, on observe une attitude que l'on peut qualifier de tolérante (5) : le racolage et le proxénétisme sont interdits, mais les femmes (6) peuvent se prostituer à condition de se soumettre à des mesures sanitaires. Ainsi, est tenue de se faire inscrire au fichier sanitaire et social, toute personne qui se livre publiquement à la prostitution. Lors de l'inscription au fichier est remis un carnet sanitaire qui indique les dates et résultats des examens médicaux périodiques et obligatoires. En cas de volonté d'arrêter les activités de prostitution, la femme devra demander sa radiation du fichier.

Pour revenir au cas particulier de M., il est important de souligner la mobilité dont elle fait preuve en passant d'une forme de relation sexuelle à une autre : de la prostitution au concubinage, du concubinage au mariage et inversement. Cette fluidité des rôles, extrêmement répandue dans les grandes villes africaines contemporaines, est rendue possible, dans le cas du Sénégal, par le fait que la majeure partie des prostituées refuse de se soumettre au contrôle policier et médical sanctionné par la possession d'un carnet sanitaire (ou « pièce ») qui les stigmatise.

En adoptant un point de vue féministe (tel que proposé par Tabet) sur la question, nous avons mis en évidence que, quel que soit le type d'échange économico-sexuel envisagé (prostitution, concubinage, mariage), c'est M. qui gère et s'approprie les biens versés en échange de ses services (7). Dans cet ordre d'idée, la déviance de M. ne serait pas d'ordre moral, mais plutôt d'ordre social et politique dans la mesure où elle fait un usage de son sexe qui transgresse les règles de propriété sur la personne des femmes. A cet égard, l'attitude de M. est sans ambiguïté lorsque, au terme du récit de sa vie à Kaolack, elle affirme avec force qu'elle n'était

---

(5) Mais cela est en train de changer rapidement avec l'extension de l'épidémie de sida et la mise en place de mesures discriminatoires spécifiques de nature politique et législative vis-à-vis du « groupe à risques » des prostituées (*cf.* Werner, 1991).

(6) Les femmes seulement à l'exclusion des hommes, puisque l'homosexualité est réprimée par le code pénal.

(7) Cela n'est vrai qu'à condition de tenir pour quantité négligeable la part des revenus des prostituées récupérée par l'État et certains de ses agents à l'occasion des rafles policières.

pas *torox* (déshonorée). Mais j'ai aussi montré les limites d'une telle interprétation qui privilégie les interactions entre individus et évacue l'importance du prix social et biologique à payer.

D'autre part, si l'on adopte un point de vue sociologique sur la question, le sexe féminin apparaît comme une marchandise mise en circulation sur un marché dont les modalités de fonctionnement reflètent des rapports profondément inégalitaires. La liberté individuelle à laquelle accède M. passe par la chosification de son corps et la soumission à ce qu'on pourrait appeler « l'associabilité marchande » universelle, c'est-à-dire la dissolution des rapports sociaux dans une société organisée comme un marché :

> « Avec l'inclusion du corps humain dans la sphère commerciale, c'est la personne même, dans ses qualités spécifiques, qui se perd, jusque dans la destruction de toute identification propre. Or cette identité personnelle est inséparable d'une reconnaissance sociale. En bref, une personne est nécessairement un être social et non pas simplement un individu » (Berthoud, 1989 : 111).

Et l'on est en droit de se demander jusqu'à quel point la perspective féministe proposé par Tabet n'est pas biaisée par un ethnocentrisme d'autant plus pernicieux qu'il se drape dans l'étendard d'une liberté individuelle posée comme le fondement de la démocratie. Ainsi, lorsqu'elle réduit le sujet à la seule dimension d'un agent économique dont la liberté serait une fonction des lois du marché, n'est-elle pas prise dans une idéologie qui valorise l'individu et, au-delà, la rationalité techno-scientifico-marchande comme ultime horizon ? Dans tous les cas, ce modèle d'interprétation apparaît beucoup mieux adapté aux prostituées des sociétés industrialisées qu'il ne l'est pour celles de ces sociétés africaines, où la faiblesse des États ne permet pas aux individus de voir leurs droits fondamentaux garantis.

CHAPITRE XI

LE MAQUIS AU QUOTIDIEN
(Ethnographie III)

Dans les pages qui vont suivre, je tenterai de décrire la vie nocturne dans les bars de Pikine (il y en a une trentaine, d'après un recensement effectué par mes soins en 1987) à partir d'observations non systématiques (1) réalisées au fil des mois, essentiellement à Pikine Premier, la partie la plus anciennement urbanisée de l'agglomération. Ces bars sont parmi les plus fréquentés de l'agglomération, car ils drainent une clientèle locale en provenance du vieux Pikine, mais aussi, des habitants des quartiers périphériques qui ont ainsi le sentiment de participer à la vie nocturne animée d'un grand centre urbain, même si Pikine ne peut rivaliser avec Dakar, la grande ville, la vraie ville, dans l'esprit des Pikinois qu'ils soient ou non des noctambules.

Ce point de vue masculin (celui d'un ethnographe engagé dans un rôle de participant autant que d'observateur) sera complété par des extraits d'un entretien réalisé avec M., en 1991. En fait, pendant toute la première phase de notre relation, M. avait manifesté la plus grande résistance à évoquer devant moi les péripéties de sa vie de « maquisarde » et seule l'introduction d'une nouvelle méthode de travail (2) m'a permis, quelques années plus tard, d'avoir accès à sa propre vision de ce monde interlope.

---

(1) Ces observations ont été consignées dans des « notes de terrain » et dans le « Journal » que j'ai rédigé de façon intermittente pendant environ la moitié de mon séjour. J'ai pris appui sur ce corpus textuel pour rédiger les pages qui vont suivre, à considérer comme un mélange de notations descriptives prises sur le vif ou passées au tamis de la mémoire, et de ce qu'il faut bien appeler des improvisations ethnographiques lorsque je tente une interprétation du dedans du « maquis » et des êtres qui le peuplent.

(2) A partir de quelques photos prises dans les bars, en compagnie de ses copains et de ses copines (les bars sont un de ces lieux privilégiés où les photographes ambulants, si nombreux en ville, exercent leurs activités), j'ai pu réaliser plusieurs heures d'entretien, centré sur les rapports qu'elle entretenait avec les divers représentants de ce milieu.

Les bars de Pikine

« (Samedi 18-10-86) Le Kër Mba est situé en contrebas du "goudron", dans le creux d'une ruelle qui plonge dans la nuit. Je gare ma voiture en face de la porte, parmi les "clandos" qui attendent les clients. Il y a beaucoup de monde dans la grande cour au sol cimenté, dans les salons particuliers meublés de grands fauteuils style club anglais, et c'est la bousculade devant le comptoir où il faut jouer des coudes pour se faire servir à boire. Hommes, femmes, tout le monde est passablement éméché et les conversations vont bon train dans le vacarme ambiant. Des gens me saluent, engagent la conversation : "Blanc ou Noir, c'est la même chose... au-dedans, c'est pareil... seule la peau est différente..."

Boire pour passer outre ses inhibitions... Boire pour se fondre dans cette collectivité anonyme et temporaire... Boire pour dissoudre les aspérités de la solitude... Boire pour oublier tous ses emmerdements... Boire pour dérober un peu de plaisir défendu avec la complicité de la nuit...

Celle-ci ne boit pas et ne rêve pas. C'est une prostituée. Elle discute avec acharnement avec un client potentiel qui ne cesse de marchander. L'aube approche et, avec elle, s'ammenuise l'espoir de ramasser un peu d'argent, un peu de ce précieux *xaalis* (argent, en wolof) qui permettra demain de faire bouillir la marmite pour elle et ceux qui en dépendent : un ou plusieurs enfants, des parents âgés, des « frères » ou « sœurs » désargentés... Les autres filles, plus jolies, plus jeunes, plus séduisantes ont déjà trouvé preneurs et quitté les lieux. Elle lutte pied à pied pour obtenir un peu plus que ces dérisoires 500 F qui lui sont proposés en sachant que le temps joue contre elle. Logique commerciale, bien sûr (éviter de casser les prix), mais aussi, question de dignité car, à ce prix là, comment ne pas avoir honte... Elle finit par accepter les 1 000 F, offerts par un client désargenté qui a dépensé tout son fric à boire. C'est à prendre ou à laisser. Ils iront chez lui, dans la chambre qu'il loue dans le voisinage. Avec un peu de chance, elle s'en débarrassera vite fait après un coït rapide... »

*
* *

Avec ou sans capote
(Entretien du 04-06-91)

« W – Quand, à l'époque, tu rencontrais tes copines au Madison, est-ce que vous discutiez entre vous des "maladies des hommes" ou du sida ? (...)

M – On en discutait... Parfois, on se mettait à discuter de ces choses-là.

W – Quel genre de discussion ?

M – Par exemple, le sida dont tu parles, c'est un "problème" pour tout le monde. On restait assises à en discuter, en disant qu'il est présent dans la ville... et ceci... et cela... on en discutait *(bis)*, faut qu'on en discute.

W – En discuter de quelle façon ?

M – "Parce que" nous avons entendu qu'il est présent dans le pays, donc tout le monde est concerné par ce "problème". Alors nous essayons de trouver une "solution". Tout le monde dit qu'il vaut mieux avoir un "carnet" *(de santé)* ou bien d'autres disent qu'elles se procurent des "capotes". Celles qui ont un "carnet" racontent comment, quand elles vont passer la "visite" à la Polyclinique, on leur donne beaucoup de "capotes". D'autres disent que "comme que" la "situation" est ainsi et que la maladie est arrivée ici, elles iront acheter des "capotes" pour les avoir sur elles.

Pour celles qui n'en achètent pas, elles vont "obliger" tous les hommes qui ont l'intention de coucher avec elles à acheter des "capotes"... »

En pratique, il apparaît que la majorité de ces prostituées, à l'instar de M., n'ont pas de carnet de santé et que l'utilisation des préservatifs dépend largement du bon vouloir des clients.

« W – Et alors, est-ce que les clients acceptent de mettre des "capotes" ?

M – Certains acceptent, d'autres refusent.

W – Et s'ils refusent ?

M. – Tu les laisses partir.

W – Vraiment ?

M – Oui, bien sûr, à condition que tu ne sois pas dans des "circonstances" où tu aies un "trop" grand besoin d'argent. Dans ce cas, tu vas le "risquer", c'est comme ça ! S'il se trouve que tu as un "problème" à "régler" et que l'homme qui se présente ne veut pas de "capote" et a l'intention de partir, alors tu vas "risquer" car sinon tu n'auras pas les moyens d'"arranger" ton "problème". Mais en prenant ce "risque", tout peut arriver et, alors, ce qu'il t'a donné ne pourra suffire à te soigner. C'est ainsi !

W – Mais pourquoi est-ce que des hommes refusent de mettre des "capotes" ?

M – Je n'en sais rien. Ce sont eux qui le savent et ils ne vont pas te l'expliquer. En tout cas, ils te disent : "Voici mon argent, c'est ça qui me plaît, alors si tu es d'accord, on y va, sinon je vais chercher une de tes camarades". C'est tout ce qu'ils disent. Ils ne vont pas t'expliquer pourquoi ils refusent (...). »

*
* *

« (Vendredi 14-11-86) Ce soir, j'ai compris que le niveau d'agressivité entre les autochtones du maquis est largement déterminé par le rythme de la vie économique. En l'occurrence, la date du 14 novembre correspond à cette période de soudure mensuelle à laquelle les Sénégalais font référence par l'expression très courante "le mois est creux" (en wolof, *wer bi sorina*)... Du salaire du mois précédent, versé en général autour du 25, il ne reste plus grand-chose et chacun dans la ville s'évertue à mettre la main sur quelques reliefs qui lui permettent de subsister jusqu'à la fin du mois. »

« (Samedi 15-11-86) Nouvelle sortie nocturne... Je passe un moment au Bon coin, un bar qui commence à me devenir familier. Peu de consommateurs et rareté des femmes qui ont, sans doute, préféré rester à la maison en cette période de "mois creux"... J'ai du mal à comprendre la nature des rapports qui s'établissent entre les hommes et les femmes dans ce milieu. Ils oscillent de l'agressivité sans masque (des insultes, voire des coups sont échangés) à des comportements amoureux. Avant de passer éventuellement à l'acte, les prostituées et leurs clients peuvent bavarder pendant des heures, comme de vieux amis. »

« (Samedi 29-11-86) De manière générale, la violence est rare en ces lieux malgré l'ébriété généralisée et je n'ai jamais été le témoin d'une bagarre, même si j'ai entendu parler de meurtres qui se seraient produits en ces lieux. Dont un au Kër Mba qui devait entraîner sa fermeture prolongée. »

« (24-12-86, réveillon de Noël) Ai bu deux bières dans un bar de Grand-Yoff (un quartier périphérique de Dakar). Beaucoup de monde passablement éméché... Ambiance de fête... Au comptoir, je discute avec des Sérèr qui expriment avec force leur attachement à la religion catholique et aussi, de façon voilée, leur crainte de se voir priver de la liberté de culte par la majorité musulmane. »

« (Vendredi 06-02-87) J'accompagne Awa dans une sortie nocturne. Nous partons en vadrouille avec deux de ses copines... Awa est habillée d'un ensemble chemisier et pantalon taillé dans une étoffe satinée de couleur blanche. Sa copine M.-F. a revêtu pour la circonstance un survêtement deux pièces de couleur grise et la minceur de sa taille est mise en valeur par une ceinture de perles... La nuit, éclairée par le premier quartier de lune, est froide...

« Nous commençons par Kër Michel alias Chez soi où la bière est moins chère qu'ailleurs, m'explique Awa, ce qui en fait le point de départ habituel de ses sorties nocturnes. L'architecture du bar est conforme à ce qui se fait dans tous ces établissements : une grande salle plantée de piliers de béton qui délimitent un espace pour danser. Sont mis à la disposition des clients des bancs et tables basses construits en dur au confort rudimentaire. Il y a aussi, à l'extérieur, une grande cour au sol dallé de ciment qui accueille les consommateurs lorsque le temps le permet. Vers minuit, l'animation décroît et il est temps de changer de décor me fait comprendre Awa qui, en leader averti, entraîne notre petit groupe au Bon coin...

« La complexité des interactions est telle que j'ai le sentiment très net de ne rien comprendre à ce qui se passe sous mes yeux : déplacements incessants des uns et des autres, regards, gestes, mimiques, paroles lues sur les lèvres plus qu'entendues dans le vacarme d'une sono déréglée qui régurgite une bouillie musicale inaudible... Les filles se disputent entre elles mais sont relativement solidaires vis-à-vis de la menace extérieure représentée par ces hommes qui leur tournent autour, ivres pour la plupart, parfois agressifs ou, au contraire, étrangement apathiques. Il leur faut reconnaître rapidement le client potentiel, écarter les importuns désargentés et se méfier de ces "amis" dangereux que sont les représentants de la loi (policiers, douaniers...) en goguette. Sous prétexte d'offrir leur protection, c'est du *xaalis* (argent) qu'ils cherchent... »

Car si, comme la définit le philosophe, l'occasion est ce point où « coïncident les moments privilégiés de deux chronologies distinctes », sa capture exige nervosité et passion :

> « Attendre ne suffit plus : il faut maintenant se tenir prêt, faire le guet et bondir, comme fait le chasseur qui capture une proie agile ou le joueur qui attrape au vol une balle insaisissable. Proie ou cadeau, sourire fugitif de réconciliation et sourire de la fortune, l'instant occasionnel est une chance infiniment précieuse qu'il ne faut pas laisser échapper... c'est une chance contestée qui justifie la hâte et l'inquiétude par son caractère fuga-

ce : l'occasion passera, ou bien d'autres la saisiront à votre place, car il n'y en pas pour tout le monde » (Jankélévitch, 1980 : 123).

« (Vendredi 06-02-87, suite)... Lorsque, vers trois heures du matin, je les accompagne au Kër Mba, M.-F. a disparu, partie avec un client, ce qui n'empêche pas que nous soyons de plus en plus nombreux dans ma voiture. A peine arrivés, nous n'avons même pas le temps de nous asseoir que les filles s'égayent dans la rue comme une volée de moineaux, poursuivies par des policiers qui se révèlent imaginaires. Fatigué, j'abandonne mes copines qui vont poursuivre jusqu'à l'aube leurs harassantes activités. »

Le lendemain, j'écris dans mon journal : « Filles libres, affectivement immatures, en quête d'une identité. Elles sont fascinées par leur image et, dans le même temps, complètement dépendantes du regard de l'autre pour exister. »

*
* *

Se regarder
(Entretien du 04-06-91, en présence de Rama)

A Pikine comme à Dakar, les dancings les plus chics sont équipés de grands miroirs fixés sur les murs de la piste de danse dans lesquels les femmes se mirent de manière quasi obsessionnelle tout en dansant.

« M – Au Créole, il y a un grand miroir, tu te mets debout et tu vois tout. Moi, quand j'y vais, je me tiens debout et je danse (...)
W – Mais ce qui m'a toujours étonné, c'est de voir le plaisir que prenaient les femmes à danser devant les miroirs. Est-ce que c'est plaisant ?
M – Bien sûr !
W – Qu'y a-t-il de plaisant à danser devant un miroir ?
M – De te voir, de voir comment tu fais...
W – Donc tu t'aimes toi-même ? (...) Quand tu te regardes dans le miroir, tu es contente ?...

M – Oui, moi, j'aime les miroirs *(bis)*, j'aime trop les miroirs *(bis)*. Tu sais, quand on est laide, on veut se regarder (...)

Rama – Non, c'est quand on est jolie qu'on aime se regarder.

M – Non, c'est quand on est laide que l'on va prendre ses précautions et s'observer partout où l'on va. Mais quand on est jolie, on ne s'occupe pas des miroirs (...)

W – Est-ce que tu te trouves jolie ou laide ?

M – Non, non, je ne suis pas jolie (...)

W – Si tu te trouves laide, quel plaisir peux-tu prendre à te regarder dans un miroir ?

M – Ah ! c'est bizarre ! Je suis contente de regarder ma laideur *(elle rit)*, contente de ma laideur parce que c'est Dieu qui me l'a donnée. Et que je sois contente ou fâchée, ça n'y changera rien à rien (...) »

*
* *

« (21-03-87) Entretien avec le patron du Bar bleu. C'est un Mandjak né et grandi à Marseille qui est devenu propriétaire de ce bar par héritage. Il compare le milieu de la prostitution à Marseille et à Pikine. Ici, pas de proxénètes qui exploitent les filles par la violence. Si elles font alliance avec certains bandits, c'est de leur propre initiative et sur la base d'un échange réciproque de services. Il estime que le nombre de femmes qui se prostituent de façon régulière entre les trois bars du coin (Chez soi, Bar bleu et Bon coin) tourne autour de trente et, sur l'ensemble des bars de l'agglomération, ne dépasserait pas une centaine (ce qui concorde avec mes estimations) dont une majorité sans « pièce »... A ce nombre, il faut ajouter les visiteuses en provenance de la province ou de Dakar et les occasionnelles, celles qui viennent chercher de quoi survivre dans les bars quand il n'y a plus rien à manger à la maison... »

*
* *

Les amants
(Entretien du mois de juin 1991)

« W – Ces femmes qui sont dans les bars, quel genre de relations ont-elles avec leurs petits amis ? Est-ce que ceux-ci profitent de leur argent ? Est-ce qu'elles les entretiennent ?

M – Il y en a qui ont l'"intention" de tirer profit. Ils viennent te draguer du fait que tu fréquentes le "maquis". C'est leur "intérêt" qui compte avant tout même s'ils ne t'"imposent" pas que tu leur donnes quelque chose lorsque tu as de l'argent (...) Il y en a d'autres qui t'aiment de façon sincère, mais ils n'ont pas de quoi "satisfaire" tes besoins de sorte qu'ils ne peuvent pas t'empêcher de travailler de cette façon. "Bon gré, mal gré", ils te donnent s'ils ont quelque chose ou bien, s'ils n'ont rien, ils te le diront. »

*
* *

Lors de mon retour sur le terrain, en octobre 87, je découvre l'existence d'un dancing, Le Soweto, qui vient d'ouvrir ses portes à la limite entre Pikine ancien et Guédiawaye. Il peut rivaliser avec les meilleures boites de Dakar en ce qui concerne la qualité du système de son et surtout le tarif d'entrée (2 000 F), même si le décor reste sommaire. A l'occasion d'une visite, je pourrai me rendre compte qu'il existe à Pikine une clientèle, que l'on pourrait qualifier de « jeunesse dorée », pour ce genre d'établissement : à première vue, pas de « bandits », ni de prostituées et pas de « ramasse » non plus dans ce lieu fréquenté par les enfants de la « bourgeoisie » locale.

« (Lundi 08-02-88) Passage en début de soirée au bar Chez soi où l'ambiance est agitée... Il y a beaucoup de monde et une bagarre éclate, vite contrôlée par les autres clients et l'intervention de celui qui semble être le videur de service... A côté de moi, un homme vide discrètement dans son verre de bière ce qui parait être du *soum-soum*... Un rastaman aux impressionnants dreadlocks consomme, solitaire, au bar... Cette année, la mode chez les jeunes "maquisards" est au cuir : casquette de cuir (ou à défaut de toile), blouson de cuir et même, si possible, pantalon de cuir sans oublier la paire de lunettes noires que les plus audacieux n'hésitent pas à porter jusque dans l'obscurité des bars. »

« (Jeudi 11-02-88) Soirée passée au Tourane... J'apprécie l'esthétique fantasmagorique des lieux éclairés par une lumière violette qui exalte le blanc des vêtements et accentue la noirceur du teint, au point que les épaules et les visages des danseurs disparaissent pour laisser place à la vision onirique d'un ballet de voiles. Un jeune homme danse, solitaire, d'une manière lascive. Ce n'est pas la première fois que je note la présence d'homosexuels (*gor-u-jiggen*, littéralement "homme-femme" en wolof) qui se prostituent dans certains bars, le Kër Mba et le Tourane en particulier. »

*
* *

Les « camarades »

« W – Mais, en fait, dans le "maquis", dans quel sens doit-on entendre le terme d'"amie" ?

M – Pas une "amie", une camarade *(anddando)* seulement (...)

W – Une camarade, c'est quoi exactement ?...

M – C'est le terme que l'on emploie à la place d'amie dans ce "milieu, parce que" dans ce "milieu", il ne peut y avoir de véritable amitié. Toi, tu viens pour "régler" tes "problèmes", elle aussi, elle vient pour "régler" ses "problèmes". Donc, il n'y a pas d'amitié mais seulement de la camaraderie, mais entre nous on s'appelle amie "parce que" en faisant ainsi, on est tranquille (...) Car personne ne connaît personne. Tu es venue pour te débrouiller, et elle aussi est venue pour se débrouiller. On se croise et puis chacun s'en va de son côté. Il y en a dont tu ne connais même pas l'adresse. Est-ce qu'elles peuvent être tes amies ?...

W – Mais est-ce qu'il existe de la solidarité entre les femmes ou bien est-ce que c'est chacun pour soi ? (...)

M – De l'entraide, il y en a, bien sûr. Par exemple, si nous sommes ensemble et qu'une des deux sort avec un client, à son retour, elle sait que tu dois "consommer" et que tu n'as rien, alors elle te paiera ta "consommation". Si tu n'as pas de quoi fumer, elle te paiera des "cigarettes" (...) Il y en a qui sont généreuses mais aussi il y en a qui sont méchantes.

W – Méchantes ?

M – Elles "préfèrent" avoir quelque chose et que tu n'aies rien (...) De cette sorte, il y en a deux"façons" *(bis)*. Il y en a qui préfèrent avoir quelque chose et que tu n'aies rien de telle sorte qu'elles soient en mesu-re de te rendre service et alors les gens diront : "Regarde, c'est celle-ci qui assiste celle-là". Il y en a qui aiment ça.

Il y en a d'autres, ce qu'elles "préfèrent", c'est avoir quelque chose et que toi tu n'aies rien de telle sorte qu'elles ne feront rien pour toi et que les gens diront : "Regarde, celle-ci a quelque chose et celle-là n'a rien". Tu vois, ce sont ces deux "façons".

W – Donc, si je comprends bien, dans ce milieu, on est complètement seul, c'est chacun pour soi ?

M – Oui, c'est ça ! »

Dans le « maquis », comme dans le reste de la société, la répartition des individus en fonction de la place qui leur est assignée dans le système des castes est très prégnante. Ainsi, sur les photos qui lui appartiennent (prises dans des bars), M. est capable d'identifier chaque femme comme une *géer* (paysan libre) ou une *ñeeño* (artisan casté ou esclave).

« W – Les femmes qui fréquentent les bars, est-ce qu'il y en a beau-coup qui sont castées (c'est-à-dire *ñeeño*), qui sont *tëgg* (forgeron) ou *lawbe* (boisselier) ou bien autre chose ?...

M – La plupart sont des *géer* mais les *ñeeño* ne sont pas très nom-breuses.

W – Est-ce que vous en discutez entre vous ?

M – Oui, on en discute parfois (...) »

En fait, ce n'est pas un sujet qui est abordé directement (il serait incor-rect de demander à quelqu'un son statut social) mais qui fait l'objet de discussions.

« M – Tu peux lui demander ou bien encore tu peux te contenter de l'observer parce que rien qu'à voir la manière dont elle se comporte, tu sauras que celle-ci, par exemple, est une *tëgg*.

W – Est-ce que ça a de l'importance actuellement ?

M – Oui, c'est quelque chose qui a de l'importance. Mais c'est une "affaire" qui a de l'importance seulement ici sur cette terre, mais qui ne concerne pas Dieu. Que celle-ci soit *tëgg*, celle-là *géwél* (griotte), celle-là *géer*, c'est sans importance pour Dieu qui nous a tous créés égaux (...)

W – Mais les hommes qui viennent chercher des femmes dans le maquis, est-ce qu'ils font attention à ce genre de truc ?

M – Oui, il y en a qui font "attention" à ça et qui ne veulent pas de femmes castées. Certains disent que si tu touches une *tëgg*, ça peut te porter malchance. De même, il y a des femmes qui disent que si une *tëgg* les tresse, elles vont perdre leurs cheveux ... D'autres disent que si une *tëgg* les touche, elles auront des plaies sur la tête (...) »

*
* *

Les bandits

Le maquis est aussi un lieu de prédilection pour les voyous et escrocs de tout acabit qui viennent y exercer leurs activités prédatrices, à moins que ce ne soit pour y goûter le repos du guerrier. L'anecdote suivante telle qu'elle est racontée par M., actrice de premier plan, donne un aperçu des pratiques qui y ont cours.

« M – Une nuit, je lui ai dit : "Allez, accompagne-moi". Il s'appelle Jules, c'était mon ami (...) Il m'a accompagnée et nous sommes passés au Madison, rien de bon, alors je lui ai dit "Allons-y" et il m'a accompagnée au Saf. Une fois là-bas, j'y ai rencontré un jeune homme qui m'a appelée. On a discuté et il m'a dit qu'il me donnerait "quatre mille francs" pour un "passe-temps". Je lui ai dit "Donne !" car moi, quand je négocie avec quelqu'un, je ne bouge pas tant que je n'ai pas l'argent dans la main. A ce moment-là, si ça me plaît, j'y vais, et si ça ne me plaît pas, je te "truande".

W – "Truande ?"...

M – Je te le dis, c'est comme ça que j'agis. Après avoir discuté avec quelqu'un, avant de me "pousser" (bouger), je te dirai "Fais voir !" Une fois que tu m'as donné le fric, si ça me plaît, on y va, si ça ne me plaît pas, je te "truande". Et bien lui, il a eu cette "chance". Je lui ai dit : "Donne !" et il a sorti "dix mille francs" qu'il m'a remis en disant qu'il n'avait pas de monnaie. Ça se passait à la porte du "bar", du Saf. Il me donne donc "dix mille francs" que je passe à Jules en lui disant que de toute façon je n'irai nulle part avec ce gars-là. Il est parti en emportant les "dix mille" et je savais où le retrouver ensuite. On devait se retrouver chez Kër Djigan mais, ce jour là, j'étais "prexionnée" au point que j'ai oublié notre rendez-vous et que je suis partie le chercher dans le "secteur" de Guédiawaye (...)

Une fois qu'il est parti avec les "dix mille", il ne reste plus que le gars et moi. Alors je lui ai dit : "J'ai envoyé chercher de la monnaie. Asseyons-nous un peu pour l'attendre", et nous nous sommes assis. »

Un long moment passe et le Saf Bar ferme laissant M. et son compagnon à la porte. A la recherche d'une occasion pour fausser compagnie à sa victime, elle lui propose d'aller à la recherche de Jules et l'entraîne vers le Madison.

« M. – Je lui ai dit "Allons au Madison", "parce que" là-bas, c'est le "terminus". C'est ouvert jusqu'à l'aube. Où qu'il puisse être à présent, il est clair que s'il a l'"intention" de truander les "dix mille", il ira là-bas. (...) Une fois arrivés au Madison, je lui ai dit "Assieds- toi ici" et il s'est assis. Je cherchais un moyen de lui échapper. Je lui ai dit "Tu bois ?" et il a répondu "Non". Je suis allée acheter trois "bières" que j'ai posées à côté de lui (...). J'avais l'intention de le planter là avec toutes les "bières" et de foutre le camp (...) Mais lui avait pigé et personne ne mangerait son argent, c'était un têtu... *(elle rit)*... Ensuite je fais comme ça : je me lève et en lui disant "j'arrive", je vais marcher un peu. En tournant la tête discrètement, j'ai vu que le gars me suivait. C'est alors que j'ai compris, oulalala, que j'aurais du mal à m'en débarrasser... »

Les heures passent et M. n'arrive toujours pas à se défaire du jeune homme qui ne la quitte pas d'une semelle. Elle décide donc, en désespoir de cause, de l'amener chez elle pour y récupérer l'argent. Une erreur qui se révélera lourde de conséquences pour M. mais surtout pour sa copine Ami.

« M – A présent, j'avais laissé tomber cette "affaire" et tout ce que je voulais c'était que nous allions ensemble à la maison et, au cas où Jules s'y trouve, récupérer les "dix mille" et les lui rendre, "soit" que nous fassions ce dont nous avions convenu et que je lui rende sa monnaie et qu'il se tire. Car j'avais "calculé" au point de comprendre que son argent ne pouvait pas disparaître comme ça ou bien ça allait poser des "problèmes". Voilà pourquoi je l'ai amené chez moi. »

Ce faisant, elle emprunte un chemin long et compliqué et fait mille détours de façon à embrouiller le jeune homme qui ne doit pas retrouver sa maison le lendemain au cas où Jules n'y serait pas. En arrivant à son domicile, elle y trouve sa copine Ami en train de se préparer à sortir. Pas de trace de Jules et les deux femmes décident de repartir au Madison, toujours suivies du jeune homme.

« M – Ensuite, nous sommes partis ensemble. Une fois arrivés, nous sommes restés au Madison jusqu'à cinq heures du matin (...) Et le gars me tenait à l'œil sans relâche : si j'entre dans le bar, il entre, si j'en sors, il sort. Et puis, j'étais "fatiguée" (...) et je voulais aller me coucher et je ne savais plus comment me sortir de cette "affaire". Alors, tu vois, dans tous les "bars", il y a des "agresseurs" (3), dans n'importe quel "bar", il y a des "agresseurs". Les "bandits" ont l'habitude de se tenir près de l'entrée, et si tu es ivre et qu'ils savent que tu as de l'argent, ils te frapperont et le prendront. Aussi, s'ils peuvent s'emparer de ton fric sans te frapper, ils le feront. Tu sais, il y en a dans tous les "bars". Dans le cas du Madison, si tu tournes par derrière, il y a une "dibiterie" et c'est là qu'ils se tiennent (...) Alors, de temps en temps, je sortais pour voir les gars et leur "expliquer". Ami, elle, était assise sur les genoux des gars à discuter et rigoler, tu comprends? Et moi, je leur disais "cette 'affaire' me dépasse ! (...) J'ai donné à Jules les "dix mille francs" et je voudrais bien le voir pour lui rendre son "argent" parce que il me fatigue à me suivre n'importe où".

« A la fin, je leur ai dit : "Eh, les gars ! Écoutez, il est bourré de fric, est-ce que vous ne voulez pas le travailler ?" Mon vieux, il portait des "chaînes" de "plaqué" l'une sur l'autre, qui brillaient dans la nuit, une "plaque", une "montre" et il avait aussi un "walkman". Mais je dis aux gars : "Moi je suis fatiguée et je voudrais aller me coucher". Et les gars m'ont répondu "Fais attention !" Alors, je suis entrée, je suis ressortie avec l'autre sur les talons et il est tombé dans le piège. Oui, oui. Ils l'ont assailli et lui ont arraché violemment ses "chaînes", sa "plaque" et la "montre" et son "portefeuille", d'après ce qu'il a dit plus tard à la police, parce que moi jusqu'à présent, je n'ai pas vu d'argent. Une fois leur "action" terminée, eux, ils ne m'ont rien montré. Ils ont fait leur action et moi ça m'a donné l'occasion d'"échapper" et je suis partie de suite. »

Mais avant de quitter les lieux, elle ramasse sa part du butin, soit les clefs, une « bande » *(sous-entendu magnétique)* qui se trouvait dans le walkman ainsi que les écouteurs. Malgré les conseils de prudence du petit ami d'Ami qui lui recommande de se débarrasser de ses objets compromettants, elle les emporte chez elle « à cause de sa "prexion" ». A la recherche de ses clefs, le jeune homme va revenir au petit matin sur les lieux où il a été agressé et reconnaît alors Jules qui, de son côté, n'a cessé de rechercher M.

« M – Jules était assis à la porte du Madison en compagnie des enfants du propriétaire du bar quand le gars est arrivé pour chercher ses clefs. Il a dit

---

(3) L'insécurité est un thème d'actualité à Dakar : à preuve un article de quatre pages intitulé « Attaques et agressions à l'arme blanche », par M. Diack, paru dans *Le Soleil* des 14/15-08-91.

(plus tard, lors de sa déposition à la police) que c'est à ce moment-là qu'il a reconnu Jules à cause du "torpedo" *(chapeau)* blanc qu'il portait (...) Alors, il a suivi Jules discrètement et celui-ci ne s'est rendu compte de rien. Il l'a suivi jusqu'à ce que Jules entre dans la maison et, alors, il a fait demi-tour pour "porter plainte" à la "police"... »

Le même jour, trois policiers accompagnés du jeune homme, viennent arrêter M. à son domicile. Sa copine Ami est embarquée elle aussi (malgré les dénégations de M.) sur la foi des déclarations du jeune homme qui affirme qu'elle était dans le coup.

« M – Dès notre arrivée au "commissariat" de Guédiawaye, l'"inspecteur" Diarra me dit : "C'est vous qui avez mis en contact les 'bandits' avec ce garçon. Il a été 'agressé' par une vingtaine de personnes".
Je lui ai répondu : "Quelle 'agression ?' Celui-là, personne ne l'a 'agressé'" (...) et je lui ai sorti un argument qui tenait debout (...) En effet, j'avais bien observé le gars et il n'avait aucune trace de blessure, rien d'anormal. Il s'était lavé avec soin et était bien habillé alors qu'il prétendait avoir été "agressé" par au moins vingt hommes, avec tout ce que ça veut dire "agressé". Tu sais, j'avais trouvé un "appui". Alors, je lui ai dit (à l'inspecteur) : "Celui-là, personne ne l'a 'agressé'". Il me demande pourquoi. Alors, je lui ai dit qu'il fallait le regarder de la tête aux pieds et que si, comme il le prétendait, il avait été "agressé", il devrait avoir un œil au beurre noir ou une dent cassée ou il aurait reçu un coup de couteau (...) "Mais regarde-le, il est bien propre, bien habillé et n'a absolument rien et il voudrait nous faire croire qu'il a été 'agressé' par vingt jeunes hommes. Est-ce que ça tient debout ?"... Et Diarra a commencé à douter de cette "affaire" et j'ai continué à enfoncer le clou. »

Son système de défense est simple : si elle reconnaît avoir accepté les dix mille francs et les avoir remis à un copain qui l'a trahie, elle nie par contre toute participation à une agression qui, à ses dires, n'a jamais eu lieu. Quant à Ami, sa copine, M. affirme qu'elle est étrangère à toute cette affaire. C'est le même discours qu'elle tiendra avec brio au tribunal quand sera venue l'heure de son procès.

« M – Au "tribunal", j'ai parlé, parlé, jusqu'à ce que tous ceux qui étaient présents soient "contents" *(bis)*, "Grâce soit rendue à *Sëriñ* Touba !" J'ai dit au "juge" : "'Monsieur le juge', celui-là, si on l'avait 'agressé', si, comme il le prétend, environ cent personnes, des 'bandits', l'avaient 'agressé' pour lui prendre 'quarante mille francs' et des 'chaînes' et sa 'montre' et sa 'plaque', il faut qu'il présente une blessure." Alors le "juge" s'est penché de suite sur le "dossier" et a déclaré aussitôt : "C'est exact, il n'y a pas de 'certificat médical'." Alors, tu sais, j'ai eu encore plus d'énergie et on a "continué" jusqu'à ce que le "juge" me dise : "A présent, si on vous laisse partir, 'est-ce que' vous lui rembourserez les 'dix mille francs' ?" Au moment où je lui répondais "'oui', sans problème, au besoin mes parents mendieront dans la rue pour les rembourser...", le "procureur" – une femme – s'est levée et, sachant que le "juge" avait l'intention de nous laisser partir, elle s'est levée et s'est mise à parler en "français" et moi je ne comprends rien au "français" : "'Monsieur le président, monsieur le juge'... bla, bla, bla... 'Monsieur le juge'... 'code pénal tel, tel, tel, article tel, tel, tel, je veux que tu fermes' *(sic)* 'M. et Ami deux ans de prison ferme'". Elle demandait "deux ans", "mon Dieu" *(en arabe)*.

W – C'était une femme ?

M – Oui et, quand elle a dit "deux ans", je me suis fait toute petite, oui, toute petite *(elle rit)*. J'ai entendu "deux ans" et je me suis enfoncée sur mon banc pour me faire plus petite (...) J'étais comme foudroyée par une apparition et je n'y voyais plus rien. Je me suis dit : "'Deux ans' de 'cachot' ! Je suis foutue. 'Deux ans' de 'cachot' ? Non, non !" "Après, le juge" a "expliqué" qu'il avait diminué la peine à "six mois" : "'Le tribunal' les a 'condamnées' à 'six mois ferme'". C'est ainsi que cette "affaire" s'est passée... »

*\
* *

Les amitiés masculines

« M – Nous habitions la même maison, c'était un ami, ce qui ne l'a pas empêché de me faire quelque chose (...) Oui, moi, mes amis me font du tort *(elle rit)*.

W – Qu'est-ce qu'il t'a fait ?

M – Cet ami, il s'appelle Moussa, il venait me rendre visite chez Jean, à l'époque où j'habitais chez ce dernier à Fitt-Mitt, et un jour, il m'a dit : "Là où j'habite, il y a une chambre qui pourrait bien t'arranger parce que la maison est 'trop calme'. J'y habite seul avec une 'mère' et son mari, un vieux Bambara qui est aveugle. Il n'y a pas de 'bruit', c'est tranquille ! (...) Nous partons tous deux voir la chambre et il dit au vieux : "Celle-ci est ma sœur, elle est très bien et cherche une chambre à 'louer'." Le vieux a dit "d'accord", nous avons discuté le prix, je lui ai donné une "avance" et Moussa m'a aidée à prendre mes "bagages" et j'ai déménagé. Et puis on a vécu ensemble de façon très agréable. Lui, il n'avait rien et, en ce temps-là, sa femme n'avait pas encore rejoint le domicile conjugal. Elle faisait des allers et retours entre la maison de son mari et celle de son père. Elle était enceinte et presque à terme... Quant à Moussa, il n'avait rien : de temps en temps, il allait faire un tour au "village artisanal", on lui remettait des "chaines" qu'il vendait, alors il prenait son "bénéfice" puis allait les "rembourser" (...)

« C'est moi qui me chargeait de tout dans la maison : dès le réveil, j'"organisais" le petit-déjeuner, puis je remettais "mille" ou "mille cinq francs" à la vieille pour qu'elle fasse la cuisine et, à midi, nous mangions tous ensemble. »

Jusqu'au jour où elle achète une poste de radio qui, une nuit, est « emprunté » par Moussa :

« M – Quand je me suis réveillée, j'ai commencé à préparer mon petit-déjeuner. Il s'est réveillé et est venu me saluer. Je lui ai dit d'aller chercher la "radio" et de venir prendre son petit-déjeuner. Il m'a répondu : "Quelle 'radio' ?" Je lui ai dit : "Celle que tu as prise hier soir alors que nous étions tous installés dehors (...) A présent, je n'ai pas le temps d'en discuter, je vais prendre mon petit-déjeuner et aller chez ma mère où je dois passer la fête de Tamxarit. A mon retour, on va tirer ça au clair "parce que" moi, tu ne me voleras pas sous mon nez". Je le laisse et file chez ma mère en emportant beaucoup d'argent, "trente mille francs".

W – C'est un seul homme qui te les avait donnés ?

M – Non, non, deux ! "Quinze mille" chacun. C'était la fin du mois... Cette fête de Tamxarit, c'était bon ! *(elle rit)*.

W – "Quinze mille" pour une seule nuit ?

M – Oui.

W – Ça fait beaucoup d'argent !

M – Les hommes, tu sais ce qu'ils aiment ? La nouveauté.

W – ...?...

M – La nouveauté ! Si tu es nouvelle dans un "milieu", ils feront n'importe quoi pour faire ta connaissance, mais ensuite ils en auront fini avec toi. C'est comme ça que ça se passe ! (...)

« J'avais donc "trente mille" quand je suis partie chez ma mère et, quand je suis revenue, avec tout ce que j'avais dépensé (j'avais acheté de la viande, du couscous de mil et tous les ingrédients), il me restait trois fois cinq mille et six fois cinq cent – tu comprends ? – que j'avais mis dans ma "pochette" que je portais suspendue au bras. Je me suis "pressée" et, en arrivant, je l'ai trouvé assis au milieu de la cour avec deux amis. Alors, au lieu de prendre le temps de déposer mon "matériel" dans ma chambre, je me suis dit que j'allais en terminer en agissant comme une folle *(elle rit)*.

« Je lui ai dit : "Moussa, je suis de retour et je veux que tu me rendes ma "radio parce que" personne ne me vole sous mon nez". Il me répond : "Ma petite sœur, si tu me cherches, est-ce que tu ne risques pas de niquer ta mère ?" Je l'ai insulté à mon tour, il a sauté sur ses pieds et m'a frappée d'un "direct". Alors, je me suis débarrassée de ce que je portais car je n'avais pas de temps à perdre, je l'ai "engagé" et nous nous sommes battus. Pendant la bagarre, j'ai oublié qu'il y avait de l'argent dans la "pochette" et, quand on a fini par nous séparer, je suis allée ouvrir la porte de ma chambre. Alors, tout à coup, j'ai pensé à ma "pochette" et je suis ressortie la chercher dans la cour. Je l'ai repérée à cause de sa "bande" blanche qui la "signalait" et quand je l'ai ouverte dans ma chambre, il ne restait plus qu'un billet de "mille francs".

W – C'est Moussa le voleur ?...

M – Oui (...) Celui-là, il m'a "contrôlée", il m'a bien eue. Il m'avait observée et il savait que j'aurai de l'argent. C'est pour ça qu'il m'avait obligée à venir dans sa maison alors que moi je n'avais rien vu de tout ça. "Pour" moi, je n'ai vu que le "robinet" et le "calme" de la maison, alors que lui ce n'était pas ça. Il s'est dit qu'il allait m'"attirer" à ses côtés et qu'ensuite il pourrait profiter de moi. C'était son "intention" et c'est pour ça qu'"après" il m'a "exploitée" ! (...)

W – Moussa, c'est un habitué du Madison ?

M – Oui, il vient y boire de l'alcool (...) Et ensuite, je leur ai dit : "Toi, tu m'as volé ma "radio" et je n'ai pas fini de la réclamer que vous me volez mes trois fois cinq mille et quatre fois cinq cent". Ils restent bouche bée. Je leur ai dit : "Vous n'êtes que trois ici, toi Moussa et tes copains. C'est vous qui avez pris mon argent. Demain matin, j'irai à la 'police'"... Alors le vieux qui habitait la maison à côté a entendu le "bruit" et le vacarme et, ne sachant pas ce qui s'était passé, est arrivé en m'accusant de faire du "tapage nocturne". Il m'a dit : "Personne ne peut dormir ici. Depuis que tu es venue habiter ici, tu nous emmerdes avec ton bruit". Je lui ai dit : "Si tu as quelque chose à dire, "garde"-le pour toi car si ce qui m'a fait parler t'était arrivé, tu parlerais aussi. »

Le lendemain matin, ce voisin est parti au commissariat de Guédia-waye déposer plainte contre M. pour tapage nocturne en l'accusant également de l'avoir insulté... De son côté, M. prétend avoir refusé de porter plainte contre Moussa, par compassion pour la jeune femme de ce dernier qui serait restée sans ressources s'il avait été arrêté. Finalement, l'inspecteur Diarra en charge de l'affaire se contentera de la garder quelques heures au commissariat en guise de punition. Elle termine cette histoire en rappelant que la trahison est de règle dans ce milieu : « Moi, on m'a toujours trahie ! »

*
* *

Les anecdotes qui précèdent, à la manière de rapides croquis, mettent en évidence la compétition sans frein (tous les coups sont permis) entre les différents acteurs du « maquis » pour ramasser quelques miettes de ce précieux *xaalis* qui devrait irriguer le corps de la cité, mais dont la pénurie chronique exacerbe les inégalités et favorise un fonctionnement de plus en plus utilitariste des rapports sociaux qui, à la limite, relèvent entièrement du domaine du marché.

Parmi toutes les relations extra-parentales de M., une seule semblait échapper à cette mercantilisation, celle qu'elle entretient de longue date avec son amie Ndeye. Mais des événements récents (survenus en 1991) ont provoqué, entre ces deux femmes, une rupture qui ne semble pas près de s'arranger.

*
* *

L'amie

Avec Ndeye, ses relations ont été pendant longtemps d'une qualité différente. Ce sont des amies d'enfance qui se sont beaucoup entraidées et ont été très proches, au point que Ndeye a baptisé une de ses filles du prénom de M. Une action qui a fait de celle-ci, symboliquement, un membre de sa parenté.

« W – Et ta relation avec Ndeye ?...
M – Ce n'est pas pareil !

W – Parce qu'elle t'apportait de l'aide ?

M – Ndeye ne m'a jamais aidée autant que je l'ai fait ! En fait, sais-tu seulement en quoi a consisté tout ce qu'elle a fait pour moi ? J'arrive de quelque part et viens vivre avec elle dans sa maison *(bis)*, mais elle a de l'"'intérêt en pagaille" à ce que je vienne vivre chez elle, car s'il s'agit de faire des travaux domestiques, je les fais. Et puis, si j'ai de l'argent, je suis capable de tout lui donner, de tout partager. Oui ! (...) Est-ce que tu comprends ce que je te dis ? Tandis que elle, si elle a de l'argent et que je suis dans le besoin, elle va d'abord "régler" ses "problèmes". »

Le principal atout de Ndeye est de disposer d'une maison, héritée de ses parents, et qu'elle partage avec ses frères.

« M – Bien sûr que j'ai de l'"'intérêt" *(à sa relation avec Ndeye)* "parce que" si j'arrive de quelque part, elle m'hébergera mais dans cet héberge-ment mon "intérêt" n'est pas évident. C'est un "intérêt" qui va me fatiguer et puis je ne serai pas en paix. »

Cette amitié intéressée va se terminer par une trahison (de la part de Ndeye) vécue d'autant plus douloureusement par M. qu'elle ruine peut-être pour toujours l'espoir qu'elle pouvait avoir de refaire sa vie et de sor-tir du maquis. C'est ainsi que cet événement, que M. appelle « l'affaire du Toucouleur », est revenu à plusieurs reprises sur le tapis au cours des entretiens que nous avons eu au mois de juin 1991.

Ce Toucouleur est un respectable père de famille, employé à la Socié-té des eaux, qui s'éprend de M. au point que, aux dires de cette dernière, il ait envisagé de l'épouser. En tout cas, il l'a entretenue avec générosité pendant les quelques mois qu'a duré leur liaison, au grand dam de Ndeye dont l'amant ne pouvait rivaliser avec celui de M.

A ce propos, ce que M. raconte de la relation de Ndeye avec son petit ami jette une lumière crue sur un type de relation assez répandu entre les hommes et les femmes dans cette société et pas seulement dans ce milieu marginal.

« W – Et ensuite, qu'est-ce qui s'est passé entre toi et Ndeye ? Et pour-quoi a-t-elle gâché cette "affaire" ?

M – C'est l'envie ! (...) Quand elle a vu ce que le Toucouleur avait apporté, une "éponge" *(matelas)* et un "tapis" *(du linoléum)* elle a com-mencé à "harceler" son petit ami alors que, en ce "temps"-là, il avait été "contaminé" par elle et que la "tuberculose" venait de l'"attaquer" (4). Le gars était "fatigué", épuisé... On lui avait prescrit une "ordonnance" de "cent et des poussières", un peu moins de "cent cinquante mille"... une "ordonnance" de presque "cent cinquante mille" pour de "vrais" médicaments... On lui avait prescrit du "repos médical" aussi et il était là avec son "fatiguement" et son épuisement mais dès qu'elle a vu le "tapis", elle lui a dit de se débrouiller pour en acheter un (...).

Alors son ami lui a dit : "Je ne suis pas en mesure d'acheter un "tapis" car tu vois je suis obligé d'acheter cette "ordonnance" de presque "cent cinquante mille" à cause de toi qui m'a contaminé. Moi, je m'occupe de mes "ordonnances" et de ce que je dois manger mais je ne suis pas disposé à acheter un "tapis". Alors, elle a commencé à "trop" le "fatiguer" (...) de telle sorte que le pauvre gars n'était jamais tranquille (...) et il a compris que s'il n'achetait pas le "tapis", il ne serait pas tranquille "parce que" s'il lui demande quelque chose, elle va le faire souffrir. De telle sorte que, malgré sa maladie, il a été obligé d'acheter un "tapis" et de le poser.

Puis au moment de la Korité, quand on m'a apporté le basin (5) de la part du Toucouleur et qu'elle l'a vu, elle a dit au gars : "Je veux un basin pour la Korité", alors que jusque-là, elle n'avait programmé que de se faire acheter des pagnes à la mode (...) Le gars lui a dit qu'il n'avait pas les moyens de lui acheter un basin et elle a recommencé à le fatiguer de la même manière qu'elle avait fait pour le "tapis". »

Le petit ami de Ndeye, ne parvenant pas à lui faire entendre raison, tente d'obtenir une avance sur salaire qui lui est refusée du fait que chaque mois une somme de trente mille francs est déjà prélevée sur son salaire pour rembourser l'achat des médicaments.

« M – Alors elle a commencé à "trop" le fatiguer malgré sa maladie. J'avais pitié de lui : tout ce qu'il disait provoquait une "histoire" *(bis)*. Elle ne le laissait pas en paix. Le gars a fait ce qu'il a pu et lui acheté du *legos* et c'est cette "affaire"-là qui a mis Ndeye en colère. Elle ne l'a pas laissé en paix une minute. Même que le repas du "jour" de la Korité, personne ne sait comment elle l'a cuisiné. Tout ce qu'il disait provoquait une dispute (...) »

_____

(4) Information confirmée par mes observations personnelles et celles de l'infirmière du dispensaire voisin qui traitent Ndeye depuis longtemps pour tuberculose. J'ai vu mourir dans cette maison un de ses frères atteint de la même maladie.

(5) Étoffe de coton de qualité supérieure : on distingue le basin du *legos* (imprimé industriel bon marché) notamment par l'existence de motifs qui sont tissés dans la trame même du tissu.

Puis Ndeye tourne sa colère vers M. et entreprend de ruiner sa réputation aux yeux du Toucouleur. Elle estime en effet (du moins, d'après ce que M. nous en dit) que c'est grâce à elle, et au silence qu'elle a gardé sur le passé indigne de M. et sa maladie, que celle-ci a pu séduire le Toucouleur et elle est décidée à dévoiler la vérité à ce dernier.

« M – Ensuite, je l'ai laissée "continuer". Elle a dit : "C'est moi qui t'ai couverte (en gardant le silence sur tes agissements passés) et maintenant tu as réussi. Je t'ai couverte jusqu'à ce que le Toucouleur t'entretienne. Toi, tu ne fréquentes pas des gens honnêtes, tout ce que tu connais, ce sont des "voyous", des "bandits" qui te battent la nuit et le jour et te reprennent ainsi tout ce qu'ils ont pu te donner (...) Ce Toucouleur, il ne te connaît pas, voilà pourquoi il agit envers toi comme il le fait. Et maintenant tu vas quitter cette maison le "trente pile" et quand il viendra ici, je lui ferai un "discours" tel qu'il te laissera tomber et que tu n'auras plus qu'a te tirer. »

Connaissant de longue date le caractère de son amie, M. sait que celle-ci mettra sa menace à exécution. Elle se met donc en quête d'une chambre dans le voisinage. Pendant une de ces absences, « son » Toucouleur qui était venu lui rendre visite se fait interpeller par Ndeye qui l'invite à s'asseoir et se met en devoir de démolir la réputation de M. en lui parlant de son passé et, surtout, en révélant sa maladie, une maladie contagieuse, très grave, que même un docteur toubab (il s'agit de moi) n'a pu guérir. M. revenue entre-temps observe la scène depuis la véranda où elle se tient cachée. Après coup, elle tentera de se défendre des accusations de Ndeye auprès de « son » Toucouleur mais elle perdra le soutien de son protecteur, probablement effrayé par ce qu'il a pu apprendre à son sujet. Ainsi M. devra quitter la maison de Ndeye et reprendre sa vie de galère après avoir presque réussie à s'en sortir.

Quoique ayant rompu avec Ndeye, elle n'a pu se résoudre à quitter le quartier où habite cette dernière et, jusqu'à présent (fin 1992), elle est restée dans les parages avec l'espoir secret de voir revenir un jour « son » Toucouleur.

Chapitre XII

LE NAUFRAGE

Après la mort de son deuxième mari et son expulsion par sa belle-famille, commence pour M. une longue errance qui va durer jusqu'au jour de notre rencontre. Seule, sans ressources, gravement malade, elle s'enfonce progressivement dans un état d'isolement et de dénuement qu'elle qualifie par le terme de *tumuranke*.

« M – Être *tumuranke*, regarde, c'est être dépourvue de tout.

W – Être dépourvue de tout ?

M – Oui. C'est cela être *tumuranke*. Et puis aussi il n'y a personne qui t'aide. Tu seras trop "fatiguée". Être dans une place et ne connaître personne pour t'aider... "Vraiment" ma mère a suffisamment travaillé dans la maison du père pour que cette "affaire" ne m'"arrive" jamais. Et toi, est-ce que tu n'étais pas présent ? Tu as vu par toi-même, la "preuve" est devant toi. Tu sais que je ressemblais à quelqu'un de *tumuranke* : malade à en crever, n'est-ce pas vrai ? A tourner et vagabonder, sans une chambre où loger, à manger la nourriture des autres. Si je mange aujourd'hui, demain je ne mangerai pas...

Est-ce que tu n'étais pas là, quand Dieu, à qui rien ne peut échapper, nous a réunis ?... Est-ce que tu n'es pas ici à m'"aider" ?... Ça, je ne l'avais pas. Je ne faisais que tourner et virer dans la "misère". Oui. Manger ? Je n'avais pas d'argent pour aller m'acheter de quoi cuisiner et je mangeais la nourriture des autres et j'étais "complexée". Cette nourriture, je n'aurais pas dû la manger : je venais prendre deux poignées, c'est tout, mais si c'était ma propre nourriture, j'aurais mangé à me remplir. Oui. Si c'était ma chambre, je me serais couchée comme ça me plairait. Tu vois ? De même, si j'avais possédé quelque chose, cette "maladie", je l'aurais soignée. Je n'ai aucune "science" mais quand je suis devenue une *tumuranke*, est-ce que tu as vu ce que Dieu a fait ? Est-ce qu'il ne nous a pas réunis, moi et toi ? Tu es ici et tu m'aides. Tu m'as "loué" une chambre, n'est-ce pas vrai ? Pour ma "maladie" tu m'aides. Tu ne m'as pas laissée tomber une seule fois, tu comprends ? (...)

« C'est pour cela que depuis sa mort et jusqu'à présent, oh ! j'ai souffert. Je n'avais plus personne pour m'aider, oui, personne pour m'aider. C'est depuis qu'il est mort et jusqu'à aujourd'hui que je suis entrée dans des "affaires" douloureuses. En partant de chez lui, je suis allée chez ma grand-mère ici à Tali-bou-Bess. Bon, à présent, moi, ma grand-mère, mon grand-frère qui est fou, les deux filles de ma grand-mère (les petites sœurs de ma mère) avec leurs enfants (et leurs enfants sont plus de "dix"), nous tous, sais-tu où l'on dormait ? Dans une chambre, la chambre de ma grand-mère. Quand je suis arrivée chez ma grand-mère, mon frère le fou y était, et sa fille qui a rompu son mariage – elle a au moins "huit gosses" – elle est venue chez sa mère – ma grand-mère – avec ses enfants. Nous tous dans une seule chambre. Oh ! ma grand-mère a souffert et puis elle est vieille, elle n'a rien, mais où pouvions-nous aller ?

W – Son mari est mort ?

M – Oui, depuis longtemps ! Il est mort depuis longtemps. On est restés là-bas à avoir faim et soif. Oh ! j'ai fini par partir, les laisser là-bas et aller chez Ndeye. Après être restée quelques jours chez elle, je suis allée par ici, sortie par là, allée par là, sortie par ici. Ce que j'ai souffert ! Je n'avais plus rien à me mettre, j'avais maigri, mes cheveux étaient coupés ras. J'étais dans la "misère" et je réfléchissais parce que je n'avais personne pour me "coiffer", pour m'"aider". Je n'avais personne. Toute seule ! Je n'ai pas de mère, mon père est mort, ma mère n'a rien. Mon grand-frère, l'aîné de ma mère, si Dieu avait fait qu'il soit une personne, alors, à cette heure, peut-être qu'il aurait travaillé et à ce moment-là – je suis sa petite sœur, nous avons même mère et même père – s'il m'avait vu dans une situation difficile, peut-être qu'il aurait pu m'aider. Mais Dieu a fait qu'il est dérangé... mon autre grand-frère, il est parti... chercher... (elle pleure en silence un long moment).

« Mon frère aîné, s'il était en bonne santé, je ne souffrirais pas. Si mon père était vivant, je ne souffrirais pas. Mon grand-frère est malade, mon père est mort, ma mère n'a rien... Mon mari est mort, c'est lui qui m'aidait vraiment mais il est mort... Mon grand-frère n'a rien, il est fou, ma mère n'a rien... Je ne faisais que tourner en rond et, en fait, c'est comme si je n'avais pas de mère, c'est comme si je n'avais pas de père, c'est comme si je n'avais pas de "famille" (...) Ma grand-mère chez qui je suis restée autrefois, elle a pu s'occuper de moi mais maintenant elle n'est plus capable de rien. Elle ne peut même plus s'occuper d'elle-même, à plus forte raison, elle ne peut plus rien faire pour moi. A présent, elle n'a plus de force, elle est vieille, elle est au bout du rouleau (...) Elle est malade "mais les comprimés" à prendre, elle ne peut même pas se les procurer pour les boire. Inutile de te préciser qu'elle ne pouvait rien pour moi. Qu'est-ce que je pouvais faire ? Traîner dans la rue jusqu'à ce que, l'autre jour, Dieu m'a porté secours avant que je ne meure (...) »

Comme elle ne cesse de me le répéter, ils sont tous pauvres dans sa famille : « On n'a rien ! » Devant la situation difficile dans laquelle se trouvait sa grand-mère avec l'arrivée de la tante Abi et de ses enfants, M. a décidé de partir chez son amie d'enfance, Ndeye :

« W – Chez Ndeye, là-bas à Bagdad ?

M – Oui. Après avoir dormi quelquefois dans la rue, je suis allée m'installer là où je le pouvais parce qu'on était à l'étroit là-bas, ma grand-mère, Abi, "cinq gosses". Est-ce que tu comprends ce que je te dis ? Et il n'y avait que deux lits, là-bas, deux.

W – Et Ndeye, est-ce qu'elle a accepté que tu restes chez elle ?

M – Elle avait accepté mais comme les Wolof disent : « Si on te promet un pantalon, attends-toi à un cache-sexe. » Est-ce que tu comprends ce proverbe ?

W – Non. Qu'est-ce que ça veut dire ?

M – Ça veut dire – pour autant que je puisse te l'expliquer – celui qui est assez généreux aujourd'hui pour t'offrir la paix et la tranquillité, qui t'accueille à bras ouverts – est-ce que tu comprends ce que je te dis ? – cela va "durer" trois jours.

W – Trois jours ?

M – Oui. Et le troisième jour elle a fait la gueule. Elle a "commencé" à faire des emmerdes.

W – Mais des emmerdes pour quoi ? Parce que tu avais pris des "pills" ? Parce que tu t'étais soûlée ? C'est pour cela qu'elle a fait des "histoires" ?

M – Qui ? Moi ? Ndeye, elle se soûle dix fois plus que moi ! (...)

W – Bon. Une fois qu'elle t'a chassée, ensuite qu'as-tu fait ?

M – Qui ? Moi ? Rien d'autre que tourner en rond.

W – Tourner en rond ?

M – "Au nom de Dieu" *(en arabe)*.

W – Où ça ?

M – Dans la "circulation" ».

Et puis, sur ces entrefaites, elle fait la connaissance d'El Adji :

« M – Quand il y a eu cette "affaire" chez Ndeye, c'est à ce moment-là que j'ai rencontré El Adji. Il a eu pitié de moi "trop" et il m'a dit : "Ce

n'est pas grave ! Viens, allons chez moi. Tu coucheras là-bas jusqu'à ce
que Dieu t'accorde de l'argent et que tu puisses chercher une chambre". Je
suis partie là-bas. Au bout de "quatre jours", la "famille" a dit qu'il n'était
pas question que je reste ici et que je devais sortir de la maison : "Je
n'avais qu'à aller chez ma mère et chez mon père." Est-ce que je ne
t'avais pas parlé de ça quand tu cherchais une chambre là-bas ? A partir de
là, Werner, j'ai été "trop" fatiguée (...) »

Je chercherai à savoir ensuite pourquoi les autres membres du lignage
maternel, présents à Pikine, n'ont pas été en mesure de lui venir en aide, à
commencer par sa tante maternelle, Xadi qui venait de se remarier.

« W – Mais quand ton mari est mort, pourquoi n'es-tu pas partie chez
ta "tante" Xadi ?

M – Werner ! Tu vois, les gens, ils ne sont pas tous pareils,
hein ? Regarde les doigts de la main par exemple, ils ne sont pas pareils.
C'est la même chose avec les gens ! Est-ce que tu comprends ce que je te
dis ? Lui *(il s'agit du nouveau mari de sa tante)* je ne le connais pas, ni de
jour, ni de nuit. Celui qui est mort c'était notre parent. Mais lui, je ne le
connais ni de jour, ni de nuit. Je ne voulais pas aller là-bas et les "gêner",
quoi. (...) Si je vais là-bas et que j'y reste, je ne sais pas si cela plaira à son
mari. Je ne sais pas si ça lui déplaira. Est-ce que tu comprends ce que je te
dis ? Je ne le connais pas. Je ne le connais ni d'Ève ni d'Adam. A
l'époque, ça ne faisait pas "trois mois" qu'ils étaient mariés. Alors, j'arrive de chez ma grand-mère et les trouve "encore" dans une chambre, mari
et femme. Dans une chambre et j'arrive en voulant faire la troisième.
C'est grave ! »

Je m'intéresse ensuite à son oncle maternel, le fils aîné de sa grand-
mère. Il est maçon, célibataire et réside à Tali-bou-Bess.

« W – Mais en ce "temps"-là quand tu n'avais pas d'argent, quand tu
n'avais rien...

M – Rien du tout !

M – Tu n'es pas allée voir ton oncle maternel ?

W – Lui ? Pour qu'il m'"aide" avec de l'argent ? Est-ce qu'il a quelque
chose ? Il n'a rien. C'est un maçon.

W – Oui ?

M – Il travaille comme maçon. S'il t'avait construit quelque chose, tu
serais content. Il est doué pour faire le maçon. Il connaît la technique à
fond mais il ne profite pas de son travail. Dieu ne lui a pas accordé cela...

Depuis sa "jeunesse" et jusqu'à aujourd'hui, il construit. Il ne sait que bâtir mais il n'est pas arrivé à en tirer profit. Je ne sais pas... peut-être qu'il a bon cœur. Par exemple, tu lui demandes de construire et il te dit : "Est-ce que tu me paieras tant ?" et tu réponds : "D'accord". Eh bien, il n'aura pas assez de courage pour te demander une "avance". Il a pitié. C'est son cœur qui est comme ça et les gens ne reconnaissent pas celui qui leur est compatissant. Alors, on va le "corrompre" le pauvre et lui donner "cinq mille francs, dix mille francs, quinze mille francs" de temps en temps, à la descente, de temps à autre. On lui donne des "avances" petit à petit de telle sorte que, lorsque la construction est finie, l'argent se sera envolé depuis longtemps. Il ira se "réengager" ailleurs et là aussi ce sera la "même chose". C'est comme ça qu'il vit... Il n'a pas une "demi-parcelle", il n'a pas de femme, il n'a pas d'enfant. C'est lui qui "louait" une chambre pour ma grand-mère, c'est lui qui prenait en charge son loyer. »

Je termine mon interrogatoire concernant le rôle joué par son lignage maternel au temps de son naufrage en la questionnant au sujet de son « grand-père », un frère cadet de sa grand-mère, nommé Iba.

« W – Mais après la mort de ton mari, tu n'es pas allée le voir ?
M – Je suis allée le voir...
W – Car il pouvait t'aider...
M – Est-ce qu'il pouvait m'aider ? Oui mais avant de m'aider, il aidait sa grande sœur (...) Actuellement, il est "retraité". Depuis longtemps. Il ne travaille plus du tout. Il perçoit tous les "trois mois". Quand ses "trois mois" arrivent, avec ce qu'il a "gagné" il va payer le courant : il a un "frigidaire" et des "lampes". Il va donc payer le "courant" et il ne reste pas grand-chose. Il en "profite" pour acheter un sac de riz et le mettre de côté. Le "reste", il le donne petit à petit pour la "dépense". Dès que le mois est "creux", tu vois, ils ne préparent même plus le déjeuner parce qu'il n'y a plus rien. Comment pourrait-il m'aider ? Il n'a pas de quoi m'aider. Ils sont tous "pauvres". Eux tous ! »

Les beaux-parents

A propos d'un de ses demi-frères, rapatrié de Mauritanie à la suite des événements sanglants de 1989 et qui, comme beaucoup de jeunes dans ce cas, en a été gravement traumatisé, M. raconte, au détour d'un entretien, cette anecdote qui en dit long sur la solidarité familiale. En effet, M. le tient pour responsable du vol de ses bijoux survenu il y a des années de cela.

« W – Mais, à présent, quelle est la relation avec lui ?
M – Il n'y a aucun "problème" entre nous. Aucun !
W – Malgré le fait qu'il t'ait volé des bijoux de valeur ?
M – Ça n'a pas gâché notre relation !
W – Rien gâché ?
M – Ça m'a blessé mais ça na pas gâché notre relation.
W – Parce que c'est ton parent ?
M – "Parce que", il est de mon sang !
W – C'est pour ça que tu lui as pardonné ?
M – Oui ! Et aussi, peut-être que demain, Dieu fera en sorte qu'il trouve une "place" pour travailler et alors, je pourrai en tirer un plus grand profit *(sous-entendu "que si je m'étais brouillée avec lui")*. »

Comme le résume Rama, tous les problèmes de M. viennent de ce qu'elle est « orpheline », ce qui, en Afrique, est probablement le pire statut qui se puisse concevoir, car comme le dit un proverbe sérèr : « L'homme, c'est sa parenté. »

TROISIÈME PARTIE

SOCIÉTÉ ET DÉVIANCE

CHAPITRE XIII

ETHNOGRAPHIE IV
(Période du 19-03 au 05-07-88)

« (Samedi 19-03-88) M. a été raflée par les gendarmes avant-hier dans la nuit avec toute la maisonnée. Cette nuit-là, trois jeunes hommes préparaient du thé chez M. en fumant du *yamba*. L'un d'eux a commis l'imprudence, en cette période de couvre-feu, de placer un fourneau dans la rue pour l'allumer. Des gendarmes qui patrouillaient sur Tali-Nietti-Mbaar, attirés par la lueur, sont rentrés dans la maison. Un des jeunes hommes a pris la fuite et ils ont embarqué tout ceux qui étaient présents, femmes et enfants compris.

Je me rends au camp de gendarmerie de Thiaroye où le gendarme de garde me confirme que M. a été "arrêtée pour chanvre indien". Il n'est pas en mesure de me laisser la rencontrer en l'absence du commandant.

Retour à Mousdalifa où je laisse un peu d'argent à un colocataire de M. (il serait un de ses amis d'enfance) en le priant d'apporter à cette dernière un peu de nourriture. Il me confie que le chef de quartier n'est qu'un escroc qui aurait "mangé" l'argent du loyer remis l'autre jour entre ses mains. A ses dires, il est venu à plusieurs reprises demander de l'argent à M. en menaçant de l'expulser du quartier si elle n'obtempérait pas. »

En retournant à Dakar, je fais le point de la situation. En ce qui concerne l'entourage de M. (voisins, chef de quartier) il s'agit de m'exploiter au maximum et M. n'est tolérée que parce qu'elle leur permet de profiter un peu de moi. Seul Chiix ne semble pas intéressé pécuniairement : sincèrement amoureux de M., il espère la sauver de la perdition. Quant à moi, je suis moralement abattu, physiquement épuisé. J'ai envie d'abandonner M. à son sort et je conclus mon journal par ces mots : « Que son destin s'accomplisse !... »

« (23-03-88) J'ai appris ce soir, de la bouche de Chiix, que M. a été condamnée à six mois de prison. Ça fait mal ! D'une part, la condamnation me semble disproportionnée par rapport au délit, d'autre part, je m'accuse de négligence thérapeutique en ce sens que j'ai tardé à comprendre à quel point M. était brisée intérieurement. »

Après une courte période d'abattement, je décide de continuer à lui apporter un soutien d'autant plus nécessaire que sa mise en détention prolongée risque de ruiner tous mes efforts thérapeutiques antérieurs.

« (24-08-88) Visite au tribunal de Pikine en compagnie de Chiix. J'obtiens de rencontrer le juge auquel j'explique brièvement le problème médical que pose M. Il nous conseille de lui faire parvenir dans les plus brefs délais une demande d'appel. Pour cela, nous nous rendons au "Cent mètres" *(la prison de Dakar),* j'en profite pour attirer l'attention de l'infirmier-major sur le cas de M. avant d'en discuter avec le greffier... Permission nous est donnée de discuter quelques instants avec elle dans un coin du préau qui sert de parloir. J'y croise Ablaye Wade, le leader de l'opposition, récemment arrêté, qui reçoit ses visiteurs en grand boubou brodé. Nous expliquons à M. de quelle manière elle doit s'y prendre pour rédiger sa demande d'appel *(cf.* le document page 215). Il est convenu que Chiix assurera la liaison entre M. et moi, s'occupera de suivre son dossier au tribunal et lui apportera de quoi manger. »

« (26-03-88) D'après son amie Ndeye, ce n'est pas la première fois que M. est incarcérée : en 86, elle aurait passé trois mois à la prison pour femmes de Rufisque. De plus, contrairement à ce qu'elle avait déclaré lors d'un entretien, elle fumerait du *yamba* depuis des années... »

J'obtiens de l'infirmier-major que M. ne soit pas transférée tout de suite à la prison pour femmes de Rufisque, ce qui me permet de lui rendre visite régulièrement, une à deux fois par semaine, tandis que Chiix assure une présence plus fréquente. Du côté du tribunal de Pikine, le dossier est bloqué et un entretien avec le substitut du procureur (une femme) ne donne aucun résultat : elle porte sur M. une appréciation très sévère (une prostituée, une droguée) et estime que sa condamnation est entièrement justifiée... J'ai le sentiment que ma présence complique les choses au lieu de les arranger. D'après Chiix, le dossier pourrait être débloqué rapidement si j'acceptais de « payer » le juge, ce à quoi je me refuse. Ne pouvant donc obtenir qu'elle soit rejugée en appel, je vais m'efforcer dorénavant de la faire soigner. Elle se plaint d'une suppuration persistante, mais je ne peux obtenir l'autorisation de l'examiner et les médicaments remis à l'infirmier-major à son intention ne lui ont pas été transmis.

P- 04

REPUBLIQUE DU SENEGAL

PRISON CIVILE de _Dixe_

N°_____/R.P.

DECLARATION D'APPEL

La détenue _M_

écrou n°_____ déclare interjeter appel contre le jugement rendu le _____ _3.88_

par le tribunal correctionnel de _____ _Palene_ _____ qui l'a condamné à la peine de :

6 mois ferme

pour _Détention et usage chauvre Indien_

A _Dakar_, le _____ _-88_

Le Régisseur

Photocopie de la déclaration d'appel

« (30-04-88) Visite à M. toujours détenue aux "Cent mètres". Elle se plaint comme d'habitude de l'ordinaire de la cuisine mais, au fond, je trouve que la prison ne lui réussit pas trop mal : elle se repose, grossit et, en tout état de cause, semble désintoxiquée vis-à-vis des pions (1). »

« (09-05-88) Informé par Chiix du transfert de M. à Rufisque, je suis furieux et parviens à joindre au téléphone le régisseur de cette prison pour femmes, à qui j'expose le cas de M. en soulignant la gravité de son état et en suggérant qu'elle est peut-être contagieuse. A la suite de mon coup de fil, elle est examinée (pour la première fois depuis le début de son incarcération) par un infirmier qui confirme la réalité de sa pathologie. Deux jours après, elle est ramenée à Dakar. »

« (16-05-88) En cette veille de Korité, je décide de rendre visite au médecin-chef des prisons du Cap-Vert, dont le bureau est situé dans

---

(1) Des années plus tard (entretien du mois de juin 91), j'ai eu confirmation par M. de cet effet positif de son incarcération sur son intoxication par les « pions » : « ... je m'y suis enfoncée loin, loin, loin, jusqu'à ce que, dans la plus grande des solitudes, je me suis mise à réfléchir à cela... Voilà pourquoi ce premier séjour en prison m'a un peu arrangée. C'est à partir de ce moment-là que j'ai laissé tomber les "pills". C'est alors que ma tête s'est ouverte et que j'ai pu réfléchir à fond. »

l'enceinte de l'hôpital Le Dantec. Je me lance dans un ardent plaidoyer en faveur de M., exposant au commandant qui m'écoute poliment les différents aspects (médicaux, sociaux et psychopathologiques) de ce cas. Je ne demande pas grand-chose (qu'elle soit examinée et soignée) et lui fais observer que, jusqu'à présent, mes nombreuses démarches en faveur de M. ont été délibérément ignorées.

« J'apprends alors, à mon étonnement, qu'il n'existe pas, au niveau du Cap-Vert, de service hospitalier susceptible d'accueillir des détenues de sexe féminin, comme il en existe un pour les hommes. A ses dires, l'augmentation du nombre de femmes en prison est un phénomène récent et l'administration n'est pas équipée pour traiter ce problème. De toutes façons, mon interlocuteur est sceptique quant à la possibilité de modifier la trajectoire d'une femme comme M. (considérée à ses yeux comme un déchet social), pour laquelle la prison paraît une poubelle adéquate (2). Quoi qu'il en soit, il me promet de l'examiner cette après-midi même, en présence de l'infirmier-major. »

« (25-05-88) Visite à la prison centrale. Le "major" se montre aimable et s'empresse de me montrer la preuve d'une prise en charge médicale de ma patiente (en l'occurrence, un bon pour un examen de laboratoire). Entretien avec M. qui me raconte comment elle a été convoquée récemment par le médecin-chef et soumise à un interrogatoire serré concernant la nature de nos relations : "Est-ce que je la courtise?... Est-ce que je lui donne de l'argent ?... Comment a-t-elle fait ma connaissance ?... Est-ce qu'elle avait déjà été soignée avant son arrestation ? etc., etc." Ensuite, elle a été examinée et, une fois la gravité de son état reconnue, mise sous traitement en même temps qu'un bilan biologique (sérologie syphilitique) était réalisé. »

« (28-05-88) Depuis que je ne suis plus considéré comme "un idiot-de-Toubab-amoureux-d'une-pute", je suis très bien accueilli par le "major" qui assure le suivi médical de M. avec sérieux, me communique le résultat de son examen et facilite nos entretiens. M. est au courant du projet de loi d'amnistie discuté le jour même à la chambre des députés (3) et, en prévision de sa sortie prochaine, elle souhaite que je m'occupe de lui trouver

---

(2) En l'absence de notes concernant cette partie de l'entretien, les termes employés relèvent d'une interprétation personnelle de ses propos dont je suis seul responsable.

(3) « L'adoption de la loi d'amnistie permettra l'effacement des condamnations et poursuites effectuées dans l'espace de temps compris entre le 1er janvier 88 et la Korité (17 et 18 mai 1988 inclus)... » Cette amnistie qui concerne au premier chef les personnes poursuivies pour des infractions se rattachant aux élections présidentielles et législatives de février 88 est élargie à toutes les personnes condamnées à trois ans de prison ou moins et celles condamnées à des peines d'amende (extrait du journal Le Soleil des 28 et 29-05-88).

une chambre. Je promets de mettre Chiix sur le coup mais oppose un refus à sa demande de fric et refuse de m'engager pour l'achat d'un matelas. »

« (30-05-88) Dernier entretien avec le médecin-chef de la prison que je tiens à remercier de son intervention. Il me fait part de sa méfiance profonde vis-à-vis des détenu(e)s dont les propos lui paraissent le plus souvent être des histoires destinées à le tromper. Quant à M. dont il a pris en charge le traitement, il pense que l'origine de sa conduite désordonnée est à rechercher du côté de l'absence d'une période de veuvage à la suite du décès de son mari. Selon lui, il arrive que des femmes exclues de cette période de veuvage vivent cela comme une malédiction et en deviennent folles. »

De mon côté, je traverse une nouvelle période de découragement. J'ai le sentiment d'avoir été mis en échec par M. et, de nouveau, j'ai envie d'abandonner une relation qui se révèle être un fardeau de plus en plus lourd. J'ai le sentiment que M. n'a plus assez d'estime pour elle-même et que son désir d'autodestruction l'emporte. D'une certaine manière, elle a accepté de jouer le rôle qui lui a été dévolu par la société, c'est-à-dire celui d'une « saleté » irrécupérable et je ne vois pas trop comment je pourrai modifier cet état de fait.

« (08-06-88) En prévision de la sortie de M., je loue une pièce dans une maison tranquille de Médina-Gounasse. Le lit (c'est tout ce qui reste de son mobilier), qui avait été gardé par Chiix, est transporté dans la chambre. »

« (11-06-88) M. est sortie de prison. Je lui rends visite avec l'intention de procéder à un entretien concernant les conditions de son incarcération. Il y a du monde chez elle : Chiix avec une mine de chien battu, une copine plus un jeune homme qui dort sur le lit. M. déclare avec conviction qu'elle veut changer sa façon de vivre et que pour cela elle a besoin d'argent pour s'acheter des vêtements, une éponge, etc. J'écoute en silence ce discours visiblement taillé sur mesure à mon intention. »

Quand j'y réfléchis, il me semble que, dans le courant de son incarcération, le comportement de M. a changé à mon égard. Elle est probablement redevenue celle qu'elle était avant de tomber malade et de faire naufrage : une garce sans scrupules qui se bat en solitaire pour survivre et entretient des relations instrumentales avec tout le monde. D'une certaine manière, je peux interpréter cela comme une réussite thérapeutique et, dans ces conditions, mon travail de soignant devrait passer dorénavant au second plan. Quant à ce rôle de généreux bienfaiteur qu'elle me propose de tenir, il est en train de devenir iatrogène du fait de l'état de dépendance qu'il induit, et je dois à présent négocier ma sortie de cette relation, d'autant plus que l'heure de mon départ définitif du Sénégal approche (il est prévu pour la fin juillet).

« (14-06-88) Visite à domicile et injection de Pénicilline retard. Elle est en compagnie de deux amis connus pendant son séjour en prison. Au moment de la quitter, elle me supplie de lui donner quelque argent. Elle m'explique que sa maladie l'empêche de coucher avec les hommes qui la courtisent car si elle les contaminait, ils lui demanderaient des comptes. En clair, elle ne peut plus se prostituer et me demande de continuer à la prendre en charge. Je refuse et l'invite à se débrouiller. Pour les deux injections restantes, je l'adresse à un ami, infirmier dans un poste de santé... Je repasserai dans huit jours pour discuter avec elle. »

« (29-06-88) A l'occasion d'une sortie nocturne à Pikine, je rencontre dans un bar une copine de M. qui m'apprend que celle-ci a été de nouveau arrêtée et serait maintenant détenue à la prison pour femmes de Rufisque. A ses dires, ce serait le propriétaire de la maison, un gendarme, qui aurait décidé de faire arrêter M. à cause du désordre nocturne qu'elle aurait occasionné dans la maison. »

« (30-06-88) Visite à la prison de Rufisque, située dans un bâtiment vétuste en plein centre-ville. Grâce à ma carte de visite de chercheur-médecin, je n'ai pas de difficultés pour rencontrer M. et m'entretenir avec elle dans le hall d'entrée. Elle me raconte comment elle a été arrêtée, le jour même de ma dernière visite, alors qu'elle était allée soi-disant acheter une bougie dans une boutique située malencontreusement juste à côté du bar Tourane. Tout ça n'est pas très crédible (le bar en question est à environ deux kilomètres de son domicile)... Motif de son emprisonnement : DCS (Défaut de carnet sanitaire).

« A son habitude, elle prend à témoin les personnes présentes (des membres du personnel féminin de la prison) de l'injustice dont elle est une fois de plus la victime. Les femmes lui font la morale et l'exhortent à se tenir tranquille et à se faire soigner « surtout avec ce Toubab qui t'aide ». Je rédige une ordonnance, vais acheter les médicaments à la pharmacie voisine et remets le tout à l'auxiliaire du "major". Quant à M. je lui achète cigarettes, café et sucre mais refuse de lui donner de l'argent. »

« (30-06-88) Rencontré par hasard M. sortie de prison le matin même. C'est elle qui me hèle dans la nuit alors que je circule en voiture dans le centre de Pikine. Par cette nuit de pleine lune, il y a beaucoup de gendarmes qui raflent à droite et à gauche dans la ville. Je la conduis jusque chez son amie Ndeye et lui donne rendez-vous le lendemain en fin d'après-midi au dispensaire voisin... Je manifeste beaucoup d'agressivité à son égard. »

« (01-07-88) M. est exacte au rendez-vous. Premier accrochage lorsque je reprends les comprimés de tranquillisant qu'une infirmière lui a imprudemment remis. Puis on visite ensemble une chambre que la propriétaire accepte de me louer pour 3 500 F par mois. La maison est probablement inondée pendant la saison des pluies mais tant pis. Son mari est le chef de quartier et elle met M. en garde : ils ne toléreront ni disputes ni bagarres. M. aquiesce à tout, en jurant par Dieu, le Prophète et *Sëriñ* Touba que, sous aucun prétexte, elle ne se livrera à ces regrettables excès. Nouvel accrochage avec M. lorsqu'elle veut s'emparer de la monnaie du loyer, suivi d'une âpre discussion dans cette pièce vide, assis sur deux bancs empruntés à des voisins. Elle exige que je lui achète de nouveau un lit, une "éponge", un "tapis" car tout le mobilier a disparu à la suite de sa dernière arrestation. Désormais M. n'a plus rien mais, de mon côté, je tente de lui expliquer que je suis fatigué de ses "déconnages" et que je n'ai pas l'intention de racheter quoi que ce soit. Puisqu'elle envisage de continuer à se prostituer, je lui propose d'aller chercher une "pièce" à la Polyclinique de Dakar, ce à quoi elle objecte que sa maladie constitue un obstacle insurmontable.

« Au terme de notre discussion, je quitte les lieux en lui remettant 1 500 F. Mais elle refuse de me laisser et me suit jusqu'à ma voiture en exigeant de quoi acheter une natte. Plus elle insiste, plus je deviens agressif et nous en venons presque aux mains. C'est Ib qui intervient pour me débarrasser de M. qui s'accroche désespérément et refuse de me croire lorsque j'affirme ne plus rien avoir dans les poches. »

« (05-07-88) Temps chaud et orageux depuis plusieurs jours sans que la pluie, qui tombe par intermittences, vienne soulager un sentiment d'oppression... Déplacement jusqu'à Médina-Gounasse où j'arrive un peu avant deux heures. M. est absente et sa logeuse me convoque dès mon arrivée : il s'avère qu'elle a "déconné" (elle s'est soûlée et a ramené des hommes dans sa chambre) mais, plus grave encore, elle a emporté dans les toilettes le canari à eau potable, ce qui a entraîné une dispute avec les autres femmes de la maison. Elle veut me rembourser le loyer mais je refuse et cherche à gagner du temps en lui promettant de ramener M. à la raison. »

En arrivant au dispensaire, je constate un attroupement en effervescence autour de ma voiture. A mon approche, je découvre M. coincée entre la voiture et le mur, faisant face à une meute d'assaillants, une demi-lame de rasoir coincée entre deux doigts de la main droite. Elle est blessée à la jambe, complètement soûle et je réalise en un instant que la situation est grave : les garçons (des adolescents pour la plupart) sont déchaînés et sont prêts à se jeter sur elle pour la lyncher d'autant plus qu'elle les provoque... Seul, un jeune adulte tente de les apaiser... J'écarte immédiatement la solution qui consisterait à embarquer M. dans ma voiture et à prendre la fuite car je sais, par expérience, que l'on ne s'en sortirait pas sans dommage. Avec l'aide de l'infirmière, dont je suis allé demander l'assistance et dont l'autorité est grande dans le quartier, nous entraînons de force M. dans l'enceinte du dispensaire et tentons de la raisonner. Elle exprime son désespoir de la manière la plus vive et déclare qu'elle veut mourir parce qu'elle souffre trop. Tous nos efforts pour la calmer sont vains : elle veut sortir et affronter ses adversaires.

Dans cette ambiance dramatique (un nombreux public assiste à la scène), je « craque » et confie à l'infirmière, étonnée de mes propos, à quel point je suis à bout de ressources et ne sais plus quoi faire. De son côté, elle m'apprend que cette forme de violence est une pratique courante dans le quartier et qu'il ne se passe pas de semaine sans qu'elle ait à soigner une personne agressée par les « jeunes » en raison de son ébriété... Brusquement, j'en ai assez et je quitte les lieux en déclarant que je ne suis plus concerné par ce problème et qu'il appartient aux membres de cette société de le régler.

Je ne reverrai plus M. avant mon départ et je garderai en guise de dernier souvenir le visage effaré de l'infirmière surprise par cette brusque explosion de colère et la démarche titubante de M. qui s'avance vers la sortie, décidée à se battre.

Chapitre XIV

USAGE DES PSYCHOTROPES

Dans ce chapitre, je tenterai de préciser les relations de M. aux divers psychotropes, licites ou illicites, disponibles sur le marché pikinois, avec l'intention d'examiner son cas particulier par rapport à l'ensemble, plus large, de la population des usagers de drogues.

Généralités

Je définirai une drogue comme une substance psychotrope (1) dont l'usage est soit interdit, soit fortement réprimé par l'État. Par conséquent, il n'y a pas de drogue sans interdit légal ou social et, dans cette perspective, il faut garder à l'esprit que ces interdits sont variables d'une société à l'autre et, pour la même société, d'une époque à l'autre. Ainsi, à l'heure actuelle, parmi les psychotropes dont l'usage est licite dans la plupart des sociétés, on peut citer : le café, le thé, le chocolat, le tabac, certains médicaments, le betel, etc. D'autres psychotropes font l'objet d'une large interdiction légale (l'opium et ses dérivés, la cocaïne et ses dérivés, le cannabis, les hallucinogènes, etc.) tandis que la consommation d'alcool est généralement licite, sauf dans certaines sociétés musulmanes.

Il est important de signaler que si la production et la consommation de psychotropes est un phénomène historiquement attesté dans différentes

_____

(1) Une substance psychotrope est une substance pharmacologiquement active dont au moins un des effets est de modifier le fonctionnement du système nerveux central et, par voie de conséquence, d'agir sur le psychisme et le comportement.

sociétés africaines précoloniales (2), on assiste depuis quelques décennies à une modification profonde et rapide de ce phénomène, du fait de l'urbanisation et de la détérioration de la situation économique. C'est ainsi que, en ce qui concerne la production de cannabis, par exemple, l'augmentation de l'offre est à mettre en rapport (à l'instar de ce qui s'est passé en Amérique du Sud) avec la crise du monde agricole liée à l'effondrement des cultures de rente classiques : café, cacao, coton, arachide (Fottorino, 1991 : 101-113). Elle s'accompagne, en parallèle, d'une augmentation de la demande de la part d'une partie de la jeunesse dans un contexte d'urbanisation rapide et d'une dégradation des conditions de vie. Ce développement d'un marché des drogues illicites (Cesoni, 1992) est favorisé non seulement par la faiblesse relative des États (manque de moyens de contrôle et législations souvent inadaptées) mais aussi par la généralisation de ces comportements prédateurs (la « politique du ventre ») qui pourraient conduire, demain, à une criminalisation accentuée des économies africaines (Bayart, 1990 : 106).

A ma connaissance, il n'existe pratiquement pas de travaux de nature ethnographique sur la consommation des drogues dans les pays africains. En général, il s'agit de recherches de type épidémiologique (Navaratnam *et al.*, 1979 ; Pela et Ebie, 1982) qui se bornent à quantifier et mettre en relation différentes sortes de variables, avec pour objectif, de proposer des hypothèses explicatives. Une approche un peu plus large est celle des enquêtes par questionnaires en milieu scolaire avec comparaison « drogués » et « non-drogués » (Anumonye, 1980 ; Akpala & Bolaji, 1991). Quant au Sénégal, les seules informations dont je disposais, au moment de commencer mon travail, provenaient d'observations effectuées en milieu psychiatrique (Collomb *et al.* 1962 ; Gueye & Omais, 1983) sur des groupes restreints de patients.

Parmi les différents psychotropes en usage à Pikine, je laisserai de côté des produits dont l'usage est généralisé, comme le thé, ou encore socialement ritualisé, comme la noix de cola, pour m'intéresser uniquement aux substances les plus toxiques, que leur consommation soit légale (tabac, alcool) ou illégale (chanvre indien, « pions »).

Si M. ne fait pas mystère de sa consommation de tabac et, au moins une fois, boit de l'alcool en ma présence, par contre elle a toujours nié avoir continué à consommer des « pions », malgré l'existence de symptômes qui m'inclinaient à penser le contraire. Quant au chanvre indien, il

---

(2) Par exemple, le cas des plantes hallucinogènes utilisés de façon rituelle dans certaines sociétés africaines comme l'*iboga* au Gabon (Gollnhoffer et Sillans, 1985) ou le *Datura metel* en Afrique de l'Ouest (Tristan *et al.* 1987), sans parler des diverses boissons alcoolisées de fabrication locale.

a fallu qu'elle soit arrêtée et condamnée pour usage de psychotropes illicites, pour que je prenne conscience d'un fait qu'elle m'avait soigneusement dissimulé. Or, chaque fois que j'ai voulu aborder avec elle la question des psychotropes et de l'usage qu'elle en faisait, je me suis heurté à des résistances qui sont à mettre, il me semble, sur le compte du rôle de thérapeute que j'assumais envers elle. En effet, si je n'attachais pas d'importance au fait qu'elle fume des cigarettes ou boive une bière de temps à autre, par contre l'usage abusif qu'elle faisait des « pions » constituait une gêne importante à mon action thérapeutique, et j'avais adopté dès le départ une position critique à ce sujet. Sur ce point précis, il y avait donc interférence entre ma fonction de thérapeute et celle de chercheur, qui peut expliquer la relative pauvreté des informations recueillies à ce sujet au cours de nos entretiens.

Je m'appuierai donc, pour interpréter les quelques fragments du discours de M. présentés ici, sur des observations directes de ses faits et gestes et, surtout, sur les résultats tant quantitatifs que qualitatifs de cette grande enquête sur la consommation des drogues à Pikine, dont j'ai évoqué les aspects méthodologiques dans un chapitre antérieur. Une partie des informations recueillies auprès d'un échantillon de 159 individus (3) a fait l'objet d'un traitement statistique dont les résultats seront utilisés, en association avec des extraits du récit de vie de M., dans le but de préciser sa position au sein de cette population marginale.

En premier lieu, nous allons considérer la répartition des sujets de notre échantillon selon deux variables, celles de l'âge et du sexe, avant de considérer cette population en termes socio-économiques.

Répartition selon l'âge : aux deux extrêmes, on trouve un enfant de 11 ans et un homme de cinquante ans et, au milieu, une nette prédominance de la tranche d'âge 20-29 ans à laquelle appartient M.

Age	10-19	20-29	30-39	40 et plus
(n = 159)	7,6 %	63,5 %	27 %	1,9 %

Répartition selon le sexe : les membres de notre échantillon sont à 95,6 % du sexe masculin. Les femmes (au nombre de 7) ont toutes entre 20 et 30 ans, sont célibataires et ont chacune un ou plusieurs enfants.

---

(3) Rappelons que le critère de sélection de nos informateurs était l'usage régulier (abusif ou non) de chanvre indien.

On peut supposer ici une sous-représentation des femmes liée au fait que l'usage des psychotropes illicites (*yamba*, « pions ») voire licites (alcool, tabac) entraîne une stigmatisation beaucoup plus importante chez les femmes que chez les hommes. Si un homme qui fume du chanvre indien est un *ceddo* (guerrier), une femme par contre est une *caga* (une pute) et, si elle boit des « pions », elle devient une « saleté » (une ordure). Dans ces conditions, les femmes ont intérêt à ce que leur consommation de psychotropes reste discrète, ce qui explique les nombreux refus opposés à notre curiosité.

Quoi qu'il en soit, même dans l'hypothèse où il serait possible de corriger ce biais, les femmes ne seraient encore qu'une infime minorité et, par rapport à ce groupe, M. ou sa copine Xadi, seraient situées à la marge, du fait de l'usage abusif et volontiers exhibitionniste qu'elles font des « pions » ou de l'alcool.

Ainsi M. est triplement marginale : par rapport aux femmes qui consomment des psychotropes, par rapport à la majorité masculine de notre échantillon et, en dernière analyse, par rapport à l'ensemble de la population de Pikine, dans la mesure où la consommation de drogues ne concerne qu'une fraction réduite de la jeunesse urbaine.

Aspects socio-économiques : à partir d'informations concernant la catégorie socioprofessionnelle de leurs pères, on constate qu'une majorité des usagers est issue du prolétariat urbain (petits commerçants, artisans, ouvriers), d'une population paysanne appauvrie (des migrants) ou d'une petite-bourgeoisie urbaine (fonctionnaires, employés...) durement éprouvée par la baisse du pouvoir d'achat. En particulier, ces jeunes sont confrontés à une crise terrible du marché du travail visible au niveau de la baisse importante des emplois salariés (4). Ils se trouvent même exclus du secteur dit « informel » de l'économie (Van Dijk, 1986) qui se révèle incapable d'absorber cette masse de demandeurs d'emploi. Au cours de nos entretiens, la gravité du problème de l'emploi a été soulignée de façon répétée et insistante par nos interlocuteurs, qui en faisaient la cause primordiale de leurs comportements déviants, même si, en fin de compte, plus de 60 % de nos informateurs peuvent être considérés comme des « actifs » (5).

_____

(4) Si 37 % des pères de nos usagers sont des salariés, seulement 17,7 % parmi leurs enfants ont pu accéder à un emploi salarié.

(5) En incluant dans cette catégorie : (1) les usagers engagés dans des activités illicites (deal, prostitution) qui représentent 17 % de l'ensemble de notre groupe, et (2) ceux qui n'ont pas encore terminé leur scolarité (6,5 %).

Yamba

Lorsque, début 1988, j'avais demandé à M. si elle fumait ou avait fumé du *yamba*, elle m'avait répondu par la négative et ce n'est qu'à la suite de son arrestation pour « usage et détention de chanvre indien » que me fut révélé ce comportement jusque-là tenu secret. Des informations, recueillies ultérieurement auprès de son amie Ndeye, ont confirmé un usage prolongé du chanvre, sans qu'il me soit possible d'en savoir plus dans la mesure où M. a continué à nier même après son arrestation : « Ce n'est pas moi ! Ce sont les autres qui ont amené le *yamba* et qui le fumaient !... »

Contrairement à ce que pense la majorité de nos informateurs sur l'ancienneté de l'usage du chanvre indien *(Cannabis sativa, variété indica)* au Sénégal, cette plante n'y serait pas spontanée (Kerarho, 1974 : 310-312) même si, dans l'état actuel des connaissances, il est impossible de savoir avec certitude quand elle a été introduite au Sénégal. En effet, le cannabis aurait été absent en Afrique de l'Ouest avant la Seconde Guerre mondiale, et c'est à l'occasion de ce conflit qu'il aurait été importé par des militaires nord-américains en garnison dans le pays (Du Toit, 1980 : 26).

Le *yamba* (ou *boon* ou *wii* ou *shit*) disponible à Dakar et Pikine se présente sous la forme d'un broyat de feuilles et de tiges obtenu après séchage de la plante (6). En provenance du Sénégal (Casamance surtout) ou de pays étrangers (Gambie, Ghana, Nigeria), il est commercialisé dans des cornets de papier journal dont le prix varie en fonction de la variété proposée.

L'approvisionnement des usagers est assuré par une multitude de petits *dilkat* (revendeurs) qui assurent la distribution du produit jusque dans les quartiers les plus reculés en fournissant, au jour le jour, une clientèle relativement fidèle. Les femmes ne sont qu'exceptionnellement présentes au niveau de la distribution, sauf lorsqu'il s'agit de remplacer un mari ou un frère momentanément absent (Werner, 1992).

D'après mes observations, M. n'est pas une consommatrice régulière de *yamba* (elle lui préfère l'alcool) et, comme 75 % des usagers interrogés, elle en fume uniquement en groupe, pour accompagner quelques verres de thé, à l'instar de ce qui s'est passé quand elle a été arrêtée pendant le couvre-feu. On peut imaginer le petit groupe surpris par les gen-

---

(6) Du fait de leur prix élevé, les préparations à base de chanvre importées de l'étranger (comme l'huile et le hachich) sont réservées à une clientèle dakaroise aisée.

darmes en train de « raffiner » (trier et écarter les graines) ou de « tracer »
avec du « pep » (rouler dans du papier journal) les *juum* (cigarettes de
chanvre mélangé ou non avec du tabac), à moins qu'ils ne soient déjà en
train de fumer, à tour de rôle, chacun aspirant quelques *tiir* de fumée en la
retenant le plus longtemps possible à l'intérieur des poumons, avant de
passer le *juum* au suivant.

Cette fois-là, les fumeurs n'ont pu goûter tranquillement la « prexion »
(ou *daac* ou *sool*) induite par l'inhalation de la fumée, ni acquérir un peu
de « science », extraite de ce flot d'images et d'idées libéré par la stimu-
lation de l'imagination, une « science » jugée bien utile par des jeunes
écartelés entre l'absence de travail et les attentes des parents. La
« prexion » chasserait les soucis et la fatigue, rendrait plus habile dans le
travail manuel et même intellectuel (selon des étudiants et écoliers), permettrait de diminuer les inhibitions liées à la honte et provoquerait une
agréable sensation d'euphorie. Enfin, le *yamba* favoriserait les interactions en groupe et les usagers mettent l'accent sur le fait qu'ils sont polis,
respectueux des autres et d'eux-mêmes, soucieux de leur propreté corpo-
relle et de leur tenue vestimentaire. En un mot, ils sont « cool » !

Cette conformité aux normes sociales qui régissent la présentation du
soi et les rapports sociaux au quotidien pourrait expliquer la relative tolérance dont jouissent les fumeurs de *yamba* dans leur environnement
immédiat, qui est souvent la maison familiale dans la mesure où plus de
80 % d'entre eux vivent encore chez leurs parents. En faisant brûler de
l'encens pour masquer l'odeur caractéristique du chanvre, il leur est possible de fumer à l'intérieur d'une chambre sans provoquer de réactions
négatives de la part de leur entourage, à condition de sauver les apparences.

Sàngara (7)
(Suite du récit de vie de M.)

« W – Mais parle-moi des "affaires" de "prexion". La "prexion", tu
sais ce que c'est ?

---

(7) Alcool en wolof. D'après L.S. Senghor, ce terme « ... vient en droite ligne du sérèr et signifie
"Jean est venu" : *"San a gara"*. Ce devait être, ce Jean, un commerçant qui ravitaillait régulièrement
un village comme Joal d'alcools de toutes sortes et, le plus souvent, de mauvaise qualité » (cité par
Blondé *et al.*, 1979 : 6).

M – La "prexion" ?

W – Oui, la "prexion" de l'alcool, par exemple…

M – Werner, je prends Dieu à témoin ! La "prexion" c'est étrange *(elle rit)*.

W – Étrange ? (...)

M – La "prexion", pour ce que j'en sais, si tu bois, tu vas être ivre.

W – Est-ce que c'est agréable d'être ivre ?

M – Être ivre ? Il y a des fois où ce sera agréable parce que c'est à cause de cela que ton cœur sera "lassé".

W – "Lassé" ?...

M – "Lassé" ! Léger ! (...) Il sera léger ! Tu auras la paix. Tu joues avec tout le monde, tu ris. Est-ce que tu comprends ce que je te dis ? Tu seras "bien" quoi ! Et puis parfois, tu vas devenir méchant. Ton cœur sera mauvais et tu seras méchant. Sur chacun, la "prexion" a des effets différents. Moi, par exemple, si je suis "prexionnée", mon cœur va être bon comme ce n'est pas croyable. Je veux la paix, l'harmonie. Ce que j'ai entre les mains, je vais le donner... Incroyablement bonne, oui ! Et si tu me dis : "Donne-moi ce que tu as", avant que tu n'aies terminé, je te dis : "Tiens !" Je me sens bien, quoi : bavarder, me "défouler", plaisanter, rire... Quand j'en ai assez je vais me coucher et dormir. Moi, c'est comme ça que je fais. Je ne me querelle pas. Je ne me bats pas. (...)

W – Mais qu'est ce qui est le plus agréable ? Boire de l'alcool toute seule ou bien boire de l'alcool avec tes ami(e)s ?

M – Toi seul avec la bouteille, ce n'est pas agréable. Sais-tu ce qui est préférable ? C'est d'être avec ta "copine", de boire et de discuter. C'est plus agréable... C'est la discussion qui fait toute la "différence" ! Oui, c'est la discussion. Mais moi, je vais rester ici. Si j'ai envie de boire, vraiment envie, je vais rester ici... Je vais attendre la nuit, je vais fermer ma porte et quand je verrai un "boy", je vais le baratiner pour qu'il aille m'acheter une "bière" ou deux... A son retour, j'allongerai la main pour claquer la porte. Je serai ici toute seule, à boire jusqu'à la dernière goutte. Oui. Personne ne le voit. Je suis tranquille...

W – Est-ce que l'alcool, c'est mauvais pour la santé ?

M – Pour dire la vérité, Werner, eh bien l'alcool, les gens disent que c'est mauvais pour la santé, c'est ce qu'on dit (...) Tout ce qui donne la "prexion", on dit que c'est mauvais pour les gens. Alors, pourquoi est-ce que les gens continuent à l'utiliser ? (...)

W – Parce que le Coran interdit de boire, n'est-ce-pas ?

M – Oui.

W – Boire de l'alcool ? Boire des "pills" ?...

M – Fumer des "cigarettes"...

W – Fumer du *yamba* ?...

M – Oui.

W – Mais, à présent, tu bois de l'alcool et c'est agréable, mais le Coran l'interdit... Est-ce que tu es croyante ?...

M – Oui, bien sûr que je suis croyante *(elle rit).*

W – "Parce que", quand tu bois de l'alcool, ça ne fait pas plaisir à Dieu...

M – Mais Dieu ! (…) Dieu, il est vraiment bon.

W – Il est bon ?

M – Oui, oui, Il est bon. Si tu l'offenses (...) ensuite tu t'assieds pour le "reconnaître" : "Moi, j'ai offensé Dieu. Dieu, notre Maître, il est sûr que je T'ai offensé. Je suis ici, je Te supplie et je Te demande pardon pour que Tu me pardonnes l'offense que je T'ai causée"... Dieu t'absoudra. Il te pardonnera parce qu'Il n'est pas méchant. C'est tout !

W – Est-ce que c'est sûr... ?

M – Pour ça, on garde bon espoir. C'est écrit dans le Coran. Et ce qui est écrit dans le Coran, c'est la Révélation. »

Rama, indignée à l'écoute de ces déclarations, précise que Dieu pardonne à condition que ce soit la première fois. Si l'individu recommence, à ce moment-là, c'est du *yabaate*, c'est-à-dire une offense consciemment dirigée contre Dieu.

« W – Mais pourquoi est-ce que le Coran interdit de boire de l'alcool ?

M – Pourquoi est-ce qu'on a écrit cela dans le Coran ? Je ne peux te dire que ce que je sais, à partir de ma "science". Parce que si tu bois de l'alcool, on sait que ça va te faire perdre la raison (...) Tu vas perdre la raison, c'est pour cela que le Coran l'interdit. Parce que tu peux en boire et puis aller trouver l'égale de ta mère et l'insulter : tu l'offenseras... Tu peux aller trouver l'égal de ton père et l'insulter : tu l'offenseras... S'il t'arrive de trouver le bien d'autrui, si tu n'as pas bu, tu ne le prendras pas, si tu as bu cette "affaire" et que tu trouves le bien d'autrui, tu vas t'en emparer. C'est ce genre d'"affaires" qu'il "provoque". C'est à cause de cela qu'on l'interdit. »

Rama, qui m'assiste dans le travail de traduction, va plus loin dans son commentaire. D'après elle, les deux interdictions fondamentales du Coran sont de tuer quelqu'un et de coucher avec sa mère. Or, celui qui boit de l'alcool s'expose à violer ces deux interdits fondamentaux : « L'alcool est la mère de tous les vices », disent les Wolof.

Quoi qu'il en soit, l'alcool est en vente libre au Sénégal et sa consommation est légale (8) ; c'est sans doute pour cela que M. accepte si facilement d'en reconnaître l'usage devant un Toubab, un chrétien, de la part de qui elle peut supposer une consommation habituelle, même si je n'ai jamais eu l'occasion de boire en sa compagnie.

A Pikine, il est possible de consommer de l'alcool dans les trente bars que nous avons recensés dans l'agglomération ou bien, de manière plus discrète, dans un de ces « clandos » disséminés à travers la ville, ou encore, comme nous l'indique M., dans l'intimité de sa chambre.

Je ne reviendrai pas ici sur les bars, dont j'ai eu l'occasion de parler précédemment, mais en profiterai pour dire un mot de ces débits de boissons clandestins (d'où leur nom de « clando ») largement répandus à travers la ville, mais difficiles à repérer car ils sont dépourvus de toute marque de reconnaissance. En règle, de dimension modeste (une seule pièce), ils sont situés à l'intérieur d'une maison ou d'une baraque et sont, en général, tenus par des hommes ou des femmes originaires de la Casamance (Diola ou Mandjak) et de confession catholique. En théorie, on ne peut y consommer que du vin de palme *(sëngë)* ou du *soum-soum* (un tord-boyaux de fabrication artisanale), mais en pratique, on y sert parfois aux clients réguliers du vin ou de la bière... Connus de la population avoisinante, ces clandos sont, en général, bien tolérés, dans la mesure où les clients se comportent de façon discrète et ne manifestent pas publiquement un comportement ébrieux.

Bars et « clandos » attirent des clientèles différentes. Si les bars sont une scène sur laquelle on s'exhibe pour voir et être vu, les « clandos » en représentent les coulisses, obscures et sans attrait. En ces lieux discrets, des clients pauvres (le vin de palme ou le *soum-soum* sont meilleur marché que la bière) se mêlent à des consommateurs musulmans en quête d'anonymat. En effet, il est aisé, une fois la nuit venue, de passer de la noirceur des ruelles (pas d'éclairage public) à la pénombre du « clando » : à la limite du halo projeté par la lueur vacillante d'une bougie ou d'une lampe à pétrole, les visages des buveurs ne sont pas identifiables sur le fond noir qui les cerne.

Comme nous l'explique M., il existe une manière encore plus discrète de consommer de l'alcool, à savoir dans l'intimité du domicile, en solitaire ou avec des ami(e)s. A coup sûr, la seule façon pour une femme de boire un coup sans être étiquetée comme prostituée. Pour cela, on peut se

---

(8) D'après des informations rapportées dans *Le Soleil* du 13-02-91, il y aurait environ 500 débits de boissons autorisés au Sénégal, dont la moitié sont localisés dans la région du Cap-Vert.

procurer des « liqueurs » (gin, whisky...) dans les magasins témoins de la Sonadis (un organisme parapublic) ou bien acheter du vin ou de la bière dans un dépôt de boissons (s'il en existe un à proximité) ou encore dans un bar ou un « clando ».

Des informations concernant la consommation d'alcool ont été recueillies de façon systématique auprès des sujets de notre échantillon (n = 159), sélectionnés (je le répète) parce qu'ils étaient des fumeurs réguliers de *yamba*. En ce qui concerne les sujets musulmans (n = 153), la répartition est la suivante :

– 30 % consomment actuellement de l'alcool ;

– 60 % n'en ont jamais consommé ;

– 10 % en ont consommé dans le passé (9).

Si l'on considère la répartition selon le sexe, on observe que toutes les femmes de notre échantillon (n = 7) ont consommé de l'alcool et que 6 sur 7 en consomment actuellement en association avec leurs activités de prostituée.

Pions

« W – C'est quoi le plus agréable ? La "prexion" de l'alcool seul ou bien la "prexion" de l'alcool avec des "pills" ?

M – Ouh ! La "prexion" des "pills". Ça c'est grave !

W – C'est grave ?

M – C'est vraiment grave ! Les "pills", si tu prends ta dose juste, d'accord. Mais si tu en bois jusqu'à être ivre... les "pills", oooh, c'est pas bon ! Parce que tu ne sais plus ce que tu dis. Tu ne sais plus ce tu fais, oui ! Ce que tu fais aujourd'hui, tu l'auras oublié demain, tu comprends ? Tu peux marcher dans la rue, jusqu'à t'y coucher et dormir. A ton réveil, tu ne sais plus pourquoi tu t'es couchée dans la rue pour dormir. Mon vieux ! Les "pills" c'est pas bon !

W – Si les "pills", c'est mauvais, pourquoi en as-tu bues ?

M – Qu'est-ce qui m'a fait en boire ? Je t'ai dit que j'avais été malade. Je ne dormais pas la nuit, je ne dormais pas le jour. C'est pour cela que

---

(9) Au premier rang des raisons évoquées par ceux qui ont toujours refusé de goûter à l'acool (n = 91), on trouve l'interdit religieux qui a joué aussi un rôle prépondérant pour ceux qui ont cessé d'en consommer (n = 16).

j'en ai bu. "Et puis" quand j'en ai pris la première fois, c'est parce que, après la mort de mon mari, j'étais triste. Je pleurais du matin au soir. Je ne mangeais pas, je ne buvais pas. On m'a "expliquée" : "cette 'affaire', si tu la bois tu vas dormir". Je suis allée m'en procurer. Puis, je suis tombée malade. Je ne dormais pas la nuit, je ne dormais pas le jour. C'est pour cela que j'en ai pris. Mais ne va pas croire que j'ai "préféré" sauter dessus comme ça... Non ! »

Mais, au cours d'un échange ultérieur rapporté ci-dessous et en contra-diction avec ce qu'elle vient d'affirmer, M. m'expliquera en détail la manière d'utiliser les « pions » pour provoquer un état altéré de conscien-ce :

« W – Mais tu sais, ce qui m'étonne, c'est que les "pills" c'est un médicament pour faire dormir les gens...

M – Sûr ! Ça fait dormir !

W – Oui mais les gens qui boivent des "pills", ils ne dorment pas.

M – Ils ne dorment pas. Mais ça va les endormir quand même. Si t'en as pris seulement dans l'"intention" de dormir, quand l'"affaire" fait son effet, elle va t'"imposer" le sommeil, est-ce que tu comprends ce que je te dis ? (...) Dans le cas où c'est la "prexion" que tu recherches, quand l'"affaire" fait son effet pour te faire dormir, tu vas résister...

W – Résister ?

M – Refuser de dormir. Dans ce cas-là, alors, ça se transforme en "prexion", oui. Tu vas marcher en titubant parce que tu as sommeil. Tu n'auras plus de force. Qu'est-ce que tu peux faire ? Tu seras faible.

W – Mais la "prexion" des "pills", à quoi ça ressemble à l'inté-rieur ? (...) Est-ce que c'est pareil que la "prexion" de l'alcool ?

M – Non. Ce n'est pas pareil. Parce que les "pills", une fois que tu les as bues, sais-tu où elles vont directement ? (...) Ce qu'elles attrapent en toi ce sont les *sidiit*...

W – Les *sidiit* ?

M – Tes *sidiit*, tes veines. Les "pills" quand tu en bois (...) partout où il y a des *sidiit,* c'est là qu'elles vont. Tu sais, il y a des *sidiit* dans les membres inférieurs, elles vont aller les attraper... Tu sais, il y en a dans les membres supérieurs, elles vont aller les attraper. Tu sais, ta langue, ici, il y a un *sidiit* (elle montre sa langue du doigt) elles vont la bloquer. Elles vont faire le tour de tous les *sidiit* et les tuer (...) Tu n'es plus bon à rien. Quand tu marches, tu vas tomber. Quand tu parles, ta langue est brisée... C'est comme ça qu'elles font, mais l'alcool, quant à lui, il part ici, dans ton cerveau... Quand tu bois de l'alcool, il va entrer dans ton ventre et puis les "gaz" qui sont produits, ils partiront ici *(elle montre sa tête).*

W – Ici ?

M – Oui, là dans ton cerveau, c'est là que la "prexion" de l'alcool te saisira. Elle ne te causera aucun "problème". L'alcool n'a pas d'"effet". Mais les "pills"... les "pills" ce n'est pas bon du tout !

W – Mais, actuellement, tu n'as pas envie de boire des "pills" ?

M – Si j'en prenais, en ce moment, ce serait pour le plaisir seulement parce que, actuellement, il n'y a rien qui m'"oblige" à en boire comme ce qui m'avait obligé à en boire "au commencement" (…) »

Parce que je considérais M. comme une consommatrice de « pions », j'avais entrepris avec elle (et, le plus souvent, malgré elle) ce travail de recherche qui devait m'entraîner bien plus loin que prévu. Chemin faisant, j'ai découvert qu'elle s'intéressait aussi au *yamba* et à l'alcool et, surtout, que sa consommation excessive de « pions » était liée en partie à une tentative pour soigner sa maladie. Mais, ici comme ailleurs, M. se dévoile et se dissimule tour à tour, m'obligeant à louvoyer entre différentes interprétations. Ce qui semble probable, c'est le rôle d'initiatrice joué par Xadi et le fait que M. ait commencé à boire des « pions » avant même la mort de son deuxième mari. Si M. affirme avoir commencé à boire des « pions » dans le but de dormir malgré des souffrances insupportables, d'un autre côté, on a vu comment elle est capable de m'expliquer en détail comment en faire usage pour atteindre un état altéré de conscience.

Avant d'aborder les modalités d'usage de ces « pions » (comment ?), il me semble nécessaire d'en préciser la nature (quoi ?) et d'esquisser le profil des usagers (qui ?).

A Pikine, le « pion » le plus fréquemment utilisé est le « Nok », un médicament hypnotique de la famille des barbituriques commercialisé sous le nom de Noctadiol® par un laboratoire parisien. En seconde place, vient le « Ross », un tranquillisant de la famille des benzodiazépines commercialisé par les laboratoires Roche (d'où le terme employé par les usagers) sous le nom de Rohypnol® (10). Plus rarement, d'autres « pions » sont mentionnés par les usagers : « Immé » (pour Imménoctal®) et « Soni » (pour Sonuctane®) qui sont aussi des barbituriques (11).

_____

(10) Il est à noter que sous ce terme de « Ross » peut être vendu un autre médicament fabriqué par le même laboratoire, à savoir le Valium, un tranquillisant de la famille des benzodiazépines.

(11) D'après les notices qui les accompagnent, tous ces médicaments sont susceptibles d'induire un état de dépendance, leur utilisation est contre-indiquée en cas de grossesse, et il est déconseillé de les associer à l'absorption d'alcool qui en augmente les effets.

On peut se procurer ces médicaments dans les pharmacies de la ville sur prescription médicale. A défaut d'une ordonnance, il est aisé d'en acheter de façon clandestine sur certains marchés (Tilène et Colobane à Dakar, Thiaroye et Zinc à Pikine), aux abords de certains cinémas, dans la soirée, ou bien dans un lieu comme l'essencerie Icotaf, pratiquement à toute heure du jour et de la nuit. Les petits revendeurs de Pikine s'approvisionnent au marché Thiaroye tout proche, auprès de grossistes alimentés par différentes sources : coulage (malgré la législation contraignante) à partir des pharmacies hospitalières ou privées et/ou contrebande à partir de la Gambie (12).

Enfin, en recoupant entre elles les informations récoltées auprès de nos interlocuteurs les plus âgés, on peut avancer que l'usage des médicaments psychotiques dans un but non thérapeutique est un phénomène relativement récent au Sénégal, qui aurait commencé à une date postérieure à 1975. A ce propos, il est tentant de mettre en relation cet accroissement de la demande pour les « pions », en particulier, et les psychotropes illicites, en général, avec l'entrée du Sénégal dans la crise à la même période. C'est, en effet, au milieu des années 70 que les effets de la chute des prix des phosphates et de l'arachide (principales marchandises exportées par le Sénégal) s'ajoutent à ceux de la sécheresse et du premier choc pétrolier pour déstabiliser de façon durable l'économie sénégalaise (Geldar, 1982).

Mais qui sont ces consommateurs de « pions », protégés par l'invisibilité de leurs pratiques et sur lesquels nous savons si peu de choses ? A cette question, je tenterai de répondre de manière oblique en utilisant une fois de plus les résultats de nos recherches sur l'usage des drogues à Pikine. En effet, ce fut une des surprises majeures de cette enquête de découvrir que près de 70 % de nos informateurs avaient consommé des « pions » dans le passé et que un peu plus de la moitié (soit 52,2 %) en consommait encore régulièrement et en quantité relativement importante :

– 30,5 % consomment moins de un comprimé par jour, soit de façon occasionnelle (baptême, soirée dansante...), soit plus réguliérement en fin de semaine (le samedi soir ou le dimanche) ;

– 55,5 % prennent 2 à 3 « pions » par jour (un le matin, un le soir) ;

– 14 % sont des gros consommateurs, avec plus de 3 comprimés par jour (une dose de 6 à 8 « pions » par jour semblant être un maximum (13)).

---

(12) Entre 1986 et 1987, selon les endroits, un comprimé de « Nok » valait entre 125 et 150 francs et un comprimé de « Ross » entre 100 et 125 francs. Ces prix sont susceptibles d'augmenter de gage temporaire en période de fête.

(13) Je rappelle que cette dose importante correspond à ce que prenaient Xadi, en 86-87, et M., au moment de notre rencontre, et qu'elle n'est pas compatible avec l'accomplissement des tâches de la vie quotidienne ni avec un comportement socialement conforme.

A l'inverse de l'alcool ou du *yamba* dont l'usage est volontiers collectif, la consommation de « pions » est remarquable par son caractère solitaire et le secret qui l'entoure. En général, les « pions » sont absorbés à domicile et ne font que très rarement l'objet d'une consommation collective.

On commence souvent par désir d'imiter les pairs. D'autres fois, on est motivé par le désir de modifier un comportement évalué de façon négative par l'usager, par exemple, le fait d'être « complexé » (c'est-à-dire timide, maladroit, honteux) dans les rapports avec les femmes ou, plus généralement, en société. Ou bien encore, les jeunes y ont recours pour se débarrasser de leurs soucis et inquiétudes. Plus rarement, l'usage des « pions » est en rapport avec un besoin thérapeutique (troubles du sommeil).

Le premier contact est déterminant pour l'avenir. Que le néophyte sombre dans le sommeil et, dégoûté, il ne recommencera plus. Si, au contraire, la première expérience est réussie, grâce aux conseils d'un ami expérimenté à même d'expliquer la manière efficace d'en faire usage, alors l'habitude s'installe rapidement. Ensuite, les usagers vont augmenter progressivement leur dose quotidienne jusqu'à trouver celle qui leur permet d'accéder à l'état de « prexion », tout en gardant le contrôle de leur comportement. Ils feront également connaissance avec les différentes variétés de « pions » et, comme M., dans l'ensemble, ils préfèrent le « Nok » au « Ross » qui est considéré comme trop fort et aussi plus irrégulier dans ses effets. Enfin, lorsque la maîtrise des « pions » est atteinte, rien ne permet (au contraire de l'alcool ou du chanvre indien) de déceler l'absorption d'un psychotrope :

> « Le "pion", j'en prends mais "coolement" car je le prends seul pour me faire "respecter" des gens... Je "consomme" chaque jour en prenant deux "Nok" mais c'est très difficile de le découvrir sur moi car j'en prends un le matin et un le soir... Le "pion" est facile à consommer sans que personne ne le sache... » (notes de terrain de Ib).

Mais tous ne parviennent pas à se débrouiller aussi bien et un certain nombre d'usagers abandonnent la partie, soit volontairement en raison de problèmes de santé (manque d'appétit, amaigrissement, fatigue importante, troubles sexuels...), soit en raison de réactions violentes du milieu familial à la suite d'un « déconnage » spectaculaire provoqué, en général, par un surdosage.

Autres psychotropes

Il peut sembler curieux de ranger le tabac au côté de psychotropes comme le chanvre ou l'alcool, et les jeunes Pikinois sont d'accord pour déclarer que le tabac ne produit pas de « prexion ». Quoi qu'il en soit, l'effet neurostimulant de la nicotine est suffisamment connu, de même que la toxicité cardio-pulmonaire de l'usage du tabac pour évoquer les modalités de sa consommation dans cette étude.

M. fume des cigarettes chaque jour, autant que ses ressources le lui permettent. Ce faisant, elle participe à quelque chose de très répandu chez nos consommateurs de *yamba* (14) : 96,2 % fument actuellement et parmi ces fumeurs, 90 % fument quotidiennement 10 à 20 cigarettes par jour (15). Ce sont des cigarettes, produites localement ou importées, qui ont la préférence des usagers et beaucoup plus rarement le *poon* (ou tabac maure) fumé dans de petites pipes de métal.

Toutes les femmes de notre « échantillon » fument et ce, en moyenne, depuis l'âge de 15 ans et demi, ce qui correspond à peu de chose près à l'âge qu'avait M., lors de son séjour à Kaolack. A ce sujet, on peut ajouter que si, pour les filles, la date du premier contact et celle du début de la consommation régulière se confondent, pour les garçons, les choses se passent un peu différemment. Souvent, un premier contact au moment de la circoncision (âge moyen autour de 10 ans) précède, de quelques années, le début d'une consommation régulière vers l'âge de 15 ans. L'usage du tabac est supposé favoriser la cicatrisation de la plaie opératoire.

Je voudrais mentionner aussi l'existence d'une pratique, *moo ginz,* en wolof, à laquelle M. n'a pas participé en raison de son sexe. Il s'agit de l'inhalation de vapeurs d'essence ou de diluant ou de colle ou de vernis (produits d'accès facile et bon marché) qui provoque un état d'ivresse intense et de courte durée, associé souvent à des hallucinations visuelles. D'apparition récente (autour de 1975), c'est une « prexion » (on dit *baaz,* dans ce cas particulier) réservée aux « enfants » (entre 10 et 15 ans et de

---

(14) De manière générale, on note un accroissement important de la consommation de tabac chez les jeunes des pays en voie de développement. Dans la plupart de ces pays, plus de 20 % des adolescents fument régulièrement, dont un pourcentage de plus en plus important de femmes quoique l'usage du tabac reste moins fréquent chez ces dernières. Au Sénégal, 70 % des garçons scolarisés fument (Population Information Program, 1987 : 25)

(15) Dans ce domaine, l'interdit religieux ne joue pratiquement pas, sauf pour les 2,5 % d'usagers de *yamba* qui n'ont jamais fumé de tabac parce qu'ils sont issus de familles rigoristes qui en interdisent l'usage.

sexe masculin exclusivement), qui l'abandonnent lors du passage à d'autres psychotropes, « pions » ou *yamba* (16). La toxicité de ces substances est grande et les usagers signalent la fréquence des complications pulmonaires et cardiaques, et l'apparition de troubles mentaux. Cette toxicité reconnue est invoquée par la majorité de ceux qui ont toujours refusé d'en faire usage.

Enfin, pour terminer cet inventaire, j'ajouterai que, au moment de quitter le terrain (juillet 1988), je savais (à la lecture de la presse locale et par mes informateurs) que de l'héroïne circulait à Dakar, mais je n'avais jamais entendu parler (pas plus que M., d'ailleurs) de son usage ou de sa distribution à Pikine. Mais le marché des psychotropes illicites est caractérisé par son évolution rapide et lors d'une enquête complémentaire, effectuée en 1989, nous avons pu constater, mon collaborateur et moi, l'apparition d'héroïne à Pikine et le début de sa diffusion, malgré son prix relativement élevé puisqu'un « képa » (dose permettant de confectionner 1 à 3 cigarettes) se négociait entre 1 000 et 2 000 FCFA. Fait important à signaler dans le contexte actuel de l'épidémie de sida, l'héroïne, très rarement injectée, est fumée plutôt que « sniffée ».

Enfin, plus récemment (1990), il m'a été donné d'observer l'apparition de « crack » à Pikine. Avec un gramme de cocaïne (qui se négociait autour de 20 000 FCFA en 1991), un dealer à la recherche d'un profit plus important est en mesure de fabriquer, sur un réchaud de cuisine, une dizaine de « cailloux » (17) qui seront revendus 5 000 F pièce puis fumés dans des pipes artisanales (« tam-tam »).

---

(16) Ces résultats concordent avec ceux d'une enquête effectuée au Brésil dont l'auteur considère les solvants organiques comme une « drogue d'initiation » (Carlini-Cotrim et coll., 1988). Près de 40 % de nos informateurs ont reconnu avoir l'expérience (au minimum un contact) des solvants organiques. Seulement une minorité (environ 3 %) en font un usage chronique, souvent en rapport avec l'exercice d'une profession à risques (menuisier, en particulier).

(17) Le « crack » sénégalais se présente sous la forme de cristaux irréguliers obtenus en chauffant jusqu'à solidification une solution, dosée à parts égales, d'hydrochloride de cocaïne et de bicarbonate de soude.

CHAPITRE XV

SOIGNER
Ethnographie V (suite et fin)

1989

Les événements de février et mars 1988 ont marqué l'entrée du Sénégal dans une zone de turbulences. Depuis cette date, l'opposition ne désarme pas et entretient une agitation permanente. En 1989, plusieurs meetings électoraux de Ablaye Wade (le leader du PDS, principal parti de l'opposition) se terminent par des actes de vandalisme et des affrontements avec les forces de l'ordre.

C'est dans ce climat troublé qu'un incident de frontière survient entre le Sénégal et la Mauritanie. Début avril 1989, deux paysans sénégalais sont tués dans la région du fleuve Sénégal, au cours d'une dispute avec des éleveurs mauritaniens qui avaient franchi la frontière, à la recherche de pâturages en cette fin de saison sèche. L'annonce de cette nouvelle à Dakar provoque une flambée de violence qui surprend tout le monde par sa soudaineté : pendant trois jours, les boutiques des commerçants maures sont pillées (sans qu'il soit attenté à leurs vies) dans une ambiance festive. Divers témoignages permettent de penser qu'une grande partie de la population a profité de ces pillages, commis avec l'assentiment des mères de famille, ces gardiennes de l'ordre moral.

Fin avril - début mai, à la suite de ces pillages, des troubles très graves surviennent à Nouakchott, capitale de la Mauritanie. Les biens des artisans et commerçants sénégalais sont pillés et beaucoup sont assassinés. L'arrivée à Dakar des premiers blessés rapatriés déclenche une violence collective sans frein, légitimée par un désir de vengeance. Pendant plusieurs jours, la ville est livrée aux émeutiers : des bandes de jeunes parcourent la ville, recherchent les Mauritaniens cachés dans les maisons et les massacrent. Ils vont jusqu'à attaquer la FIDAK, ce complexe de bâtiments situé à proximité de l'aéroport, où ont été rassemblés, sous la garde des forces de l'ordre, les Mauritaniens en attente d'expulsion. Un pont aérien se met en place entre Nouakchott et Dakar pour rapatrier les ressortissants des deux pays. Dans la vallée du Fleuve, des milliers de paysans de race noire sont expulsés de Mauritanie et se réfugient au Sénégal (Santoir, 1990, a et b).

Sur ces entrefaites (fin juin - début juillet), j'effectue une mission au Sénégal, que je mets à profit pour revoir l'ensemble de mes informateurs et connaissances... A l'approche de la Tabaski, l'ambiance est calme et chacun s'occupe à préparer la fête. Les circuits de distribution se sont reconstitués très rapidement (1)... La population est encore sous le choc de ce que l'on appelle ici les « Événements des Maures » et qui sont interprétés comme un moment de folie passagère à mettre sur le compte d'une jeunesse dépravée. Que ce soit dans les conversations privées ou dans les médias, les Sénégalais expriment leur honte de se voir « rabaissés au rang des nations nègres ordinaires » (expression relevée dans la presse locale) et ont entrepris de refouler au plus profond de leurs consciences cette atteinte intolérable à une représentation idéalisée d'eux-mêmes.

En fin de compte, il apparaît que le conflit a plus été un conflit entre nationalités qu'entre ethnies. A Pikine, les Sénégalais d'origine mauritanienne (comme Awa, cette prostituée qui avait été mon guide dans le « maquis ») n'ont pas été inquiétés : c'est la carte d'identité qui faisait la différence entre la vie et la mort.

« (30-06-89) Je n'ai pas encore pu rencontrer M. mais je collecte auprès de son amie Ndeye des informations qui me rendent optimiste : "Elle est retournée chez sa mère, a arrêté de boire de l'alcool et des 'pions'". Même Xadi aurait beaucoup changé : elle aurait laissé tomber les "pions", elle aussi, aurait grossi et serait partie tenter sa chance en Gambie (2). »

« (07-07-89) Répression accrue envers les jeunes déviants : les peines infligées pour usage et trafic de "drogues" sont de plus en plus lourdes. A défaut de pouvoir régler le problème numéro un des jeunes, à savoir le chômage, l'État semble avoir choisi de réprimer durement une partie de la jeunesse considérée maintenant comme dangereuse, les récents événe-

---

(1) La plus grande partie du commerce de détail (ces innombrables « boutiques » dispersées à travers le Sénégal) était entre les mains des Maures. Les boutiques abandonnées par leurs propriétaires ont été reprises par des Guinéens et des Sénégalais.

(2) Où elle devait finir par se marier et mener une vie rangée selon mes dernières informations (1992).

ments pouvant être interprétés comme relevant autant d'un défi à l'autorité de l'État que d'une vengeance contre les Mauritaniens. »

« (08-07-89) Visite aux parents de M. à Malika : elle aurait passé plusieurs semaines dans sa famille, mais en est repartie depuis la Korité. Le fils aîné du maître de maison vient d'être rapatrié de Mauritanie, démuni de tout, encore sous le choc mais bien content de s'en être tiré vivant. »

« A Nietti-Mbaar, je finis par rencontrer quelqu'un qui connaît l'adresse de M. Elle réside à présent à Fitt-Mitt, non loin du bar Madison où elle se prostitue régulièrement. Retrouvailles émues et longue discussion sur sa vie actuelle. Elle a laissé tomber les "pions" parce qu'elle ne veut plus jouer avec des "affaires" qui l'empêchent de penser clairement. Elle est seule et courageuse : « *Sama fit, dafa dëgër !* » (« Je suis courageuse ») me dit-elle fièrement pour expliquer la fermeté de son caractère. Dans le bar, elle boit rapidement ses bières, l'esprit aux aguets, toujours sur le qui-vive, prête à la bagarre. »

« (08-07-89) Ce qui l'embête le plus, m'explique-t-elle dans l'intimité de ma voiture où nous discutons, c'est la suppuration persistante de son abcès qui l'oblige à porter en permanence un morceau de tissu dans son slip. Elle estime ne pas être contagieuse (en tout cas, aucun des hommes avec lesquels elle a eu des rapports n'est tombé malade) et n'en souffre pas mais, dans ces conditions, elle ne peut envisager de se marier, car elle ne pourrait alors dissimuler son état à son mari. Et le mariage, comme elle me le répète avec insistance, est son seul moyen d'échapper à la prostitution. »

« (10-07-89) Ai passé l'après-midi en compagnie de M. et de ses copains rassemblés autour d'une théière en ébullition... Une natte, une mince «éponge» recouverte d'un bout de tissu, et une bassine en plastique dans laquelle elle entasse son linge et ses affaires de toilette composent tout son mobilier. Des tissus, accrochés par des ficelles à la fenêtre et à la porte, servent de rideaux. J'écoute le récit des menus événements qui font la vie quotidienne de M. : disputes, bagarres, arnaques, vols, larcins... Elle est complètement seule et complètement libre, en apparence solide comme un roc. »

« (10-07-89) J'accompagne M. chez la gynécologue de l'hôpital du "Roi-Baudouin" qui estime qu'une intervention chirurgicale s'impose sur ce qui paraît être un abcès fistulisé au niveau de la fesse droite. Déplacement jusqu'à Dakar où je parviens à la faire examiner par le responsable du service de gynécologie de l'Hôpital principal qui accepte de l'hospitaliser et de l'opérer. »

« (17-07-89) M. est hospitalisée à l'Hôpital principal et un bilan préopératoire est commencé. Je lui recommande de se comporter correctement pendant la durée de son hospitalisation : ne pas boire d'alcool, ne pas fumer de *yamba*, ne pas insulter les infirmières et aide-soignantes, etc. »

« (19-07-89) Elle a très bien compris l'importance de cette hospitalisation et s'est parfaitement adaptée à la vie du service. Calme, sereine, elle est persuadée de sortir bientôt guérie. Je me rends dans sa famille à Malika où je laisse un sac de riz en prévision de sa convalescence. »

« (20-07-89) Ultime journée au Sénégal (mon avion décolle à deux heures de l'après-midi). Dès huit heures du matin, je me rends à l'hôpital où je récupère le résultat de la fistulographie pratiquée hier : c'est la tuile ! Cet examen radiographique a mis en évidence une fistule entre le bas-rectum et l'orifice de la fesse, ce qui explique la suppuration persistante malgré le traitement médical. Après avoir recueilli l'avis de différents chirurgiens ("éxérèse large et suites opératoires compliquées"), il me faut choisir, en quelques minutes, entre l'intervention ou la sortie immédiate. Sachant que la plaie opératoire ne sera pas recousue et que la cicatrisation pourrait prendre plusieurs mois, les risques de surinfection m'apparaissent majeurs d'autant plus que sa famille ne pourra pas la prendre en charge tout ce temps-là. Dans ces conditions, je décide de la faire sortir immédiatement plutôt que de risquer une intervention dont le résultat me paraît très incertain (3). J'estime qu'elle pourra vivre encore des années (elle est malade depuis six ans) avec cette fistule alors que l'intervention risque fort de mettre sa vie en danger.

« Je suis troublé au point de ne pouvoir lui expliquer clairement en wolof la raison de ma décision, et puis je suis obligé de la quitter précipitamment pour aller prendre mon avion, navré de l'abandonner ainsi à son sort. »

1990

Plusieurs mois s'écoulent avant que je ne retourne au Sénégal pour une nouvelle mission. Dès mon arrivée, j'apprends que M. est en prison à Rufisque. Elle en sort deux jours avant mon départ et je la vois seulement à ce moment-là.

---

(3) Pour bien faire, il faudrait pratiquer une colostomie (autrement dit, poser un anus artificiel), la laisser en place pendant plusieurs mois jusqu'à ce que la fistule cicatrise puis la refermer dans un dernier temps.

« (12-05-92) Elle a changé. Plus lourde (elle a grossi en prison), repliée sur elle-même, volontiers silencieuse, comme indifférente au monde. Son visage est moins expressif, pris dans un masque dur qui le priverait de mobilité. Elle arbore deux cicatrices nouvelles au visage : l'une sur le front, l'autre entre la lèvre inférieure et le menton.

« Elle me raconte sa vie en prison pendant six mois : l'ennui, la solitude, le désœuvrement. Elle n'a reçu qu'une fois la visite d'un membre de sa famille. A sa sortie de prison, elle s'est retrouvée complètement démunie : même les habits qu'elle porte ne lui appartiennent pas, ils lui ont été prêtés par une copine à qui elle a laissé en gage son album de photos, la plus précieuse de ses possessions. Elle est hébergée actuellement chez un "copain" à Guédiawaye.

« Je comprends mal l'histoire embrouillée qu'elle me raconte lorsque je l'interroge sur les circonstances de son arrestation. En bref, un client, dévalisé par des "bandits" aurait porté plainte et la police aurait suspecté à tort M. et sa copine d'être complices des voleurs. Elles ont été arrêtées et condamnées chacune à six mois de prison pour "vol avec violence en réunion". Ce n'est qu'un an plus tard que j'obtiendrai qu'elle me fasse un récit circonstancié de cet épisode qui est rapporté au chapitre XI.

« Puis elle me raconte d'une voix monocorde comment elle a été battue à deux reprises par des clients, qui lui ont laissé ces cicatrices sur la face. Les violences envers les prostituées seraient le fait de certains clients, mais aussi de voyous qui les attendent à la sortie des bars pour les dépouiller de leur fric ou encore les violer. D'après M., le "maquis" devient de plus en plus dangereux et il ne se passe pas de nuit sans qu'une prostituée ne soit attaquée (4).

« Quant à sa maladie, elle n'a pas évolué depuis l'année dernière. Il y a toujours cette suppuration permanente qui la gêne. Elle n'a pas été soignée en prison faute de médicaments. »

« (14-05-90) Nouvelle consultation à l'Hôpital principal où le chef du service de gynécologie examine M., évoque de nouveau une étiologie tuberculeuse (malgré la négativité des examens précédents) et nous adresse pour biopsie chez le gastro-entérologue de l'hôpital... En attendant les résultats et, dans une ultime tentative pour modifier le destin de M., je mets en place autour d'elle un dispositif de soutien financier et médical afin de lui permettre d'aller jusqu'au bout d'un traitement antituberculeux de la dernière chance qui devrait durer au moins six mois. Je pose

---

(4) La veille même de notre rencontre, des bandes de casseurs ont mis à sac les bars du centre-ville à Dakar, en ont pillé les marchandises et violé publiquement les prostituées présentes devant l'assistance tenue en respect.

comme condition qu'elle retourne chez sa mère, car je veux éviter à tout prix une nouvelle incarcération qui interromprait une fois de plus son traitement. »

Dans une lettre du 17-06-90, Rama, qui supervise le traitement pour mon compte, m'informe que le résultat de la biopsie n'est pas en faveur d'une étiologie tuberculeuse. Malgré mes instructions, le traitement anti-tuberculeux est arrêté et, par la même occasion, l'espoir de guérir sa lésion disparaît... Aux dernières nouvelles, M. est repartie dans la « circulation ».

1991

Depuis mon passage l'année dernière, la ville a considérablement changé du moins dans son apparence. L'opération *set-setal* (*set* = propre, *setal* = rendre propre) a mobilisé la jeunesse, dans le but de procéder à une gigantesque opération de nettoiement et d'embellissement qui a concerné l'ensemble de l'espace urbain. Les murs de la ville se sont couverts de fresques murales (5) et de nombreux monuments ont été érigés à travers la ville à l'aide de matériaux de récupération (ferraille, plastique, troncs d'arbre, pneus, etc.).

Ce surprenant mouvement a donné lieu, depuis lors, à de multiples analyses qui ont mis, en général, l'accent sur l'importance culturelle d'un phénomène qui serait révélateur de l'émergence d'une nouvelle esthétique urbaine. De mon côté, je ne peux m'empêcher de faire le lien entre cette opération *set-setal* et les « Événements des Maures » qui ont ensanglanté la ville, un an auparavant. Dans une société profondément marquée par la dichotomie entre le pur et l'impur, le sang des Maures innocents répandu à travers la ville appelait une purification symbolique de l'espace urbain ainsi souillé. C'est un des sens qu'il faut attribuer, à mon avis, à cette opération d'assainissement exécutée par ceux-là mêmes qui avaient perpétré ces crimes. Par un tour de passe-passe largement inconscient, voilà la société entière lavée du soupçon de barbarie qui pesait sur elle. Le refoulement collectif fonctionne de façon efficace : une fois de plus, rien ne sera dit.

---

(5) Pour un inventaire et une géographie de ces fresques, se reporter au livre publié en 1991 par Enda Tiers monde.

Réfléchissant à mon rôle de chercheur dans une telle société, je comprends que mon travail consiste, pour l'essentiel, à dire ce qui est tu et à rendre visible une figure, celle de M., vouée à l'invisibilité. »

« (24-05-91) M. est installée dans une maison surpeuplée du quartier Médina-Gounasse, en bordure du Tali–Rouge (ainsi nommé du fait de la couche de latérite qui le recouvre). Elle est restée longtemps chez son amie Ndeye où un Toucouleur épris d'elle lui avait loué une chambre et l'aurait épousée si Ndeye, dans une crise de jalousie, n'avait révélé au grand jour, avant de la chasser, qu'elle était atteinte d'une maladie contagieuse qui l'avait rendue stérile.

« Pour la première fois depuis que je la connais, elle manifeste le désir de travailler. Elle voudrait vendre de la « soupe » (ragoût de viande et d'oignons) sur un étal devant chez elle et me demande de financer ce projet. »

« (28-05-91) Visite en compagnie de M. à la gynécologue du projet belgo-sénégalais : d'après elle, la stérilité de M. est définitive mais je n'ai pas le courage d'apprendre la nouvelle à cette dernière, craignant une réaction dépressive qui ruinerait les efforts qu'elle fait actuellement pour s'en sortir. »

« (04-06-91) Entretien de plus de trois heures avec M. autour de son album-photo... Elle remet sur la table le fait qu'elle n'ait pas d'enfant et me rappelle l'engagement que j'ai pris de la soigner. Je gagne du temps en lui disant que je veux d'abord m'occuper de sa lésion pour laquelle un traitement antituberculeux a été de nouveau repris... Vive dispute lorsque, au terme de notre travail, je refuse de l'emmener jusqu'aux abattoirs où elle veut acheter de la viande. Pour la première fois, elle menace de mettre fin à notre relation si je ne me plie pas à sa volonté. Je ne cède pas au chantage et lui répète : "Fais ce qu'il te plaira"... »

Dans les semaines qui suivent, j'observe l'échec de cette tentative pour accéder au marché de l'emploi (j'ai investi 30 000 F dans cette entreprise). Sa gestion n'est pas en cause. La faiblesse des gains réalisés (qui lui permettent tout juste de subsister au quotidien, sans qu'elle puisse économiser de quoi payer son loyer) ne lui permettent pas de faire face à l'irrégularité des ventes. Je comprends que pour les femmes qui s'adonnent à ces activités, il ne peut s'agir que d'un appoint au salaire d'un mari.

« (09-07-91) M. m'apprend que son frère Bougounta (le "fou") gravement malade (il vomirait du sang) a été expulsé de la chambre de sa grand-mère par les employés du service d'hygiène qui sont intervenus à la demande des voisins. Il se trouve actuellement à Malika chez sa mère qui demande mon aide. »

« (11-07-91) Je me déplace jusqu'à Malika où je découvre Bougounta installé dans un des poulaillers de son beau-père. Celui-ci a refusé de l'héberger dans la maison par peur de la contagion, ce qui ne l'empêche pas de craindre pour sa volaille, me confie-t-il. Il fait une chaleur étouffante dans cette cabane en planches couverte d'un toit de tôle où l'on ne peut se tenir qu'accroupi et dans laquelle Bougounta est en train de mourir. Il a uriné dans son pantalon et sa mère le lave et le change avant que nous l'embarquions (malgré son refus) dans ma voiture.

« Nous parcourons vingt kilomètres sur une route défoncée et encombrée d'un trafic intense, avant de parvenir au CHU de Fann où je devais passer près de trois heures à essayer de faire hospitaliser ce pauvre hère, couvert de sueurs, secoué par une toux à répétition qui l'épuise. Usant de mon titre de médecin, je parviens à le faire radiographier en urgence par un radiologue débordé. La radiographie montre une opacité des deux tiers du poumon gauche et une importante caverne à la base du poumon droit. Le service de pneumologie est complet et je suis dans l'impossibilité de le faire hospitaliser. Retour à Malika où je dépose Bougounta, épuisé par ce séjour de plusieurs heures dans un véhicule surchauffé. »

« (Vendredi 12-07-91) Mettant à profit la relative accalmie de la circulation au moment de la prière collective, je retourne chercher Bougounta dans son poulailler en compagnie d'un ami infirmier qui n'en croit pas ses yeux. Nous embarquons le patient toujours aussi mal en point mais qui, depuis hier, a été entièrement rasé et lavé par sa mère. En accord avec le chef du service de phtisiologie de l'hôpital de Fann, Bougounta est hospitalisé sous la surveillance de sa mère et de M. qui se chargeront de le nourrir et de laver quotidiennement ses vêtements et ses draps qu'il souille à répétition. »

« (27-07-91) Je suis passé deux fois à l'hôpital de Fann, cette semaine. Bougounta va mieux : hier, sa mère le promenait dans le jardin. Le chef de service est prêt à le garder le temps qu'il faudra pour le retaper mais il me laisse entendre que son transfert ultérieur dans le service de psychiatrie ne sera pas possible du fait de sa tuberculose. C'est ce que je répète à sa mère qui fait face avec courage et dignité à ce nouveau coup du sort. »

« (11-08-91) Malade, épuisé par la chaleur, j'essaie de me reposer quand M. vient m'apprendre que son frère est décédé le jour même. Elle sollicite mon aide pour sortir le corps de l'hôpital et le transporter dans quelque cimetière... Bougounta gît sur son lit, étrangement serein et paisible dans la mort, la mâchoire ceinte d'une bande de tissu noué sur le crâne, enveloppé dans un drap de couleur brunâtre.

« D'après M., il nous faudrait sortir le corps rapidement avant qu'il ne soit transféré à la morgue, ce qui entraînerait des frais supplémentaires pour la famille, et j'ai toutes les peines du monde à la convaincre que je ne peux décemment transporter le cadavre de son frère plié en deux dans le coffre de ma petite voiture... Elle découvre le visage de son frère qu'elle contemple longuement. Elle aurait voulu que j'emporte mon appareil photo pour tirer le portrait de son frère, mais j'avais refusé de faire demi-tour pour aller le chercher... Le premier jour, je m'étais refusé par pudeur à photographier ce cadavre ambulant, ensuite je n'avais pas compris l'importance pour M. de garder au moins une image de son frère...

« A chaque question que je lui pose, M. ne cesse de me répondre "Qu'est-ce que j'en sais ? Qu'est-ce que j'en sais ?...", ce qui a le don de m'exaspérer. Et moi, qu'est ce que j'en sais de ce cadavre, de la morgue, de la famille qui se défile, du transport, de l'enterrement, etc. ?

« Au cours de ce séjour, j'ai perçu, avec beaucoup plus d'acuité que par le passé, l'accroissement des inégalité sociales dans cette société, et je m'en veux de m'être embarqué dans cette galère charitable alors que, sous mes yeux, les nantis paradent sans vergogne devant les humiliés. Et puis j'en ai assez de la mère de M. qui a exigé récemment une somme impor-tante que je suis sûr de ne lui avoir jamais promise. Elle est prête à toutes les manigances (récemment, elle a même proposé de me vendre la moitié de leur concession à l'insu de son mari) pour échapper à l'abîme de médiocrité dans laquelle son mari l'a entraînée, elle et ses enfants. Alors que je m'étais abstenu jusque-là de porter un jugement sur cet homme, son manque d'humanité envers son beau-fils m'a choqué et je le considè-re à présent comme une nullité absolue. Je ne l'ai jamais vu faire le moindre effort : il se contente à longueur d'année de contempler les ébats de ses pigeons qu'il trouve "très intelligents"...

« Excédé, je choisis de laisser la famille se débrouiller avec ses pro-blèmes et je quitte M. en lui remettant une somme qui devrait couvrir par-tiellement les frais de l'enterrement. »

« (16-08-91) Je demande à M. d'excuser le manque de considération que je lui ai manifesté l'autre jour et j'en profite pour l'interroger sur son beau-père. Elle m'en fait, à présent, un portrait beaucoup moins flatteur que lors de nos premiers entretiens (en 1988).

« A ses dires, sa mère souffre en permanence de l'incapacité de son mari à subvenir aux besoins de sa famille. Si elle en avait les moyens ou si elle avait de la famille, elle quitterait immédiatement un homme qui ne travaille plus depuis longtemps. D'après M., il n'est même pas capable d'assurer la "dépense" quotidienne (c'est-à-dire de donner de quoi pré-parer, au moins, le repas de midi) et lorsqu'il donne quelque chose, il s'agit d'une somme ridicule. Actuellement, c'est un demi-frère de M. qui subvient aux besoins des siens quand il trouve du travail comme journalier sur un chantier.

« En ce qui concerne l'enterrement de Bougounta, ce sont des parents de son beau-père qui se sont cotisés pour régler les frais de transport jusqu'au cimetière, acheter les sept mètres de percale du linceul et rémunérer les personnes chargées de la toilette funéraire ainsi que les fossoyeurs. »

En décembre 1991, après une absence de plusieurs mois, je reviens à Pikine où Rama me remet, dès mon arrivée, une lettre dictée par M. à mon intention. Elle se termine par ces mots : « Il y a trois paroles que vous m'aviez déjà dites *(sic)* ; cela je ne l'ai pas oublié. Dans le cas où vous reviendrez, je vous le rappellerai ou sinon dans une prochaine lettre. »

Je sais qu'elle fait allusion ainsi à ma promesse de guérir sa maladie et de soigner sa stérilité. Cette fois, je sais que le temps des atermoiements est révolu et qu'il me faudra lui dire la vérité, c'est-à-dire lui avouer mon impuissance thérapeutique.

« (29-12-91) M. habite à présent une chambre (dans une maison du quartier Goui-Salam) à laquelle on parvient par un chemin qui s'enroule entre les maisons, à la manière de la spirale d'un escargot. D'emblée, elle me raconte comment elle vient de se faire dérober son "éponge", sa valise pleine de vêtements et un poulet qu'elle gardait dans la cour. Elle prétend connaître les voleurs mais ne peut rien contre eux, faute de preuve. Sa voisine, terrorisée, a laissé faire et n'a commencé à crier que lorsque les voleurs ont voulu s'emparer de son propre poulet. L'album-photo a été jeté un peu plus loin dans la rue et sa valise a été retrouvée vide sur un tas d'ordures (...) Elle me raccompagne jusqu'à ma voiture et, au moment de prendre congé, me pose la première question qui lui tient à cœur : quand est-ce que je pourrai guérir cette lésion qui suppure en permanence, malgré des années de traitement ? Je la prends alors par les épaules et lui avoue mon impuissance. On ne peut guérir cette maladie... Elle n'est pas mortelle, mais elle devra composer avec elle tant qu'elle vivra.

« Elle plaide sa cause, se déclare prête à subir une intervention chirurgicale même si elle doit en mourir car, m'explique-t-elle, avec cette suppuration permanente, elle est condamnée à une prostitution au plus bas niveau. Je lui rétorque que tout ce qui était faisable a été fait et que je ne peux plus rien pour elle, médicalement parlant. En réponse à sa seconde question ("Est-ce que je pourrai avoir des enfants ?"), je lui propose d'aller prochainement consulter ensemble la gynécologue du projet belgo-sénégalais. »

« (31-12-91) Elle n'a pas de petit ami régulier, me dit-elle, et je suppose qu'elle doit se prostituer, de temps en temps, dans les "clandos" du coin même si, à ses dires, elle a cessé de fréquenter le "maquis" car "ce n'est pas assez payant et trop risqué à cause des ramasses et des maladies des hommes") (6). Elle se maintient à la limite de la survie grâce à une "copine" ndiago qui tient un petit "clando" dans les environs et qu'elle assiste dans son travail. Au moins, elle mange tous les jours et ça ne lui réussit pas trop mal puisqu'elle a grossi et semble en pleine forme.

« Son plus gros souci, c'est le loyer (4 000 F par mois) qu'elle ne parvient pas toujours à régler à temps, s'attirant ainsi des "problèmes" avec son propriétaire, dont elle me vante par ailleurs le caractère arrangeant. »

1992

« (05-02-92) Sa grand-mère vient de décéder. M. exprime le regret de ne pas lui avoir rendu visite quand il était encore temps. Elle avait, depuis longtemps, l'intention de lui demander pardon "pour tout ce qu'elle lui avait fait subir"... Si j'en juge par ma propre expérience, je suppose en effet qu'elle avait dû lui en faire voir de toutes les couleurs... »

Dans les jours qui suivent, nous rendons visite à la gynécologue du projet belgo-sénégalais qui confirme à M. l'impossibilité dans laquelle nous sommes de guérir sa stérilité. Elle lui conseille d'adopter un enfant... Peu de temps après, lorsque je viens prendre congé avant de repartir, je la trouve en compagnie d'une fillette qui vient de lui être confiée par une amie et qu'elle a l'intention d'élever comme son enfant, m'affirme-t-elle.

Je lui remets de quoi se racheter un matelas, un lit et aussi se faire établir des papiers d'identité, ce qui est une affaire compliquée, car sa mère a perdu son bulletin de naissance. Dans ces conditions, il lui faudra "graisser" quelque employé de l'état civil pour acquérir une existence légale au prix d'un faux.

---

(6) J'éprouve de plus en plus de réticences à jouer auprès d'elle mon rôle de chercheur curieux et indiscret. Elle s'autonomise progressivement et regagne la maîtrise de sa vie. De mon côté, je respecte cette opacité nouvelle à l'investigation.

Alors que cet ouvrage est sous presse, une lettre de M. (en date du mois de mars 1993) m'apprend qu'elle est devenue une « vraie citoyenne sénégalaise » avec la récente obtention, pour la première fois de sa vie, d'une carte d'identité.

Action thérapeutique

Dans le cas du travail accompli avec M., intervention thérapeutique et observation ethnographique ont été étroitement mêlées. Au départ, la gravité de son état a constitué le facteur déclenchant d'une action thérapeutique sous-tendue par une éthique qui me fait obligation de porter assistance à une personne en danger. Plus tard, j'en suis venu à considérer M. comme une informatrice privilégiée du fait de sa position singulière à la périphérie d'une marge à laquelle je n'avais pu accéder jusque-là. Dans ces conditions, sa prise en charge a constitué l'amorce d'une dynamique d'échanges fondée sur un principe de réciprocité : des soins contre sa participation à un travail de recherche.

La pathologie présentée par M. est d'une grande complexité. En elle se nouent, de façon dramatique, des éléments appartenant à toutes les dimensions de son être : biologique, psychologique, culturel, social. Dans le but de dénouer cet enchevêtrement, je vais utiliser des outils conceptuels empruntés à l'anthropologie médicale nord-américaine. Il s'agit d'une conception de la maladie organisée autour de trois notions fondamentales qui renvoient, chacune, à un point de vue particulier :

> « La maladie "disease" fait référence à des anomalies dans la structure et/ou dans le fonctionnement des organes (...) ; des états pathologiques qu'ils soient reconnus ou non par la culture ; c'est le domaine du modèle biomédical.
> « La maladie "illness" renvoie aux perceptions et expériences d'une personne confrontée à certains états socialement dévalués qui incluent les atteintes biologiques sans être limités à ces derniers » (Young, 1982 : 264-5. Traduction personnelle).

A ces deux façons de concevoir la maladie, il est classique d'en ajouter une troisième organisée autour de la notion de « sickness », dont la définition prend en compte l'ensemble des facteurs sociaux, politiques et économiques qui vont déterminer :

– les modalités de distribution de la maladie entre les différents groupes sociaux et entre les sexes ;

– le déroulement et les résultats des processus de recherche de thérapie initiés par les acteurs ;

– les modalités d'accès au secteur biomédical du système de santé.

En appliquant ces notions à l'ensemble des phénomènes pathologiques observés lors de l'étude et du traitement du cas de M., je vais tenter à présent, dans un mouvement de déconstruction/ reconstruction, d'en déchiffrer la complexité.

La maladie « illness »

La définition de la maladie comme « illness » renvoie à ce que Kleinman (1980 : 71) appelle « la construction culturelle de la maladie en tant qu'expérience psychosociale » qui a pour fonction première de conférer une signification à un événement pathologique. Dans cette optique, on peut dire schématiquement que chaque individu élabore un « modèle explicatif », c'est-à-dire une explication adaptée à une maladie actuelle, au moyen de laquelle il est en mesure de faire un choix entre les différentes alternatives thérapeutiques disponibles. La construction d'un tel modèle fait intervenir habituellement un groupe de soutien, soit restreint (la famille, le réseau social), soit élargi à l'ensemble de la collectivité.

Le fragment du récit de vie de M. présenté ci-dessous va servir à illustrer mon propos :

« W – Ta maladie, quand a-t-elle commencé ?

M – "Quatre-vingt-quatre" (...) Quand ça a commencé (...) en "quatre-vingt-quatre", ce n'était qu'un tout petit bouton...

W – Sur la fesse ?

M – Oui. Il a commencé tout petit mais ce bouton il faisait mal, mal, très mal, mal à en crever. Tout ce qui l'entourait – comme maintenant – c'était dur, tu comprends ? C'est resté une "affaire" petite comme tout pendant l'année "quatre-vingt-quatre" et aussi en "quatre-vingt-cinq" et jusqu'à la mort de mon mari. En "quatre-vingt-six", il a commencé à grossir un petit peu, puis s'est arrêté au bout d'un moment et un autre est arrivé sur le côté, tu vois ? Les deux étaient proches, mais quand ils ont été de la même grosseur, alors, ils ont refusé de se rompre. Ils n'ont pas percé quoi, ils ont refusé de percer. Ensuite, ça a donné cette "affaire"-là et c'est au moment où nous nous sommes rencontrés que ça me faisait le plus souffrir. Mais en ce "temps"-là, cela ne me faisait pas souffrir, ça ne m'avait pas clouée au lit, c'était tout petit et j'ai supposé que c'était un abcès et qu'après il allait percer et que ce serait la "fin" (...)

W – Mais toi (...) ta maladie est-ce que c'est un *rab* qui l'a apportée ?

M – Sûrement ! Sûrement, c'est un *rab* ! *(Elle hésite)*... Mais parce que ce n'est pas contagieux, c'est un ver. Cette maladie, c'est un ver, un ver qui est entré par là... Un ver ! »

Elle poursuit en précisant qu'il y a des vers de nombreuses « façons ». Ceux qui ressemblent aux vers que l'on peut observer parfois dans des oranges très sucrées donnent des abcès du genre qu'elle a. Habituellement, il suffit de les presser pour en expulser le vers. A ce propos, on se rappelle le terme de *ngaal* employé par Xadi lors de ma rencontre initiale avec M. Ce terme désignerait une plaie occasionnée par la présence d'un ver du même nom (gros et court) qui pénètre sous la peau (7).

A partir de ces quelques observations, on note en premier lieu comment M. a élaboré un modèle explicatif à partir des catégories nosographiques d'un savoir empirique qui relève de ce que Kleinman (1980 : 50) appelle le « secteur populaire » du système de santé, qui inclue tous les acteurs non spécialisés, profanes, qui définissent en premier la maladie et initient les activités de soins.

A ce sujet, il faut savoir que les affections dermatologiques sont très fréquentes dans la population pikinoise (en particulier, chez les enfants) au point qu'elles sont considérées comme extrêmement banales et que pratiquement tout le monde est capable de classer les lésions cutanées en trois catégories en fonction de leur aspect et de leur dimension :

– le *picc* est une lésion pleine et surélevée, correspondant, dans la sémiologie biomédicale, à diverses lésions de la peau : macule, nodule, pustule, vésicule, etc. ;

– le *taab* est une tuméfaction volumineuse, chaude, douloureuse, à la consistance plus ou moins molle (c'est la définition médicale d'un abcès, d'un furoncle) qui peut évoluer spontanément vers l'ouverture à la peau ;

– enfin, le *goom* est une lésion caractérisée par l'ouverture de la surface cutanée (ulcère, plaie, abcès ouvert, etc.).

Comme l'explique M., le *picc* et le *taab* peuvent correspondre aux différents stades d'une évolution spontanée vers la guérison ce qui, dans un premier temps, a justifié son attentisme thérapeutique. La référence à cette sémiologie populaire a donc entraîné une sous-évaluation de la gravité de

---

(7) Définition extraite d'un travail non publié de A. Thiaw (chercheur au Centre de linguistique de l'université de Dakar) et consacré aux termes médicaux en wolof.

la pathologie et, par voie, de conséquence, un pronostic erroné. En ce qui concerne l'explication proposée, il s'agit d'une explication « naturelle » (qui relève du sens commun) excluant toute interprétation de type « magico-religieux » (par exemple, l'intervention d'un *rab* est finalement écartée après réflexion).

La maladie « disease »

Dans le cas de M., c'est autour d'un modèle explicatif biomédical que s'est organisée une intervention thérapeutique qui a évolué dans le temps, en fonction des résultats du processus de recherche de thérapie. Au premier abord, j'ai été confronté à une pathologie associant une lésion cutanée dont l'étiologie restait à déterminer et une intoxication par les « pions » dont l'interprétation a varié au cours du temps.

Ainsi, dans une première phase, je n'ai pas fait de relation entre l'affection biologique et l'abus des médicaments psychotropes. Puis, j'ai interprété cela comme une auto-médication à visée antalgique et hypnotique. Enfin, lorsque j'ai constaté la persistance d'une consommation abusive des « pions » malgré la disparition des symptômes (douleurs, troubles du sommeil) et l'amélioration de son état de santé, j'ai avancé une explication qui mettait en relation cette intoxication avec la souffrance psychique consécutive à la mort de son mari (dépression réactionnelle). En réalité, l'affaire est probablement encore plus complexe que cela car, d'après le témoignage de son amie Ndeye, il semble que M. ait commencé à boire des « pions » avant la mort de son mari, sans que l'on puisse, en l'absence d'informations supplémentaires, savoir s'il s'agissait d'un usage abusif ou non.

En ce qui concerne la lésion dermatologique, l'établissement d'un diagnostic n'a été possible qu'au terme d'une épuisante course d'obstacles puisqu'il s'est écoulé six semaines entre la première consultation gynécologique et le démarrage d'un traitement antibiotique adapté. Pendant ce laps de temps, il y a eu plusieurs consultations au centre de santé du Roi-Baudouin, deux prélèvements sanguins au centre de santé Dominique, deux consultations spécialisées dans le service de dermatologie de l'hôpital Le Dantec et un examen histologique pratiqué à l'Institut Pasteur. Est-il nécessaire de préciser que toutes ces démarches sont hors de portée d'un individu comme M. ?

Parmi les principaux obstacles rencontrés sur cet itinéraire thérapeutique, je retiendrai :

– les résistances de M. face à l'appareil de soins biomédical (par exemple, sa fuite pendant deux semaines à la suite de notre rencontre initiale) et aussi un comportement provocateur qui induisait des réactions de rejet de la part de la population, en général, et des agents de l'appareil de soins, en particulier (ainsi l'incident survenu à Dominique à l'occasion de la troisième prise de sang) ;

– les dysfonctionnements de l'appareil de soins, qui relèvent autant du domaine technique (l'erreur du laboratoire sur le premier prélèvement sanguin ou encore l'hémorragie consécutive à la biopsie pratiquée à l'hôpital Le Dantec) que du domaine éthique (pourquoi, lors de la première consultation dans ce même hôpital, le dermatologue consulté n'a-t-il pas pris ses responsabilités ?...) ;

– la gravité de la pathologie qui, de ce fait, ne pouvait être prise en charge complètement dans le cadre de l'appareil de soins de santé primaires en place à Pikine et nécessitait le recours à des institutions hospitalières dakaroises ;

– l'absence pure et simple de structures de soins destinées aux détenues de sexe féminin dans la prison de Dakar.

Lorsque, dans l'état actuel de mon analyse, j'essaie de faire un bilan de cette action thérapeutique, je suis à même d'en distinguer trois phases :

(1) Dans la période qui a précédé la collecte du récit de vie, je me suis contenté de jouer un rôle d'intermédiaire entre M. et l'appareil de soins et de prendre en charge ses besoins essentiels (logement, nourriture) dans le cadre d'une stratégie de « maintien à domicile » et de prise en charge indirecte. A ce sujet, j'ai déjà souligné l'échec de mes tentatives pour reconstituer un réseau de soutien autour de M.

(2) Avec du recul, j'estime que la période d'énonciation et d'enregistrement du récit de vie est capitale. Elle correspond au moment où se met en place, du côté de M., une relation transférentielle dans laquelle j'occupe la position d'une figure paternelle (8). A partir de ce moment-là, je me suis trouvé impliqué, contre mon gré, dans cette relation thérapeutique du

---

(8) Le transfert (notion élaborée par Freud pour rendre compte de ce qui se passait entre un névrosé et son analyste) s'établit spontanément dans toutes les relations humaines. Dans le cadre d'une relation thérapeutique, « (C)ela signifie qu'il (le malade) déverse sur le médecin un trop-plein d'excitations affectueuses, souvent mêlées d'hostilité, qui n'ont leur source ou leur raison d'être dans aucune expérience réelle ; la façon dont elles apparaissent, et leurs particularités, montrent qu'elles dérivent d'anciens désirs du malade devenus inconscients » (Freud, 1966 : 61).

fait que je ne pouvais abandonner M. à son sort sans prendre le risque de la détruire, et de fouler aux pieds le principe déontologique élémentaire « *Primum non nocere* » (« D'abord ne pas nuire »). J'ai donc accepté de l'accompagner dans son douloureux cheminement, démarche qui s'est révélée d'une portée heuristique considérable en m'obligeant à me confronter à une société qui, dans son ensemble, ne partageait pas mon point de vue.

(3) Enfin, dans un troisième temps, à partir de son arrestation et jusqu'en janvier 1992, je me suis comporté comme son médecin traitant vis-à-vis de l'appareil de soins biomédical, comme un avocat par rapport à l'institution judiciaire et, de façon générale, comme un parent vis-à-vis de M. en me substituant, par mon soutien autant moral que financier, à la défaillance de son réseau. Mais en assumant ainsi une responsabilité qui dépassait mes compétences dans le domaine de la psychothérapie, j'ai dû cheminer la plupart du temps « dans le brouillard », sans pouvoir discuter avec quelqu'un des aspects problématiques d'une relation par rapport à laquelle j'avais du mal à garder une attitude objective. Il en fut ainsi, par exemple, lors de la dramatique scène à la porte du dispensaire et de mon incapacité à comprendre alors l'angoisse générée chez elle par l'imminence de mon départ.

La maladie « sickness »

Nous allons à présent envisager la maladie de M. dans ses aspects sociaux en posant la question de l'accessibilité aux services de soins et celle du dysfonctionnement de son réseau de soutien.

La ville est souvent conçue, par rapport au monde rural, comme un lieu privilégié dans le domaine de la santé, mais comme le fait remarquer un chercheur ayant travaillé sur Pikine : « Ce privilège global masque, par un effet de moyenne, une différenciation devant la maladie et la mort qui recoupe assez précisément la stratification socio-économique urbaine » (Fassin, 1987 : 155).

De fait, la région du Cap-Vert est suréquipée du point de vue médical par rapport au reste du Sénégal (9) et, à Pikine même, un projet de soins de santé primaires fonctionne de façon efficace avec deux centres de santé

---

(9) « Les trois quarts de l'effectif des médecins que compte le Sénégal sont groupés dans le Cap-Vert où sont rassemblés, par ailleurs, les trois quarts des pharmaciens de tout le Sénégal, les deux

offrant des consultations spécialisées et plus d'une vingtaine de dispensaires publics répartis dans la ville, sans compter les dispensaires privés,
les pharmacies, les médecins libéraux, etc. De plus, le secteur dit « traditionnel » du système de santé est particulièrement développé : nous avons
recensé plus de 1 200 marabouts et thérapeutes traditionnels en activité
dans les limites du département de Pikine (Werner, 1987).

« W – Mais quand tu étais avec ton mari, tu avais de l'argent ?...
M – Oui.
W – Pourquoi ne t'es-tu pas soignée ?
W – (...) Je te l'ai déjà dit : c'était une "affaire" de rien du tout. Et
alors je me suis dit : c'est un abcès, ce n'est pas grave, s'il mûrit, il percera
et une fois percé, "après" il guérira. C'est ce que je pensais. Entre-temps –
avant qu'il ne mûrisse et ne perce – mon mari est mort et c'est "après" sa
mort que tout est "arrivé". Mais s'il avait vécu au moment où j'avais ça,
cette "affaire" ne serait pas devenue comme ça. "Parce que", en ce
"temps"-là, j'avais de l'argent (bis), mon mari avait de l'argent. Ce qui
m'est arrivé, il aurait pu le faire soigner parce qu'il avait de l'argent. Mais
en ce "temps"-là, ce n'était pas une "affaire" !

« Ça a commencé tout petit et avant que ça ne s'aggrave, mon mari est
décédé. Lorsque je me suis trouvée dans les "souffrances", lorsque ça
s'est "engagé" grave, il se trouve que je n'étais plus capable de rien faire :
je n'avais plus rien, je ne rencontrais plus personne qui puisse m'aider.
C'est comme cela que cette "affaire" s'est passée. Mais du vivant de mon
mari, une "affaire" comme ça je ne l'aurais pas laissée traîner. En ce
"temps"-là j'avais des "possibilités" pour me soigner. Alors, j'avais de
l'argent, mon mari avait de l'argent et si on m'avait dit "cinq cent mille
francs te guériront", Grâce soit rendue à *Sëriñ* Touba, j'aurais payé "parce
que" mon mari, il les avait et puis il était capable de s'occuper de moi,
oui, il me prenait en charge. »

Si on réfléchit au problème posé par l'absence de traitement de cette
pathologie en termes d'accès à l'appareil de soins, ce qui apparaît de
prime abord, c'est l'évolution dans le temps de la capacité de M. à se faire
soigner. Tant que son mari était vivant, elle l'avait, puis brusquement, à sa
mort, elle en a été privée. Sa situation est donc caractérisée par son instabilité et celle-ci est liée à sa dépendance économique envers les hommes,

---

tiers des sage-femmes et des dentistes. La presqu'île est équipée, avec 2 600 lits d'hospitalisation et
cinq grands hôpitaux publics, non compris de nombreuses cliniques privées, de la moitié de tout
l'appareil hospitalier du pays » (Nguyen Van Chi-Bonnardel, 1978 : 245).

dépendance directement déterminée par son sexe, comme on a pu le voir précédemment.

On constate également que la pauvreté est un facteur essentiel. Une pauvreté extrême, comme en témoigne le terme de *tumuranke* employé par M. pour qualifier un état de dénuement qui dépasse le contenu des termes entendus d'habitude *(baadoolo, ñaka pexe, coono...)* pour exprimer ce que les gens traduisent habituellement en français par « manque de moyens ». Et pourtant, Pikine représente un cas privilégié par rapport à la plupart des villes africaines puisqu'un appareil de soins de santé primaires (donc, par définition, accessible à toute la population) y fonctionne. Mais M. n'était pas en mesure de verser la somme modique (soit 250 FCFA) que coûte une consultation de gynécologie ou un examen de laboratoire, sans parler de l'achat des médicaments. Cette exclusion économique souligne l'extrême marginalité de cette jeune femme, mais aussi son isolement social.

Car la situation de M., à la suite du décès de son mari, n'aurait pas été si catastrophique si elle avait pu bénéficier de l'assistance de sa parenté. Or, on constate que ses parents du côté maternel (c'est vers eux que traditionnellement l'individu se tourne en cas de crise) n'étaient matériellement pas en mesure de l'aider. Pour que l'entraide fonctionne, encore faut-il qu'il y ait quelque chose à partager et quand l'individu est démuni, il se retrouve isolé car il existe une relation entre pauvreté et sociabilité :

> « C'est que les relations sociales (...) s'établissent généralement entre des citadins de conditions proches et se fondent sur des principes de réciprocité. Autrement dit, ceux qui n'ont rien se retrouvent souvent avec ceux qui n'ont rien à donner (...) c'est parmi les plus pauvres que les solidarités fonctionnent le plus mal et que l'absence de ressources économiques se double souvent d'une faiblesse des relations sociales... » (Fassin, 1987 : 172- 173).

Par contre, on peut se demander si cette absence de solidarité est uniquement due à la pauvreté de ses parents et si on ne pourrait pas aussi l'interpréter comme la conséquence d'une stratégie individualiste. En effet, M. m'est toujours apparue comme une personne foncièrement centrée sur elle et peu encline au partage, même si mes observations concernent une période où elle était dépourvue de tout. Mais elle n'a pas toujours été dans ce cas comme elle nous l'a expliqué longuement, à propos de son second mariage.

Dans ce contexte d'abondance relative, a-t-elle redistribué une partie de ses richesses dans sa parenté ?... Comment a-t-elle fait face à ses obligations envers ses proches ?... A-t-elle manifesté un comportement solidaire vis-à-vis de sa grand-mère, de ses tantes, de sa mère ?... Il n'est pas possible de répondre à toutes ces questions, mais le doute subsiste quant à son investissement dans l'entretien de son réseau familial, même si sa mère affirme le contraire, car on sait combien, dans cette famille en perdition, chacun s'évertue à donner de l'autre une image idéale.

En bref, on peut résumer ainsi la situation :
(1) les inégalités devant la santé sont des inégalités sociales ;
(2) être femme est un facteur de vulnérabilité supplémentaire ;
(3) en période de crise, une stratégie individualiste est risquée.

Résultats

L'action thérapeutique entreprise avec M. relevait à la fois d'une méthode ethnographique (participer) et d'une démarche expérimentale, en ce sens qu'il s'agissait de tester, en pratique, le savoir élaboré au cours de mes recherches parmi les usagers de drogues en l'appliquant à la résolution d'un cas précis. Une situation d'autant plus difficile qu'il s'agissait d'un cas extrême de marginalisation sociale.

Le traitement médical de l'affection biologique n'a pas posé de problème une fois le diagnostic établi, et nous avons observé une amélioration spectaculaire sans pouvoir aboutir à une guérison complète du fait de la persistance d'une suppuration. Le bilan pratiqué en juillet 1989 à l'hôpital Principal a mis en évidence une lésion anatomique irréversible dont le traitement chirurgical dépasse les ressources techniques disponibles à Dakar, sans parler du coût financier de l'intervention. De plus, en l'absence d'un soutien de la part du réseau familial, la prise en charge des soins post-opératoires se révèle impossible. Nous sommes dans une impasse : cette pathologie de nature infectieuse (facilement curable si elle avait été traitée rapidement) s'est transformée en un handicap biologique définitif qui ne représente pas, en lui-même, un danger pour la survie de M. mais constitue un obstacle majeur au mariage et, donc, à sa réinsertion sociale.

Mais c'est le problème posé par sa stérilité qui est assurément le plus grave pour elle, dans la mesure où il affecte de manière déterminante sa fonction sociale de reproductrice et met en cause de façon radicale son identité de femme. A ce niveau-là, je me demande rétrospectivement si l'acharnement à vouloir régler le problème de la suppuration n'a pas constitué une orientation thérapeutique erronée. En bref, même si le problème de la fistule avait été réglé, ses chances de se marier seraient restées minces et son avenir toujours aussi problématique. Mais ne s'agissait-il pas, en ce qui me concerne, d'une stratégie destinée à gagner du temps, à lui permettre de se reconstruire avant de la mettre en face de la perte définitive d'une partie essentielle de son être ?...

Par contre, le traitement de M. en tant que toxicomane a été beaucoup plus difficile et problématique. En l'occurrence, je n'étais pas en compétition avec l'appareil de soins d'une société qui considère les usagers de drogues plus comme des délinquants que comme des malades (10), avec comme résultat le fait qu'une infime minorité seulement est en mesure de dépasser cette stigmatisation pour aller chercher de l'aide auprès des rares psychiatres du secteur public.

De mon côté, dans un premier temps, il m'a fallu démêler l'écheveau embrouillé des différentes motivations qui lui faisaient abuser des « pions » :

– une auto-médication destinée à traiter des symptômes (troubles du sommeil et douleurs) en relation avec une affection biologique ;

– une souffrance psychologique liée à un travail de deuil non effectué ;

– la socialisation dans un milieu où l'usage des psychotropes est une pratique répandue et habituelle.

Après mon départ, et malgré (ou à cause du) le choc causé par l'interruption brutale de notre relation, M. a mis fin volontairement à sa dépendance envers les « pions », recouvrant ainsi une lucidité qui me paraît constituer un atout indispensable à sa survie dans un milieu hostile.

On peut voir dans ce résultat l'aboutissement de ce que j'appellerai une psychothérapie informelle, dont le moment clef serait le récit qu'elle fait de sa vie. Au cours de nos différents entretiens, elle serait parvenue (au cours d'un processus de déconstruction/reconstruction) à élaborer une représentation cohérente, ordonnée et signifiante de sa vie. Un travail qu'elle a pris en charge activement, ce dont témoigne la façon attentive dont elle écoutait l'enregistrement après chaque séance. Ou bien, plus simplement, on peut supposer que le fait de l'accompagner dans ses épreuves, de vivre devant elle l'expérience du « manque à être » sans message ni morale à faire passer, a permis de créer les conditions indispensables à la restauration d'un minimum d'amour-propre.

---

(10) Si l'on en croit les propos d'un magistrat : « En permettant aux drogués, à l'encontre de la réalité, de se considérer comme des malades et nullement comme des délinquants, on contribue à l'extension de la toxicomanie » (Doumbouya, 1980 : 28).

Aujourd'hui, j'estime que l'action thérapeutique est terminée et que M. est guérie, non pas du point de vue biologique (le traitement de sa fistule et de sa stérilité est hors de portée) mais d'un point de vue psychologique. J'en veux pour preuve le calme avec lequel elle a accepté finalement la nouvelle de son handicap biologique définitif et cette façon de mettre en œuvre immédiatement une stratégie alternative, la prise en charge d'un enfant, ultime étape d'un processus de resocialisation qui fut au cœur de mon action thérapeutique (11).

Quant à la gestion des aspects sociaux de sa maladie (« sickness »), il n'est pas du ressort d'un individu, de surcroît sans parole (au sens politique du terme) dans cette société. On a vu les obstacles insurmontables auxquels je me suis heurté lorsque j'ai tenté de rapiécer, autour de M., un tissu social en lambeaux. Mais ce n'est pas seulement la défaillance de son réseau de soutien qui m'a posé problème, c'est surtout le processus d'exclusion auquel elle est soumise de la part de la société, en général, et des instances étatiques, en particulier (*cf.* mes démêlés avec l'appareil judiciaire). Dans cette optique, les réactions négatives manifestées par M. (conflits, passages à l'acte destructeurs, répétitions des erreurs, etc.) peuvent être interprétées comme une participation active (et inconsciente) à son rôle de paria, de déchet social. Nous serions donc dans le cadre d'une « schismogenèse symétrique » au sens batesonien du terme.

En bref, il s'agit donc d'une démarche thérapeutique longue, onéreuse, à remettre sans cesse sur le métier et, d'un point de vue médical, hors de portée d'une société cruellement dépourvue des moyens financiers nécessaires. Par ailleurs, je pense que ces usagers de drogues, ces marginalisé(e)s défient la société sénégalaise de s'expliquer sur ce qui la fait vivre, sur ses « valeurs », et à cette question il ne pourra être répondue uniquement par l'usage de la violence. D'une certaine manière, on peut interpréter l'usage des drogues illicites comme le signe d'une fracture sociale, d'un fossé qui s'est creusé entre une partie de la société (notamment la jeunesse urbanisée) et l'État, comme je vais essayer de le montrer dans le chapitre suivant.

---

(11) En fait, cette tentative est restée largement virtuelle du fait de l'incapacité de M. à prendre en charge matériellement cet enfant. Par ailleurs, j'ai mis un terme, depuis le mois de décembre 1992, au soutien matériel que je lui apportais. M. est, à présent, entièrement livrée à elle-même.

DÉVIANCE, SOCIÉTÉ, ÉTAT

Après avoir dispersé sur la table, à la manière des pièces d'un puzzle, un certain nombre d'éléments qui composent la destinée de M., je tenterai dans ce dernier chapitre de promouvoir une réflexion globale sur les relations entre la société et l'État, telles qu'elles nous sont données à lire à travers le prisme particulier de l'usage des psychotropes illicites dans cette société.

L'usage des drogues est-il un phénomène marginal dans la société sénégalaise ? A cette question, il est possible de répondre de manière différente selon que l'on adopte le point de vue des acteurs en position de pouvoir (responsables politiques et leaders religieux) ou celui des usagers, tout en gardant à l'esprit que ces comportements déviants (par rapport à la loi) ne concernent qu'une fraction réduite de la population globale (de l'ordre de 1 à 2 % au maximum pour le chanvre indien, par exemple). Pour cette raison, nous avons choisi, dans un premier temps, de centrer notre analyse autour de la notion de marge, envisagée (à la suite de Corin, 1986) à la fois comme un processus, dont il faut comprendre la dynamique, et une construction qui serait autant le fait des acteurs situés à la périphérie que de ceux en position centrale, à condition de considérer cette représentation spatialisée et dichotomique de la société comme une approximation temporaire.

Dans cette perspective, je m'attacherai d'abord à rendre compte des représentations et des pratiques des acteurs en position centrale dans une société caractérisée par la coexistence de deux grands systèmes de référence, politique et religieux, avant d'offrir le point de vue des acteurs situés à la marge.

La construction de la marge par le centre

L'État sénégalais intervient à deux niveaux dans la construction de la marge. En premier lieu, il définit par son pouvoir de légiférer ce qui est légal et ce qui ne l'est pas, puis dans un deuxième temps, il gère, traite et réprime l'usage des psychotropes illicites par l'intermédiaire des agents appartenant aux institutions judiciaire, policière, psychiatrique et médiatique.

Les médias locaux mettent surtout l'accent sur les aspects criminels de l'usage des drogues, et l'augmentation de la criminalité constatée en ville est mise en relation avec ce « facteur criminogène ». L'usage des psychotropes illicites est ainsi considéré comme un « péril social », un « fléau », une « menace collective » dont la cible privilégiée serait la jeunesse. Le problème est dramatisé à l'excès : la drogue est partout et sa consommation en serait massive. Toutes les drogues (chanvre indien, médicaments psychotropes, héroïne) sont mises dans le même sac, à niveau de toxicité égal. Ainsi, le chanvre indien est présenté de façon stéréotypée comme « l'herbe qui tue » ou « le poison qui rend fou » (1) :

> « Cocaïne, cannabis, marijuana, opium, héroïne, barbituriques, tous ont les mêmes effets : annihiler la volonté de leur consommateur, le réduire à l'état d'esclave en lui faisant entrevoir les mirages des paradis artificiels. La toxicomanie détruit l'homme, lui enlevant à chaque pincée de poudre, à chaque bouffée de fumée ou à chaque injection, des lambeaux de sa personnalité et de son être physique. Elle tue. » (*Le Soleil* du 21-03-86).

En outre, les jeunes et leurs parents sont jugés moralement responsables de la dégradation du climat social favorisée par la perte des valeurs traditionnelles, la crise économique, etc. Mais, en définitive, ce qui ressort d'une lecture de la presse, c'est l'ignorance fondamentale des journalistes vis-à-vis des particularités locales d'un phénomène qu'ils apprécient de façon biaisée, à travers les informations en provenance des sociétés du Nord ou bien à partir du point de vue partiel des soignants du secteur psychiatrique.

---

(1) A cela, les usagers rétorquent, en s'appuyant sur leur propre expérience, que l'usage du *yamba* ne provoque pas de troubles mentaux graves, pas plus qu'il n'est responsable de la mort des individus.

Ces derniers, à partir de leur expérience hospitalière, insistent sur le fait que les usagers de drogues (définis ici comme des toxicomanes) sont, avant tout, des malades qui doivent faire l'objet d'un traitement médical alors que, simultanément, ils reconnaissent qu'ils sont démunis de moyens thérapeutiques et que, de toute façon, le traitement de ces patients est fort aléatoire compte tenu des difficultés posées par leur réinsertion socio-professionnelle (un euphémisme, pour parler du problème crucial du chômage). A leur niveau, l'analyse s'affine avec la distinction entre drogues dures et douces (2) et, surtout, une tentative pour penser de façon globale un « problème de société » (désorganisation sociale, crise de l'autorité parentale, perte des valeurs, facteurs psychologiques, etc.).

De son côté, si le législateur sénégalais considère le drogué à la fois comme un malade et un délinquant, en pratique l'usage, le trafic et la production des drogues illicites sont réprimés avec une sévérité non dénuée de violence. Tout se passe comme si l'appareil d'État avait choisi de régler le problème par la force, après avoir défini l'usager de drogues comme un délinquant qui doit être puni et rééduqué. Mais, dans les faits, la répression s'abat de façon très inégale sur les usagers, comme l'ont mis en évidence mes observations. Ainsi, des dealers arrêtés avec des quantités relativement importantes de substances prohibées peuvent échapper à la condamnation, voire à l'arrestation, en achetant le silence des policiers ou la complicité des agents de la justice, alors que de simples usagers sans ressources sont condamnés à de lourdes peines. Cette actualisation au quotidien de ce qu'un chercheur (Bayart, 1989) a appelé la « politique du ventre » a pour conséquence de faire retomber sur les plus démunis le glaive d'une justice partiale.

A ce sujet, la « grève des policiers » survenue au mois d'avril 1987 est un bel exemple des difficultés rencontrées par l'État sénégalais pour contrôler ceux-là mêmes qui sont censés faire respecter la loi. La cause immédiate du mouvement de contestation des policiers fut un verdict de culpabilité rendu par un tribunal dakarois à l'encontre de deux policiers jugés pour des sévices infligés à un prévenu. A la suite de quoi, des policiers mécontents (certains en armes) avaient pris la direction du palais présidentiel devant les portes duquel ils ont manqué de peu s'affronter aux gendarmes qui les gardaient. Le lendemain, l'ensemble des forces de police (environ 6 000 hommes) était révoqué par décret présidentiel.

Mais l'État n'est pas seulement engagé dans une lutte contre l'usage de certains psychotropes jugés toxiques, il favorise aussi, en la rendant léga-

---

(2) Cette classification entre drogues « dures » et « douces » connaît un regain de faveur actuellement avec le débat entre prohibitionnistes et déprohibitionnistes (*cf.* le numéro spécial de la revue *Psychotropes* – V, 2, 1989 – sur le sujet).

le, la consommation d'autres psychotropes tout aussi toxiques (comme le tabac et l'alcool) dont il contrôle en partie la production et la distribution. De ce point de vue, si l'alcool, consommé par une fraction réduite de la population, ne constitue pas un problème majeur de santé publique, la légalisation de son usage dans cette société islamisée à 95 % en fait un des symboles de la nature républicaine et laïque de l'État sénégalais (3).

En ce qui concerne le tabac, psychotrope dont la toxicité est largement reconnue, sa consommation est en train de se développer à vive allure au Sénégal (comme dans l'ensemble des pays du Tiers monde), plus spécialement parmi les jeunes, au moment où, dans les sociétés industrialisées, elle tend à stagner sous l'influence de législations dissuasives. Il y a là un problème de santé publique sans commune mesure avec celui posé par la consommation marginale de chanvre indien ou de médicaments psychotropes.

Pour ce qui est de la distribution de ces derniers, on peut supposer également que le marché ne pourrait être approvisionné de façon régulière sans des complicités dans l'appareil d'État (agents des douanes, agents hospitaliers...) ou dans certaines professions (pharmaciens, médecins), sans parler de la responsabilité des laboratoires pharmaceutiques étrangers (européens, en majorité) qui écoulent, sur le marché, des produits dont on peut questionner la pertinence d'un point de vue thérapeutique mais qui rapportent certainement de juteux profits.

Dans ce domaine, il faut signaler également l'implication probable de réseaux mourides dans la distribution de cette catégorie de psychotrope. A l'appui de cette thèse, on peut retenir les résultats d'une étude exploratoire effectuée à Pikine sur les réseaux de vente illicite de médicaments (Fassin, 1985), ainsi que mes propres observations concernant la distribution des psychotropes illicites (4) (Werner, 1992).

C'est ainsi que toutes sortes de médicaments (antalgiques, antipaludéens, antibiotiques, etc.) sont mis en vente, sur les marchés et dans les rues, par des vendeurs (affiliés à la confrérie mouride) qui s'approvisionnent au même endroit, le grand marché de Thiaroye notamment, que les revendeurs de « pions ». Faisant l'analyse de cette question, Fassin

---

(3) A ce sujet, je voudrais signaler comment, au cours des manifestations violentes qui se sont produites à plusieurs reprises dans le centre de Dakar, en dehors des symboles du pouvoir étatique (véhicules de l'administration, autobus de la compagnie de transports publics, cabines téléphoniques...), les bars sont souvent visés.

(4) En ce qui concerne le chanvre indien (et *a fortiori* l'héroïne et la cocaïne), les réseaux de distribution paraissent plus cosmopolites (au sens où les agents impliqués appartiennent à différentes ethnies, religions voire nationalités) et s'il y a implication de mourides, elle se ferait sur une base individuelle.

explique la relative tolérance de l'État à l'égard de la vente illicite des médicaments, en particulier par la nécessité dans laquelle se trouve le pouvoir de ménager des marabouts dont le soutien électoral lui est indispensable. Cette bipartition du pouvoir (5), qui prend la forme d'une alliance entre la République et les confréries, est une donnée fondamentale à garder à l'esprit pour comprendre le fonctionnement de la société sénégalaise contemporaine, même si ce « contrat social » est actuellement remis en question par une partie de la jeunesse urbaine (Cruise O'Brien, 1992 : 17-18).

Toujours dans la perspective d'une détermination de la périphérie par le centre, il est intéressant de s'arrêter un instant sur les rapports ambigus entretenus de longue date par les sociétés musulmanes avec le chanvre indien. De ce point de vue, l'exemple de la société égyptienne, où le hachich a été introduit dès le XIIIe siècle, est remarquable. Quoique interdite en Égypte depuis 1800 et condamnée depuis des siècles par les lettrés musulmans, la consommation du hachich est répandue dans tous les cercles de la population, à la ville comme à la campagne, avec une prédominance dans les couches les plus pauvres (Sami-Ali, 1971 : 65).

A ce propos, il faut ajouter que, s'il existe une ambiguïté au niveau de l'interprétation des textes sacrés par les usagers (une drogue « haïe mais non proscrite »), par contre la condamnation de l'usage des « drogues » par les marabouts sénégalais est unanime (6). Ces derniers interprètent le phénomène comme une crise morale dont la solution passe par le renforcement de l'autorité parentale, un « assainissement des mœurs » (interdiction de programmes télévisés, de la musique reggae...) et le renforcement de l'éducation religieuse. C'est d'ailleurs sur ce terrain que les mouvements d'inspiration religieuse sont les plus actifs, ce dont témoigne la construction à Pikine, ces dernières années, de plusieurs centres privés d'éducation islamique et de formation professionnelle. Ce souci de développer des nouvelles filières d'apprentissage, en marge du secteur étatique, dans le but de favoriser l'insertion des jeunes sur le marché du travail, est révélateur à la fois du pragmatisme des leaders religieux et des déficiences de l'institution scolaire publique.

Au total, ce que fait apparaître cette description des pratiques et représentations des acteurs « centraux », c'est l'existence dans la société séné-

---

(5) Un fait souligné par nombre de chercheurs qui se sont penchés sur la question, Coulon, 1981 ; Cruise O'Brien, 1975 ; Copans, 1980.

(6) La notion de drogue, définie de façon large, englobe toutes les substances susceptibles de modifier l'état de conscience, y compris dans certains cas (par exemple chez les tidjanes), le tabac.

galaise de deux systèmes de références légitimes qui sont, d'une part, l'État sénégalais, et d'autre part, l'ensemble politico-religieux constitué par les différentes confréries. Ces deux pôles du pouvoir contribuent de façon complexe (à la fois complémentaire et opposée) à définir et à constituer la marginalité selon les différentes modalités du social (juridique, politique, économique, religieux, médical...).

Le point de vue des usagers

On a vu comment nous nous étions efforcés d'appréhender les usagers comme des acteurs à part entière par le moyen d'une approche ethnographique et la mise à distance des catégories du normal et du pathologique. Ce type d'approche nous a conduit à reconnaître, d'une part, un sens particulier assigné à l'usage des différents psychotropes en fonction de leurs effets propres sur la conscience (« toutes les drogues ne donnent pas la même "prexion" ») et, d'autre part, l'existence d'une classification élaborée par les usagers au moyen d'une série d'oppositions binaires (propre/sale, naturel/artificiel, pur/impur) qui constituent autant de registres cognitifs, à la fois donnés par la culture, et objets de manipulation. Pour les besoins de notre argumentation, nous limiterons notre analyse à trois psychotropes : le chanvre indien (ou *yamba*), les médicaments psychotropes (ou « pions ») et l'alcool.

Le chanvre indien est considéré par nos informateurs comme un produit naturel, pur dont la « prexion » est propre.

Par naturel, les usagers font référence à la nature végétale du chanvre (peu toxique) par opposition à des produits de fabrication industrielle (comme les médicaments ou les solvants organiques) auxquels on attribue une grande toxicité. A partir de cette distinction, ils vont classer les psychotropes en « drogues » (les « pions », le « guinz » et l'alcool) et « non drogues » (le *yamba*).

De plus, pour une partie de nos informateurs, l'usage du *yamba* serait pur dans la mesure où, à la différence de l'alcool, il n'est pas interdit formellement dans le Coran. A ceux qui mentionnent l'existence d'un *hadith* du Prophète (7) proscrivant la consommation de toute substance suscep-

---

(7) L'ensemble des *hadiths* (faits et dits du Prophète) constituent la *sunna* (tradition) qui est la seconde source de la Loi (*charî'a*) après le Coran. Pour une discussion critique du rôle des *hadiths*, on pourra consulter « Le livre du musulman désemparé » (Amin, 1992 : 49-69).

tible de provoquer une altération de la conscience, certains usagers rétorquent que ce psychotrope ne devrait pas être rangé dans la catégorie des produits enivrants (8) car s'il altère la conscience, il ne rend pas ivre au sens où la « prexion » qu'il induit ne constitue pas un obstacle à la maîtrise de soi. Dans ces conditions, le *yamba* est même utilisé par certains de nos informateurs comme un adjuvant à la prière et à la méditation, une pratique attestée de longue date chez certains mystiques soufis déviants (Rosenthal, 1971).

Pour d'autres, le chanvre serait impur en tant que substance enivrante et il serait préférable de s'abstenir de prier après en avoir consommé. Il faut retenir ici que l'absence de référence explicite au chanvre indien dans le texte coranique ouvre la voie à des interprétations en opposition avec l'herméneutique orthodoxe des théologiens islamiques.

Du point de vue des usagers, la « prexion » du *yamba* est propre : audelà de la restauration de l'amour-propre, elle favorise la vie en société (libération de la parole, diminution de l'agressivité, respect des autres) et donne de la « science », c'est-à-dire l'accès aux ressources de l'imaginaire. En bref, parce qu'il apaise les tensions intra et inter-individuelles et favorise la paix sociale, on pourrait dire, en adoptant un point de vue fonctionnel, que le rôle primordial du *yamba* est celui d'un intégrateur social.

Mais l'usage de ce psychotrope par une fraction de la population pikinoise peut être interprété également comme le signe d'un processus de différenciation sociale, dans la mesure où une fraction minoritaire de la population (des jeunes nés en milieu urbain, après l'indépendance) se constitue en contre-culture par l'intégration notamment de référents culturels empruntés à d'autres sociétés. En effet, dans les années 70, la mode « rasta », en provenance de la Jamaïque, a bouleversé les esprits avec l'introduction du reggae (qui n'est pas seulement un agréable divertissement mais aussi un instrument de contestation sociale) et l'attribution d'une dimension « politique » à l'usage du cannabis (9) (*cf.* l'usage ostentatoire du cannabis que fait le chanteur Fela au Nigeria et ses démêlés avec le pouvoir).

Car si la consommation du chanvre est illégale en vertu des lois édictées par l'État sénégalais, qui considère qu'il s'agit d'un produit dange-

---

(8) Le terme wolof *araam*, employé pour désigner ce qui est interdit par la religion, provient du terme arabe *al-xamr* (substance productrice d'ivresse) lui-même dérivé d'un autre mot arabe, *yaxmur*, qui fait référence à ce qui restreint le fonctionnement normal de l'esprit.

(9) Sans entrer dans les détails de l'idéologie rastafarie, il faut savoir que l'usage du cannabis (ou *ganja*) est considéré par les rastafaris comme l'expression d'une liberté face aux lois de l'establishment blanc. Il est ainsi directement opposé au rhum (strictement tabou) qui symbolise, par son lien avec la canne à sucre, la cause de l'esclavage du peuple noir (Barrett, 1977).

reux pour la santé publique, les jeunes mettent en question la légitimité de cette interdiction en estimant que la répression exercée à leur encontre dans ce domaine par l'État sénégalais n'est que la poursuite de la politique coloniale. A ce propos, il faut noter le fait que les jeunes fumeurs font volontiers référence (à tort, semble-t-il, d'un point de vue historique) à un usage licite de la plante dans les temps anciens : « Nos ancêtres fumaient du *yamba*, ce sont les colons qui l'ont interdit. »

En ce qui concerne l'alcool, il est défini par les jeunes comme artificiel, impur et la « prexion » qu'il provoque est sale. Soit une définition en opposition, trait pour trait, à celle du chanvre indien.

Non seulement l'alcool est le résultat d'un processus de fabrication industrielle (ce qui lui confère une plus grande toxicité et en fait une drogue) mais surtout, selon l'opinion des jeunes, il a été introduit par les autorités coloniales qui en contrôlaient la production et la distribution (10). En ce sens, et à la manière des Rastafaris jamaïcains, ces jeunes marginaux font de l'alcool un des symboles du pouvoir colonial. Et l'État sénégalais en légalisant sa consommation révélerait non seulement sa filiation avec ce dernier mais transgresserait aussi un interdit religieux. Car l'alcool est impur et son usage formellement interdit par le Prophète, ce sur quoi la majorité de nos informateurs insistent en faisant référence notamment à divers passages du Coran (11) dont je donnerai ici un exemple avec le verset 91 de la sourate V : « Satan ne veut qu'embusquer parmi vous la haine et l'exécration sous forme d'alcool et de jeux d'argent, vous empêcher de rappeler Dieu et de prier. N'allez-vous pas en finir ? » (Berque, 1990 : 135).

L'état d'ivresse alcoolique (*mandi* en wolof) est ainsi l'étalon par rapport auquel les jeunes vont évaluer la nature, sale ou non, des états altérés de conscience produits par les divers psychotropes en circulation ainsi que le degré de toxicité de ces derniers. En ce qui concerne l'alcool, l'accent est mis par nos informateurs sur la perte de contrôle et l'apparition consécutive de troubles du comportement qui ne sont pas tolérés par l'entourage. Et les jeunes parlent d'une « prexion sale » à propos de l'ivresse alcoolique en ce sens qu'elle entraîne la transgression d'un ensemble de normes imposées par la collectivité, et on a vu comment la

---

(10) S'il est vrai, d'un point de vue historique, que les boissons alcoolisées constituaient une des marchandises échangées dans le commerce de traite, leur usage est historiquement attesté dans les sociétés agraires préislamiques (Gueye et Omais, 1983 : 144-8).

(11) Mise en garde et interdiction concernant l'usage de l'alcool sont explicites également dans le verset 219 de la sourate II, le verset 43 de la sourate IV et le verset 90 de la sourate V.

répression de l'ivresse publique est exercée de façon diffuse par l'ensemble de la population et, en pratique, par les bandes d'enfants et d'adolescents qui se chargent de faire régner l'ordre dans les quartiers.

A ce propos, je citerai cette anecdote (qui m'a été rapportée par un témoin visuel) de la destruction d'un « clando » (début 1988) installé dans ce même quartier Mousdalifa où M. avait résidé quelque temps. Les jeunes du quartier ont effectué à l'improviste une descente dans le « clando » : les hommes présents ont été déshabillés et battus, les femmes violées sous le regard de la population du quartier (y compris femmes et enfants), puis les portes et fenêtres ont été brisées, matelas et meubles brûlés... Un événement local, quasi banal, qui est passé totalement inaperçu hors des limites du quartier.

Pour résumer la situation, on pourrait dire que la consommation d'alcool est à la fois légale du point de vue de l'État, et de l'ordre de la transgression du point de vue de la société.

Les médicaments psychotropes occupent une place un peu à part dans l'inventaire des psychotropes. Il s'agit de substances considérées par les usagers comme non naturelles, impures et dont la « prexion » est sale.

Parce qu'elle est produite dans les laboratoires des pays industrialisés, c'est « une vraie drogue, fabriquée par les Français pour nous tuer » (note de terrain de Ib). Sa toxicité est unanimement reconnue et on a vu combien ce psychotrope est difficile à maîtriser, même par des usagers expérimentés. De façon exemplaire, avec ces médicaments détournés de leurs usages thérapeutiques, nous sommes ramenés à l'ambivalence fondamentale du « pharmakon », terme qui désignait chez les Grecs anciens à la fois le médicament bénéfique et le poison toxique.

Cette ambiguïté du statut des « pions » est évidente au niveau de la législation. En tant que spécialités pharmaceutiques, ils ne font pas l'objet d'une interdiction, mais simplement d'un ensemble de mesures visant à en contrôler l'importation. Par contre, leur détention par un revendeur clandestin entraîne des poursuites pénales. Quant aux consommateurs, s'ils sont rarement inquiétés par les agents officiels de la répression étant donné le caractère « invisible » de leur consommation, par contre, dans le cas de troubles du comportement manifestes, ils sont confrontés à une réaction souvent violente du groupe familial.

En revanche, sur le caractère impur et sale de la « prexion » provoquée par les « pions », tous les témoignages concordent : l'ivresse des « pions » est excessive au point que les usagers n'ont littéralement plus conscience de leurs actes. Celui (ou celle) qui abuse des « pions » (ou « pillsman », dans l'argot du milieu) sera exclu d'une collectivité pour laquelle la présentation esthétique et maîtrisée de soi est une obligation à la fois morale et sociale.

En examinant les motivations des usagers, on s'aperçoit que l'effet désinhibiteur des « pions » est recherché, de préférence, dans des situations de la vie quotidienne qui impliquent un conflit entre des valeurs « traditionnelles » inculquées par l'éducation (honneur, pudeur, soumission à l'autorité, honnêteté...) et celles qui prévalent dans un milieu urbain qui s'apparente à une foire d'empoigne où l'argent est roi. A cet égard, la notion de « complexe » apparaît centrale : elle fait référence à la honte (*rus* en wolof) que peut ressentir un individu placé dans certaines situations (12). Cette honte constitue un obstacle à la réussite de l'individu (en tant que sentiment connoté de façon négative) qui doit être impérativement surmonté, au besoin par le recours à un opérateur chimique.

Un degré de plus et les « pions » seront utilisés pour transgresser la légalité et la morale (voler), ou bien encore pour stimuler l'agressivité et faire acte de violence envers autrui.

En bref, on pourrait dire que les « pions » sont utilisés par une fraction de la jeunesse pour favoriser son adaptation à une société vis-à-vis de laquelle elle occupe une position désavantagée. Dans ce cas, l'inadaptation peut être considérée (en restant dans le cadre d'une interprétation culturelle) comme un conflit entre un « éthos » traditionnel propre à une société rurale et un « éthos » moderne et individualiste associé à une société urbaine. Mais ce qui est important à considérer, c'est justement l'absence d'une perception sociologique des problèmes de la jeunesse autant par les jeunes eux-mêmes que par les acteurs situés au centre comme nous allons le voir maintenant.

Entre État et société, la drogue comme enjeu

Si une analyse interactionnelle du phénomène de l'usage des drogues permet de faire apparaître les rapports de détermination réciproque qui existent entre le centre et la périphérie, la notion de marge ne peut rendre compte entièrement de la complexité d'un objet qui se situe à l'interface du social (les rapports de pouvoir) et de la culture (les rapports de sens).

---

(12) Celles qui sont le plus fréquemment mentionnées comme génératrices de honte par nos informateurs relèvent soit du registre des rapports aînés/cadets, soit du domaine des rapports entre les sexes.

Car, si dans l'ordre du social, l'usage des drogues est un révélateur de la crise multiforme qui affecte une société de plus en plus inégalitaire, d'un point de vue culturel, il renvoie à une mutiplicité de sens qui témoigne, en particulier, d'une individualisation accrue des comportements.

C'est pourquoi, à partir d'une analyse des représentations des différents acteurs en présence, une hypothèse, construite autour du couple marginalité/marginalisation, pourrait s'énoncer de la manière suivante : tout se passe comme si la marginalité (exogène) subie par les jeunes était redoublée par une marginalisation active (endogène) centrée autour de l'usage des psychotropes.

Par « marginalité exogène », j'entends le résultat d'un processus d'exclusion global dont je vais m'efforcer à présent de récapituler les différents aspects. L'exclusion économique est celle qui est la plus douloureusement ressentie par les jeunes : chômage, précarité des emplois, inadéquation entre les aspiratîons et la réalité, mobilité sociale descendante sont quelques aspects d'une « crise » qui a toutes les chances de durer et de s'accentuer, si l'on en croit ceux qui pensent que :

> « La survie de l'Afrique, en plein "déclassement" dans la concurrence internationale, passe vraisemblablement par une intensification de ses économies, c'est-à-dire par une aggravation de la surexploitation de sa force de travail. Tel est, au fond, l'objectif des programmes d'ajustement structurel que s'efforcent d'imposer les bailleurs de fonds occidentaux et que déjouent pour l'instant les sociétés africaines avec leur talent habituel » (Bayart, 1989 b : 23).

A cette marginalité économique se superpose une exclusion politique fondée sur un partage inégal du pouvoir entre aînés et cadets au sein des institutions politiques et dans ce sens la crise est aussi un conflit de générations. Les jeunes, cantonnés dans le rôle de figurants sur la scène politique, ne sont devenus des acteurs à part entière qu'à partir du moment où ils sont descendus dans les rues de Dakar pour s'affronter une première fois aux forces de l'ordre, lors des « événements » de 1988.

Dans le domaine politique, la drogue est un révélateur des dysfonctionnements de l'État et de sa faiblesse. Ainsi, par exemple, nous avons pu observer que la manière dont sont traités les jeunes délinquants par les agents de l'État laisse apparaître l'absence d'une solution de continuité entre la société civile et les appareils étatiques, ce qu'un auteur a récemment dénommé la nature « néo-patrimoniale » de l'État africain :

> « La confusion du public et du privé est en effet le commun dénominateur à tout un ensemble de pratiques caractéristiques de l'État africain et

de sa logique de fonctionnement, à savoir la corruption, qu'elle soit purement économique ou liée à un échange social... » (Médard, 1990 : 29-30).

Dans le même ordre d'idée, le développement de l'usage clandestin
des médicaments psychotropes apparaît en partie lié aux carences de l'État
dans le domaine de la santé. Nous avons vu, en effet, que plus de la moitié des usagers de « pions » se contente d'absorber de un à trois comprimés
par jour, soit une dose compatible avec un usage thérapeutique (effets
sédatifs et anxiolytiques des substances utilisées). Dans ces conditions,
ce qui serait, dans une société « développée » (la France, par exemple)
un traitement médical remboursé par la sécurité sociale devient au Sénégal
une pratique illégale, et l'usager étiqueté ailleurs malade devient ici un
délinquant.

Mais bien que l'usage des drogues soit lié à la pauvreté, à l'exclusion,
à la délinquance, cette conception du phénomène est trop restrictive et
n'explique pas tout : qu'en est-il par exemple de leur usage par une fraction des classes moyennes ? Ou encore, comment expliquer la diversité
des psychotropes et la multiplicité de leurs usages ? Aussi, pour tenter de
répondre à ces questions, il nous faut à présent élargir l'analyse et envisager ce phénomène comme « un artifice pour fabriquer de l'individu »
(selon l'expression d'Ehrenberg, 1992 : 55) procédé qui relèverait d'une
marginalisation endogène.

Par « marginalisation endogène », j'entends un processus actif d'exclusion fondé sur le refus de certaines valeurs de la société englobante et
l'élaboration d'un système de représentations alternatif que l'on pourrait
concevoir comme une contre-culture autant qu'une sous-culture. Dans
cette perspective, l'expérience des psychotropes est traversée par une pluralité de sens qui peuvent être subsumés sous deux grandes catégories : la
transgression et l'individualisation.

Les usagers de drogues sont des passeurs de limites : soit ils transgressent les limites définies et imposées par l'État en faisant usage de psychotropes illégaux, soit ils transgressent un interdit religieux en faisant usage
d'un psychotrope comme l'alcool. En quelque sorte, la transgression constituerait un procédé visant à redoubler les exclusions subies dans les
domaines économique, politique et social par une entrée active dans la sphère juridique. C'est comme cela que j'interprète une grande partie du comportement de M. : « Puisque je suis exclue, puisque vous me traitez comme
un déchet social, je vais me comporter en conséquence et même pire ! »

En quelque sorte, la transgression renverrait à une crise de légitimité, à
une perte de confiance profonde vis-à-vis de l'État dont l'autorité est

bafouée, aussi bien parce qu'il ne parvient pas à empêcher l'usage des psychotropes illicites que parce qu'il ne peut assurer la protection de ceux qui font usage d'un psychotrope licite comme l'alcool. A ce sujet, je mentionnerai les manifestations violentes de jeunes qui, au nom d'une justice populaire ou d'un « assainissement des mœurs », s'en prennent périodiquement aux débits de boissons et à leur clientèle : « nettoyage » en 1987 d'un quartier « chaud » de Pikine (appeké *Xur-um-bukki*, textuellement « Couilles de hyène »), mise à sac des bars du centre-ville de Dakar en 1990, ou encore, de façon plus discrète, refus par la population d'un quartier d'accepter l'installation d'un bar muni des autorisations officielles, etc.

A noter que cette crise de légitimité n'est pas limitée à la sphère politique puisqu'elle atteint le domaine religieux où les jeunes favorisent une interprétation individuelle (et littérale) du Coran et manifestent un penchant pour une conception mystique de l'islam au détriment de son aspect normatif. Dans ce contexte, le chanvre indien est utilisé comme un raccourci vers l'extase (*cf.* la formule de De Quincey sur « l'extase portative »), une pratique mise en œuvre depuis des siècles par certains mystiques soufis.

Par ailleurs, on a vu que les « pions » sont utilisés par une partie des usagers dans le but de favoriser leur adaptation à une société de plus en plus compétitive, dans laquelle les richesses se caractérisent par leur rareté de plus en plus grande. Ici, l'accent est mis sur l'amélioration des performances et, dans une optique fonctionnelle, il serait tentant de mettre en relation nos observations concernant l'usage des drogues avec les effets de la « révolution » urbaine sur des sujets dépourvus des moyens nécessaires (scolarité, capital social ou culturel) pour s'adapter à un monde en pleine mutation.

Au terme de cette analyse, la drogue apparaît comme un ensemble de significations, une métaphore de l'altérité emprunté au langage de la modernité, un objet éminemment plastique manipulé par les différents acteurs sociaux.

Ceux placés en position centrale, qu'ils appartiennent à l'appareil d'État ou à la hiérarchie des confréries religieuses, ont en commun de privilégier une lecture du phénomène en termes moraux, selon un mode de pensée manichéen (« la drogue, c'est le Mal ») somme toute identique à celui qui a cours actuellement en Amérique du Nord, où la guerre contre la drogue a remplacé avantageusement la guerre contre le communisme.

D'autre part, la drogue comme problème social limité à une partie de la population (« la drogue, c'est la jeunesse ») permet de faire l'impasse sur une analyse économique et politique du phénomène au prix d'un clivage entre une partie de la jeunesse définie comme hors-la-loi et le pouvoir.

Enfin, pour les jeunes engagés dans un processus de déconstruction/reconstruction de leur identité, la drogue est à la fois un miroir (« Je suis un autre »), une thérapeutique, un instrument d'adaptation et, de façon plus générale, une métaphore qui leur permet de poser la question des relations inégalitaires entre le Nord et le Sud, de contester l'universalisme d'une définition occidentale de ce qu'est une drogue et d'affirmer, par la même occasion, leur rejet d'un État incapable d'assumer ses responsabilités.

CONCLUSIONS

Dans la situation actuelle de l'anthropologie, caractérisée par l'éclatement et la segmentation à l'infini de la discipline (1), le « terrain » reste un dénominateur commun qui renvoie à une combinaison tout à fait spécifique de son objet et de sa méthode. Cette dernière, fondée sur l'observation-participante directe, de longue durée et intensive d'une unité sociale restreinte (société primitive ou quartier d'une grande ville), a contribué à façonner l'objet ethnographique sans jamais être définie de façon précise par ceux qui la mettent en œuvre (Berthoud, 1992 : 203).

C'est donc à une entreprise de dévoilement des fondements de la démarche ethnogaphique que je me suis attaqué, en présentant les résultats d'un travail de terrain qui a poussé jusqu'à ses limites la méthode dite d'observation-participante. Pour éviter tout malentendu à ce propos, il n'est pas inutile de préciser qu'il s'agit, au sens propre du terme, d'une expérience « a-normale » qui n'est pas destinée à être systématiquement reproduite, étant donné les risques que court l'ethnographe engagé dans cette voie étroite.

J'ai suffisamment décrit, dans le corps de cet ouvrage, les difficultés inhérentes à la mise en pratique de cette méthode, pour ne pas y revenir de nouveau et insister, au contraire, sur les présupposés théoriques qui la soustendent, à savoir une conception dynamiste de la société et le recours à une forme d'intelligence pragmatique, dite encore « stochastique » (2).

Reprenant cette idée de Balandier (1992 : 23) selon laquelle « toutes les sociétés sont en devenir continuel, en production permanente d'elles-mêmes (et) que rien n'y est parfait... », j'ai été amené, au cours de mon travail, à introduire du désordre dans l'ordre de ma méthode afin d'être à

---

(1) Pour un bilan, se reporter au numéro spécial de *L'Homme* (97-98, 1986) intitulé « L'anthropologie : état des lieux. »

(2) L'intelligence « stochastique » (en grec ancien, ce terme qui signifie « prendre pour cible » appartient au vocabulaire de l'archer et du chasseur) est une intelligence rusée, éminemment pratique « dont le champ d'application est le devenir, le changement et, de façon générale, tout ce qui ne reste jamais semblable à soi » (Détienne & Vernant, 1974 : 294).

même de saisir le désordre dissimulé dans l'ordre de la cité. En cela, l'histoire de M. me paraît révélatrice des bouleversements sociaux de grande ampleur qui se développent dans les villes africaines contemporaines, tandis que la description de l'évolution de notre relation montre bien les doutes et interrogations d'un chercheur vis-à-vis des catégories d'un savoir qui reste pris dans une conception idéalisée et formelle de la connaissance, selon le modèle platonicien d'une vérité absolue.

Or, dans les faits, le savoir ethnographique apparaît comme un savoir approximatif, inachevé et le travail de terrain s'apparente davantage à « un long voyage à travers le désert, là où les chemins ne sont plus tracés, où, sans cesse, il faut deviner la route et viser un point à l'horizon lointain... » (Détienne & Vernant, 1974 : 298) qu'à la rigoureuse mise en pratique de la méthode hypothético-déductive dans l'enceinte d'un laboratoire.

Dans ces conditions, la compréhension de l'Autre est passée par une série de dialogues (dont la relation avec M. constitue l'exemple le plus achevé) qui ont jalonné un itinéraire ethnographique tendu entre le devoir d'objectivité et l'acceptation de la subjectivité : la mienne, la leur. Au terme de cette expérience, je pense que la vérité de l'anthropologie réside dans cet écartèlement producteur d'un savoir non dogmatique, fondé sur la reconnaissance du fait que rien n'est jamais acquis et que tout regard porté sur l'Autre l'est à partir d'une position culturellement et socialement déterminée (3).

Mais, si dans le rôle de chercheur-chasseur, j'ai déployé pour capturer M. autant de ruses qu'elles en a mises en œuvre pour m'échapper (et sur ce terrain, je ne suis pas sûr d'avoir eu l'avantage), il ne faut pas oublier l'existence d'un garde-fou éthique constitué par cette fonction de thérapeute que j'assumais en parallèle. En effet, dans la tradition hippocratique la démarche thérapeutique (qui appartient au domaine de l'intelligence stochastique) admet un postulat éthique,« d'abord ne pas nuire », qui encadre la relation de sujet à sujet et la guide. En l'absence d'une telle éthique (et, malheureusement, la plupart des ethnographes ne sont pas très bavards sur la question), le fait de mettre l'accent sur la participation, dans le cadre de relations ethnologisant/ethnologisés largement inégalitaires, est une porte ouverte à l'abus de pouvoir.

---

(3) A ce sujet, il faut préciser que, en arrivant au Sénégal, je souffrais d'un trouble de l'identité (causé par des séjours prolongés dans différentes sociétés étrangères) qui se manifestait par le sentiment d'être devenu un citoyen du monde, un être sans racines, un caméléon culturel à même de s'adapter dans n'importe quelle culture. Et ce sont mes interlocuteurs sénégalais qui m'ont guéri de cette funeste illusion en me rappelant avec insistance les éléments d'une définition minimale de mon être (« Tu es toubab, tu es français, tu es chrétien, etc. ») en retour à mes insistantes questions sur ce qu'ils étaient.

Cette action thérapeutique qui a constitué un des grands axes de ma recherche s'est révélée, en fin de compte, d'une portée heuristique considérable en permettant de mettre en évidence, au-delà des désordres biologique et psychologique présentés par M., que la maladie dont souffrait cette dernière était, en dernier ressort, d'ordre social. C'est ainsi qu'en appliquant au cas de M. une grille d'analyse (empruntée à Godbout, 1992) en termes de don, de marché et de lien social, il est possible de la considérer, au moment de notre rencontre, comme presque entièrement incluse dans des rapports marchands, et d'envisager mon action thérapeutique comme une tentative d'établir avec elle une relation qui ne soit pas complètement réduite à une logique utilitariste.

On a vu, en effet, que la majorité des relations qu'elle entretenait avec son entourage (à l'exception, sans doute, de sa mère) n'étaient que des instruments mis au service de son désir de liberté. Mais cette liberté qu'elle revendique est une liberté marchande circonscrite à des rapports sociaux uniquement utilitaristes, dans la mesure où le marché a pour objectif de nous libérer du lien social lui-même. Dans ces conditions, j'ai injecté du don dans notre relation (ce qu'elle était encore capable d'accepter, au contraire de l'héroïne du film d'Agnès Varda « Sans toit, ni loi » qui n'est plus à même ni de donner ni de recevoir et en meurt), introduisant ainsi une indétermination (elle n'était pas obligée de rendre), c'est-à-dire une liberté non plus en dehors du lien social mais en son sein.

En fin de compte, ce dont M. a failli mourir, ce n'est pas tant de la syphilis ou d'un abus de médicaments psychotropes que de la brutale imposition (par le biais d'un plan d'ajustement structurel) de l'économie de marché dans une société dont l'État est bien trop faible pour assurer une redistribution minimum en direction des plus démunis. En ce sens, le destin de M. est représentatif du sort qui attend des dizaines de millions de sous-prolétaires des pays du Sud, sacrifiés aujourd'hui par les experts du FMI et de la Banque mondiale en prévision de lendemains qui ne chanteront probablement jamais.

En se situant toujours dans la perspective d'une comparaison avec la modernité occidentale, il est intéressant d'analyser le cas de M. en fonction de ce que j'appellerai l'hypothèse individualiste. On sait que l'émergence de l'individu dans un système qui associe une liberté accrue par rapport aux liens sociaux (le marché) et la liberté politique (la démocratie) est un des traits constitutifs de l'identité moderne telle qu'elle est définie en Occident. Or, cette question de l'identité jamais mentionnée de façon explicite dans le cours de ce travail est centrale pour cette jeune femme marginale, dont la trajectoire en ligne brisée peut se lire comme une tentative désespérée de se définir comme un sujet autonome (4), à la fois contre l'État et contre la société. En fait, il s'agit plutôt d'un processus complexe d'individualisation, au cours duquel sont mises en œuvre des stratégies diverses oscillant, au gré des circonstances, entre ruptures et compromis.

D'un point de vue sociologique, ces processus d'individualisation, à la marge doivent être compris comme la résultante de contraintes externes (la crise économique) et de conditions favorisantes liées à l'urbanisation. En effet, d'une part, les conditions de vie difficiles qui existent dans le sous-prolétariat (la pauvreté, l'exclusion scolaire et professionnelle, l'affaiblissement des solidarités dans un contexte de compétition accrue) poussent un certain nombre de jeunes à compter d'abord sur eux-mêmes, à se débrouiller hors des lois et des normes, à élaborer des stratégies individuelles. D'autre part, les caractéristiques structurelles (taille, nombre, hétérogénéité) et fonctionnelles (anonymat, diminution du contrôle social, économie de marché...) d'un environnement urbain favorisent la mobilité sociale, le passage d'un rôle à un autre dans des milieux culturellement différenciés.

Ainsi en est-il du « maquis », microcosme enclavé dans la société urbaine, qui est à la fois un marché et un théâtre, un espace de transgression par rapport au contrôle social et à la morale coranique, un lieu où est mise en scène de façon caricaturale la nouvelle éthique urbaine. Car, au-delà du maniement codé de signifiants, vestimentaires (cuir, lunettes noires et robes sexy), linguistiques (l'usage d'un argot hermétique aux profanes) ou comportementaux (la consommation d'alcool ou de drogues illicites) qui indiquent une volonté de se distinguer, transparaît la remise en question d'une hiérarchie sociale fondée sur l'appartenance à une caste, une ethnie, un lignage ou un genre sexuel. Dans ce milieu, le statut de l'individu repose uniquement sur sa capacité, au besoin par des activités illégales, à détourner à son profit un peu de cette richesse qui circule en ville. Et les femmes, engagées dans des activités de prostitution, participent à cette transformation des rapports sociaux lorsqu'elles s'approprient les biens versés en échange de leurs services sexuels.

Dans une perspective dynamique, il me paraît préférable de considérer la culture comme un « réservoir » de pratiques plutôt qu'un ensemble de prescriptions fixes, autrement dit comme un espace où se déploient les

---

(4) Autonome au sens de celui qui se donne à lui-même les moyens de son action et en définit les fins. S'oppose ici à hétéronome, terme employé pour qualifier la situation d'un sujet pour lequel les fins et les moyens sont déterminés par des instances extérieures (Dieu, les Ancêtres, la Tradition, etc.).

stratégies des acteurs sociaux, avec pour résultat la production de figures composites, hybrides, syncrétiques de l'individu et de son identité. C'est en termes de « logiques métisses » (Amselle, 1990), de construction négociée, qu'il faut appréhender, par exemple, l'entreprise de déconstruction/reconstruction identitaire dans laquelle est engagée M. Une identité à géométrie variable, éclatée en une multiplicité d'éléments (la langue, les croyances religieuses, le statut social, le corps, le sexe, etc.) dont la référence ethnique n'est qu'une composante.

Mais ces processus d'individualisation restent des aventures pleines de risques, des projets empreints de tensions, de contradictions, d'instabilités, de fragilités qui peuvent se révéler difficiles à gérer pour les plus vulnérables. Le rapport aux autres devient problématique, incertain, mouvant, et il en est de même du rapport à soi lorsque la référence à la tradition n'est plus suffisante, quand le recours aux modèles hérités n'est plus opératoire ou représente même, parfois, un obstacle à surmonter. C'est dans cette optique que nous avons proposé une interprétation fonctionnelle de l'usage des drogues en tant qu'outil désinhibiteur par rapport à une situation qualifiée de façon schématique comme un conflit de valeurs. En fait, une telle interprétation renvoie à la conception d'un agent social comme porteur de déterminations sociales et culturelles qui orientent ses conduites et modèlent ses représentations individuelles, ce que Bourdieu appelle l'habitus, autrement dit « la présence du passé dans le présent » pour reprendre une formule d'A. Marie (1990, communication personnelle) qui poursuit :

> « Mais quand le présent change, bouge, devient hétérogène, instable, incertain, contradictoire, l'habitus n'est plus pleinement adapté ni adaptatif et se trouve contraint à des remaniements, des adaptations qui peuvent être difficiles, douloureuses voire impossibles. »

Dans ces conditions, l'usage des pychotropes apparaît comme une manœuvre désespérée pour modifier un éthos encombrant et inadapté au prix d'un basculement dans l'imaginaire. Mais une telle interprétation ne peut pas rendre compte de toute la complexité d'un phénomène dont une analyse interactionnelle (centrée sur les rapports entre le centre et la périphérie) a mis en évidence les aspects politiques sous-jacents. Car, en fin de compte, ce sont les rapports de ces individus à l'État qui apparaissent problématiques dans une situation où :

> « Chacun est sommé d'assumer la responsabilité de sa vie quotidienne mais sans assumer de responsabilité dans la Cité. Il doit rendre des

comptes à l'État mais ne peut lui en demander aucun. C'est un citoyen virtuel mais privé de marge d'initiative réelle sur ses conditions d'existence (...) De ce fait, l'individu ne possède qu'un poids spécifique négligeable face au pouvoir » (Hussein, 1989 : 115).

Dans cette optique, et pour revenir au problème posé à la société sénégalaise par l'usage croissant des drogues illicites, on peut dire que ces jeunes défient leur société de s'expliquer sur ce qui la fait vivre, sur ses « valeurs », sur son mode d'organisation et ses projets. A ces questions, l'État ne pourra se contenter de répondre uniquement par l'usage de la violence sous peine de voir se creuser un fossé de plus en plus large entre les jeunes et lui.

Cette question de la drogue représente un défi majeur pour la fragile démocratie sénégalaise. Ce qui est en jeu, c'est, en dedans, le renouvellement d'un pacte social qui garantisse un minimum de justice pour tous et, en dehors, la capacité de négocier avec les sociétés industrialisées du Nord l'imposition d'un ordre économique et social un peu moins arbitraire.

BIBLIOGRAPHIE

AGAR M.H. 1977, 'Ethnography in the Streets and in the Joint', in Weppner, R.S. (ed.), *Street Ethnography*, Beverly Hills, Sage.
1980, *The Professional Stranger*, New York, Academic Press.

AKPALA C.O. & BOLAJI, I.B.O., 1990-91, 'Drug abuse among secondary school students in Sokoto, Nigeria', in *Psychopathologie africaine*, XXIII, 2, pp. 197-204.

AMIN H., 1992, *Le livre du musulman désemparé*, Paris, La Découverte.

AMSELLE J.-L., 1990, *Logiques métisses*, Paris, Payot.

ANDERSON N., 1993, *Le Hobo. Sociologie du sans-abri*, Paris, Nathan (première traduction en français d'un texte publié en 1923 sous le titre *The Hobo* par les Presses de l'université de Chicago).

ANTOINE P. & DIOUF P.D., 1989, « Indicateurs de mortalité des enfants et conditions socio-économiques en milieu urbain », in Salem G. et Jeannée E. (éds) *Urbanisation et santé dans le Tiers monde*, Paris, ORSTOM.

ANTOINE P. & NANITELAMIO J., 1989, « Nouveaux statuts féminins et urbanisation en Afrique », in *Politique africaine*, 36, pp. 129-133.

ANTOINE P. & SAVANÉ L., 1990, *Urbanisation et migration en Afrique*, ORSTOM, Dakar (non publié).

ANUMONYE A., 1980, 'Drug use among young people in Lagos, Nigeria', in *Bulletin on Narcotics*, XXXII, 4, pp. 39-45.

BALAN J. & JELIN E., 1980, « La structure sociale dans la biographie personnelle », in *Cahiers internationaux de sociologie*, LXIX, pp. 269-289.

BALANDIER G., 1955, *Sociologie des Brazzavilles noires*, Paris, Colin.
1988, *Le désordre*, Paris, Fayard.
1992, « Pour une anthropologie dynamiste », in *Sciences humaines*, 20, pp. 22-25.

BARRETT L., 1977, *The Rastafarians*, Boston, Beacon Press.

BARLEY N., 1992, *Un anthropologue en déroute*, Paris, Payot.

BARTHES R., 1984, *Le bruissement de la langue* (Essais critiques IV), Paris, Seuil.

BATESON G., 1986, *La cérémonie du Naven*, Paris, Librairie générale française (traduction française).

BATAILLE G., 1967, *La part maudite*, Paris, Éditions de Minuit.

BAYART J.-F., 1989a, *L'État en Afrique*, Paris, Fayard.

1989b, « Les églises chrétiennes et la politique du ventre », in *Politique africaine*, 35, pp. 3-26.

1990, « L'afropessimisme par le bas », in *Politique africaine*, 40, pp. 103-108.

BECKER H.S., 1958, *Outsiders. Studies in the Sociology of Deviance*, New York, Free Press of Glencoe.

BERQUE J., 1990, *Le Coran*, Paris, Sindbad.

BERTAUX D., 1979, « Écrire la sociologie », in *Information en sciences sociales*, XVIII, 1.

1980, « L'approche biographique : sa validité méthodologique, ses potentialités », in *Cahiers internationaux de sociologie*, LXIX, pp. 197-225.

1981, *Biography and Society. The Life-History Approach in the Social Science*, Beverly Hills (California), Sage.

1986, « Fonctions diverses des récits de vie dans le processus de recherche », in Desmarais D. et Grell P. (éds), *Les récits de vie*, Montréal, Éditions Saint-Martin.

BERTHOUD G., 1989, « Le corps humain comme marchandise », in *La revue du MAUSS*, 3, pp. 96-113.

1992, « Anthropologie générale ou clôture disciplinaire ? », in *La revue du MAUSS*, 15-16, pp. 201-214.

BLONDÉ J., DUMONT P. & GONTIER D., 1979, *Lexique du français du Sénégal*, Dakar, Nouvelles éditions africaines.

BOURDIEU P., 1980, *Le sens pratique*, Paris, Éditions de Minuit.

1987, *Choses dites*, Paris, Éditions de Minuit.

BOURDIEU P., PASSERON J.-C. & CHAMBOREDON, J.-C., 1968, *Le métier de sociologue*, Paris, Mouton.

BOURDIEU P. & SAINT-MARTIN M. de 1982, « La sainte famille », in *Actes de la recherche en sciences sociales*, pp. 44-45.

CARLINI-COTRIM B. & CARLINI E. A., 1988, 'The Use of Solvents and Other Drugs Among Children and Adolescents from a Low Socioeconomic Background : A Study in São-Paulo, Brazil', in *The International Journal of the Addictions*, XXIII, 11, pp. 1145-1156.

CASTELLS M., 1972, *La question urbaine*, Paris, Maspero.

CESONI M.L., 1992, « Les routes des drogues : explorations en Afrique subsaharienne », in *Revue Tiers monde*, XXXIII, 131, pp. 645-671.

CHAMBOREDON J.-C., 1971, « La délinquance juvénile, essai de construction de l'objet », in *Revue française de sociologie*, XII, pp. 335-377.

CHANFRAULT-DUCHET M.-F., 1988, « Le système interactionnel du récit de vie », in *Sociétés*, 18, pp. 26 - 31.

CHAPOULIE J.M., 1984, « Everett C. Hughes et le développement du travail de terrain en sociologie », in *Revue française de sociologie*, XXV, pp. 582-608.

CHÉRUBINI B., 1988, *Cayenne. Ville créole et polyethnique*, Paris, Karthala.

CLARK J., 1972, *La confrérie fantastique*, Paris, Denoël-Gonthier.

CLIFFORD J. & MARCUS G.E., 1986, *Writing Culture*, Berkeley, University of California Press.

COING H., 1975, « Épidémies et endémies en sociologie urbaine. A propos d'un livre récent sur l'Afrique », in *Cahiers d'études africaines*, XV, 58, pp. 329-338.

COLLOMB H., DIOP M. & AYATS H., 1962, « Intoxication par le chanvre indien au Sénégal », in *Cahiers d'études africaines*, III, 9, pp. 139-144.

COPANS J., 1980, *Les marabouts de l'arachide*, Paris, Le Sycomore.

COQUERY-VIDROVITCH C. (éd.), 1988, *Processus d'urbanisation en Afrique*, Paris, L'Harmattan.

CORIN E., 1986, « Les dynamiques de la marge », in *Anthropologie et sociétés*, X, 2, pp. 1-21.

COULON C., 1981, *Le Marabout et le Prince*, Paris, Pedone.

1983, *Les musulmans et le pouvoir en Afrique noire*, Paris, Karthala.

COURADE G., 1991, Premières réflexions sur un grand programme de recherches « Ajustement structurel et stratégies alternatives en Afrique », in *Chroniques du Sud* (ORSTOM), 4, pp. 33-38.

CRAPANZANO V., 1973, *The Hamadsha : A Study in Moroccan Ethnopsychiatry*, Berkeley, University of California Press.

1980, *Tuhami, Portrait of a Moroccan*, Chicago, University of Chicago Press.

1986, 'Hermes' Dilemna : The Masking of Subversion in Ethnographic Description', in Clifford and Marcus (eds), *Writing Culture*, Berkeley, University of California Press.

CRESSEY P.G., 1932, *The Taxi-Dance Girl*, Chicago, Chicago University Press.

CRUISE O'BRIEN D., 1971, *The Mourides of Senegal*, Oxford, Clarendon Press.

1975, *Saints and Politicians*, London, Cambridge University Press.

1992, « Le contrat social sénégalais à l'épreuve », in *Politique africaine*, 45, pp. 9-20.

CRUISE O'BRIEN, R., 1972, *White Society in Black Africa : The French of Senegal*, Evanston (Ill.), Northwestern University Press.

DEBLÉ I. & HUGON P. (éds), 1982, *Vivre et survivre dans les villes africaines*, Paris, PUF/ IEDES.

DE CERTEAU M., 1980, *L'invention du quotidien*, Paris, UGE (Collection 10/18).

DETIENNE M. & VERNANT J.-P., 1974, *Les ruses de l'intelligence. La mètis des Grecs*, Paris, Flammarion.

DIOP A.B., 1981, *La société wolof*, Paris, Karthala.

1985, *La famille wolof*, Paris, Karthala.

DIOP M.C., 1981, « Fonctions et activités des dahira mourides urbains au Sénégal », in *Cahiers d'études africaines*, XXI, 1-3, pp. 79-91.

DIOUF M., 1992 a, « La crise de l'ajustement », in *Politique africaine*, 45, pp. 62-85.

1992b, « Fresques murales et écriture de l'histoire. Le *Set-Setal* à Dakar », in *Politique africaine*, 46, pp. 41-54.

DOUMBOUYA K., 1980, « Aperçu du problème de la drogue au Sénégal », in *Actes du colloque international sur les problèmes de la drogue dans les pays africains d'expression française*, Dakar.

DUMONT F., 1975, *La pensée religieuse de Amadou Bamba*, Dakar, Nouvelles Éditions Africaines.

DUMONT P., 1983, *Le français et les langues africaines au Sénégal*, Paris, Karthala/ACCT.

DU TOIT B.-M., 1980, *Cannabis in Africa*, Rotterdam, Balkeme.

EAMES E. & GOODE J.G., 1977, *Anthropology of the City*, Englewood Cliffs, Prentice-Hall.

EHRENBERG A., 1992, « Dépassement permanent », in Ehrenberg A. & Mignon P. (éds), *Drogues, politique et sociétés*, Paris, Descartes.

ELA J.-M., 1983, *La ville en Afrique noire*, Paris, Karthala.

EMERSON R.M., 1981, 'Observational Field-Word', in *Annual Review of Sociology*, 7, pp. 351-378.

ENDA TIERS MONDE, 1991, *Set. Des murs qui parlent. Nouvelle culture urbaine à Dakar*, Dakar, Enda.

ENGELHARD P. & SECK M., 1989, « Comportements sexuels et contexte culturel », in *Plurales*, I, 1, pp. 83-108.

EVESQUE P. & RAJCHENBACH J., 1988, « La dynamique du tas de sable », in *La Recherche*, XIX, 205, pp. 1528-9

FAL A., SANTOS R. & DONEUX J.-P., 1990, *Dictionnaire wolof-français*, Paris, Karthala.

FASSIN D., 1985, « Du clandestin à l'officieux », in *Cahiers d'études africaines*, XXV-2, 98, pp. 161-177.

1987, « Pauvreté, urbanisation et santé : les inégalités d'accès aux soins dans la banlieue de Dakar », in *Psychopathologie africaine*, XXI, 2, pp. 155-175.

FAVRET-SAADA J., 1977, *Les mots, la mort, les sorts. La sorcellerie dans le bocage*, Paris, Gallimard.

FERRAROTI F., 1979, « Sur l'autonomie de la méthode biographique », in Duvignaud J. (éd.), *Sociologie de la connaissance*, Paris, Payot.

1983, *Histoire et histoires de vie : la méthode biographique dans les sciences sociales*, Paris, Librairie des Méridiens.

FOSTER M.F. et KEMPER R.V., 1980, 'A perspective on Anthropological Fieldword in Cities', in Press I. and Smith M.E. (eds), *Urban Place and Process*, New York, Mc Millan.

FOTTORINO E., 1991, *La piste blanche*, Paris, Balland.

FOX R.G., 1977, *Urban Anthropology*, Englewood Cliffs : Prentice-Hall.

1980, 'Rationale and Romance in Urban Anthropology', in Press and Smith (eds), *Urban Place and Process*, New York, Mc Millan.

FREUD S., 1966, *Cinq leçons sur la psychanalyse*, Paris, Payot.

GAULEJAC V. de, 1988, « L'histoire de vie ou le temps recomposé », in *Sociétés*, 18, pp. 5-7.

GELDAR S., 1982, *Senegal. An African Nation Between Islam and the West*, Boulder (Colorado), Westview Press

GIBBAL J.-M., 1982, *Tambours d'eau*, Paris, Le Sycomore.

GILSENAN M., 1973, *Saint and Soufi in Modern Egypt*, Oxford, The Clarendon Press.
1982, *Recognizing Islam : An Anthropologist's Introduction*, London, Croom Helm.

GODBOUT J., 1992, « La circulation par le don », in *La revue du MAUSS*, 15-16, pp. 215-231.

GOLD R.L., 1969, 'Roles in Sociological Field Observations', in Mc Call G.J. et Simmons J.L. (eds), *Issues in Participant Observation*, Reading (MA), Addisson Wesley.

GOLLNHOFFER O. & SILLANS R., 1985, « Usages rituels de l'Iboga au Gabon », in *Psychotropes*, II, 3, pp. 95-108.

GUEYE M. & OMAIS M., 1983, « Tentative pour une approche socioculturelle de l'usage abusif des drogues au Sénégal », in *Psychopathologie africaine*, XIX, 2, pp. 141-172.

GUTKIND P.C.W., 1967, 'Orientation and research methods in African urban studies', in Jongmans D.G. and Gutkind P.C.W. (eds), *Anthropologists in the Field*, Assen, Van Gorcum and Company.
1973, 'Bibliography in Urban Anthropology', in Southall (ed.), *Urban Anthropology*, London, Oxford University Press.

GUTWIRTH J., 1982, « Jalons pour l'anthropologie urbaine », in *L'Homme*, XXII, 4, pp. 5-23.

HAERINGER P. (éd.), 1983, *Abidjan au coin de la rue*, Paris, ORSTOM.

HALBWACHS, 1968, *La mémoire collective*, Paris, PUF.

HANNERZ U., 1982, 'Washington and Kafanchan : A View of Urban Anthropology', in *L'Homme*, XXII, 4, pp. 25-36.
1983, *Explorer la ville*, Paris, Éditions de Minuit.

HUSSEIN M., 1989, *Versant sud de la liberté*, Paris, La Découverte.

JANKÉLÉVITCH V., 1980, *Le je-ne-sais-quoi et le presque-rien* (tome I). *La manière et l'occasion*, Paris, Seuil.

KANE F., 1977, « Femmes prolétaires du Sénégal à la ville et aux champs », in *Cahiers d'études africaines*, XVII, 65, pp. 77-93.

KANE H., 1961, *L'aventure ambiguë*, Paris, Julliard.

KERHARO J., 1974, *La pharmacopée sénégalaise traditionnelle* (Plantes médicinales et toxiques), Paris, Vigot frères.

KESTELOOT L. et MBODJ.-C., 1983, *Contes et mythes wolof*, Dakar, Nouvelles éditions africaines.

KIRK J. et MILLER M.L., 1986, *Reliability and Validity in Qualitative Research.*, Beverly Hills, Sage.

KLEINMAN A., 1980, *Patients and Healers in the Context of Culture*, Berkeley, University of California Press.

KOBO A., 1990, *La femme des sables*, Paris, Stock (traduction française).

LEEDS A., 1968, 'The anthropology of cities. Some methodological issues', in Eddy, E.M. (ed.), *Urban Anthropology*, Athens, Southern Anthropological Society.

LEGENDRE P., 1985, *Leçons IV. L'inestimable objet de la transmission. Étude sur le principe généalogique en Occident*, Paris, Fayard.

LEGRAND J.-L., 1988, « Histoire de vie de groupe », in *Sociétés*, 18, pp. 3-4.

LÉVI-STRAUSS C., 1980, « Introduction à l'œuvre de Marcel Mauss », in Mauss M., *Sociologie et anthropologie*, Paris, PUF (première édition en 1950).

LEWIS O., 1963, *Les enfants de Sanchez*, Paris, Gallimard (traduction française).
1966, *La Vida. A puerto-rican family into the culture of poverty*, New York, Random House.

LIEBOW E., 1967, *Tally's Corner. A Study of Negro Streetcorner*, Boston, Little Brown and Company.

LINGS M., 1977, *Qu'est-ce-que le soufisme ?*, Paris, Seuil.

LY B., 1966, *L'honneur et les valeurs morales dans les sociétés ouolof et toucouleur du Sénégal*, Thèse pour le doctorat de troisième cycle en sociologie, université de Paris (non publié).

MALINOWSKI B., 1963, *Les argonautes du Pacifique occidental*, Paris, Gallimard.
1967, *A Diary in the Strict Sense of the Term*, London, Routledge and Kegan Paul.

MARCUS G.E., 1986, 'Ethnography in the Modern World System', in Clifford and Marcus (eds), *Writing Culture*, Berkeley, University of California Press.

MARIE A., 1981, « Marginalité et conditions sociales du prolétariat urbain en Afrique », in *Cahiers d'études africaines*, XXI, 1-3, pp. 347-374.

MAUNY R., 1952, *Glossaire des expressions et termes locaux employés dans l'Ouest africain*, Dakar, IFAN.

MAYER P. et MAYER I., 1971, *Townsmen or Tribesmen*, Cape Town (South Africa), Oxford University Press.

MÉDARD J.-F., 1990, « L'État patrimonialisé », in *Politique africaine*, 39, pp. 25-36.

MONTEIL V., 1980, *L'islam noir*, Paris, Seuil.

MORIN E., 1986, « Sur la définition de la complexité », in *Actes du colloque Science et pratique de la complexité*, Paris, La Documentation française.

NAVARATNAM V., AUN L.B. & SPENCER, C.P., 1979, 'Extent and patterns of drug abuse among children in Malaysia', in *Bulletin on Narcotics*, XXXI, 3-4, pp. 59-68.

NDIAYE C., 1984, *Gens de sable*, Paris, P.O.L.

NGALASSO M.N. et RICARD A. (éds), 1986, « Des langues et des États », in *Politique africaine*, 23.

NGUYEN-VAN-CHI-BONNARDEL R., 1978, *Vie de relations au Sénégal : la circulation des biens*, Dakar, IFAN.

PANOFF M. et PANOFF F., 1968, *L'ethnologue et son ombre*, Paris, Payot.

PARK M., 1982, *Voyage à l'intérieur de l'Afrique*, Paris, La Découverte.

PARK R.-E., 1979, « La ville comme laboratoire social », in Grafmeyer Y. et Joseph I. (éds), *L'École de Chicago*, Paris, Aubier.

PELA O.A. & EBIE J.-C., 1982, 'Drug abuse in Nigeria : a review of epidemiological studies', in *Bulletin of Narcotics*, XXXIV, 3-4, pp. 91-99.

PÉLISSIER P. (éd.), 1984, *Atlas du Sénégal*, Paris, Éditions Jeune Afrique.

PENEFF J., 1988, « Le mythe dans l'histoire de vie », in *Sociétés*, 18, pp. 8-14.
1990, *La méthode biographique*, Paris, Armand Colin.

POPLACK S., 1988, « Conséquences linguistiques du contact des langues », in *Langage et Société*, 43, pp. 23-48.

POPULATION INFORMATION PROGRAM, 1987, « La jeunesse des années 1980 : problèmes sociaux et sanitaires », in *Population Reports*, série M, 9, Baltimore, Johns Hopkins University.

PORQUET C., 1984, *Analyse topographique et hydro-morphologique de Pikine*, Dakar, ORSTOM (non publié)

RABAIN J., 1979, *L'enfant du lignage*, Paris, Payot.

RABINOW P., 1977, *Reflections on Fieldwork in Morocco*, Berkeley, University of California Press.
1988, *Un ethnologue au Maroc* (Réflexions sur une enquête de terrain), Paris, Hachette (traduction française).

ROSENTHAL F., 1971, *The Herb. Hashish versus Medieval Muslim Society*, Leiden, Brill.

SALEM G., 1992, « Crise urbaine et contrôle social à Pikine », in *Politique africaine*, 45, pp. 21-38.

SALEM G. & ÉPELBOIN A., 1983, « Urbanisation et santé dans les villes du Tiers monde », L'exemple de Dakar-Pikine, in *Bulletin d'ethnomédecine*, 26, pp. 3-23.

SAMI-ALI, 1971, *Le hachisch en Égypte*, Paris, Payot.

SANTOIR C., 1990a, « Le conflit mauritano-sénégalais : la genèse. Le cas des Peul de la haute vallée du Sénégal », in *Cahiers de l'ORSTOM,* série sciences humaines, XXVI, 4, pp. 533-576.
1990b, « Les Peul "refusés", les Peul mauritaniens réfugiés au Sénégal », in *Cahiers de l'ORSTOM,* série sciences humaines, XXVI, 4, pp. 577-603.

SCHOEPS B.G., 1988, 'Women, AIDS and Economic Crisis in Central Africa', in *Revue canadienne d'études africaines*, XXII, 3, pp. 625-644.

SCHWAB W.B., 1970, 'Urbanism, Corporate Groups and Culture Change in Africa Below the Sahara', in *Anthropological Quaterly*, XIIIL, 3, pp. 187-214.

SECK A., 1970, *Dakar, métropole ouest-africaine*, Dakar, IFAN.

SHOSTAK M., 1981, *Nisa : The life and words of a !Kung woman*, Cambridge (Mass.), Harvard University Press.

SILLA O., 1966, « Persistance des castes dans la société wolof contemporaine », in *Bulletin de l'IFAN* 3-4, pp. 731-770.

SIMMEL G., 1979, « Digressions sur l'étranger », in Grafmeyer Y. et Joseph I. (éds.), *L'École de Chicago*, Paris, Aubier.

SMITH-BOWEN E., 1964, *Return to laughter*, New York, Anchor Press.

SONGUE P., 1986, *Prostitution en Afrique. Le cas du Cameroun*, Paris, L'Harmattan.

SPERBER D., 1982, *Le savoir des anthropologues*, Paris, Hermann.

STONER P.B., 1986, 'Understanding Medical Systems : Traditional, Modern and Syncretic Health Alternatives in Medically Pluralistic Societies', in *Medical Anthropology Quaterly*, XVII, 2, pp. 44-48.

TABET P., 1987, « Du don au tarif. Les relations sexuelles impliquant une compensation », in *Les temps modernes*, XLII, 490, pp. 1-53.

TRISTAN M., LAURENS, A. & SILLA O., 1987, « Les daturas : activité psychodysleptique et toxicomanie », in *Psychopathologie africaine*, XXI, 2, pp. 137-153.

VALENTINE C.A. & VALENTINE B.L., 1975, 'Making the Scene, Digging the Action, and Telling It Like It Is : Anthropologists at work in a Dark Ghetto', in Friedl J. et Chrisman N.J. (eds), *City Ways*, New York, T.Y. Crowell Company.

VANDERSYPEN M., 1977, « Femmes libres de Kigali », in *Cahiers d'études africaines*, XVII, 65, pp. 95-120.

VAN DIJK M. P., 1986, *Sénégal. Le secteur informel*, Paris, L'Harmattan.

VATTIMO G., 1987, *La fin de la modernité*, Paris, Seuil.

VERNIÈRE M., 1977, *Dakar et son double, Dagoudane-Pikine*, Paris, B.N.

VIDAL C., 1977, « Guerre des sexes à Abidjan. Masculin, féminin, CFA », in *Cahiers d'études africaines*, XVII, 65, pp. 121-153.

1979, « L'argent fini, l'amour envolé... », in *L'homme*, XIX, 3, pp. 141-158.

WEPPNER R.S., 1977, 'Street Ethnography, Problems and Prospects', in Weppner R.S. (ed.), *Street Ethnography*, Beverly Hills, Sage.

WERNER J.-F., 1987, *Rapport sur le recensement des thérapeutes traditionnels*, Dakar, ORSTOM (non publié).

1989, « Du symptôme au système une exploration anthropologique des diarrhées du jeune à Pikine », in Salem et Jeannée (eds), *Urbanisation et santé dans le Tiers monde*, Paris, ORSTOM.

1991, « La prostitution en milieu urbain, Un exemple sénégalais », in *Anthropologie et sociétés*, XV, 2-3, pp. 255-262.

1992, « La distribution des psychotropes illicites à Dakar », in *Psychotropes*, VII, 3, pp. 93-101.

WIRTH L., 1938, 'Urbanism as a Way of Life', in *American Journal of Sociology*, XLIV, pp. 1-24.

1984, « Le phénomène urbain comme mode de vie », in Grafmeyer Y. et Joseph I. (éds), *L'École de Chicago*, Paris, Aubier.

WHITTEN N.E., 1965, *Class, Kinship and Power in an Ecuadorian Town*, Stanford (Calif.), Stanford University Press.

WHYTE W.F., 1981, *Street Corner Society*, Chicago, The University of Chicago Press (troisième édition revue et augmentée).

YANNOPOULOS T. & MARTIN D., 1978, « De la question au dialogue... A propos des enquêtes en Afrique noire », in *Cahiers d'études africaines*, XVIII, 3, pp. 421-442.

YOUNG A., 1982, 'The Anthropology of Illness and Sickness', in *Annual Review of Anthropology*, 11, pp. 257-285.

ZEMPLÉNI A., 1968, *L'interprétation et la thérapie traditionnelles du désordre mental chez les Wolof et les Lébou (Sénégal)*, Thèse de doctorat de troisième cycle en psychologie, université de Paris.

LISTE DES FIGURES

Carte du Sénégal 44

Situation de Pikine dans la presqu'île du Cap-Vert........................ 46

Urbanisation et concentration urbaine en Afrique 47

Itinéraire thérapeutique : « La prise de sang » (photographie) 102

Instantané d'un naufrage (photographie) 124

Chiix Amadou Bamba et les Toubabs
  (Peinture : reproduction photographique).................................... 126

L'enfant du lignage 148

Document judiciaire (fac-similé) 215

TABLE DES MATIÈRES

Préface 5
Avant-propos 11

PREMIÈRE PARTIE

LE LABYRINTHE DE LA SOLITUDE

Chapitre I - ETHNOGRAPHIE I 19

Chapitre II - PENSER LA VILLE 31

  – Anthropologie urbaine en Afrique 34
  – Naissance de l'anthropologie urbaine 36
  – Anthropologie *de* la ville 38
  – Anthropologie *dans* la ville 39

Chapitre III - PIKINE 43

  – Le chantier 45
  – La métaphore du tas de sable 51

Chapitre IV - OBSERVER, PARTICIPER 59

  – Participation-observante 60
  – Participer 68
  – Observation-participante 78

Chapitre V - LA MÉTHODE BIOGRAPHIQUE 85

  – Aperçus historiques 85
  – Problèmes de méthode 87

– Le temps de l'analyse 90
– Le courant post-moderniste 91

DEUXIÈME PARTIE

LA VOLONTÉ DE SAVOIR

Chapitre VI - LE RÉCIT DE VIE, MODE D'EMPLOI   97

– Ethnographie II   97
– Collecte du récit de vie   107
– Aspects techniques   113
– Un point de vue linguistique   116

Chapitre VII - CROYANCES ET PRATIQUES RELIGIEUSES ..   123

– « Je suis mouride »   123
– Un peu d'histoire   127
– Croyances et pratiques   131
– A chacun sa place   134

Chapitre VIII - L'ENFANT DU LIGNAGE   137

– L'origine   137
– Enfance   141
– Adolescence   143
– La question du père   147
– Le lignage maternel   149
– Un apprentissage culturel   150
– Interprétations   152

Chapitre IX - ÊTRE FEMME I   155

– Prendre sa liberté   155
– Premier mariage   159
– Deuxième mariage   161
– Commentaires   168

Chapitre X - ÊTRE FEMME II 171

  – Analyse culturelle 171
  – Analyse sociologique 173
  – Un itinéraire sexuel 175
  – Marché sexuel ou femmes libres ? 178
  – En guise de conclusion 180

Chapitre XI - LE MAQUIS AU QUOTIDIEN
            (Ethnographie III) 183

  – Les bars de Pikine 184
  – Avec ou sans capote 185
  – Se regarder 188
  – Les amants 190
  – Les « camarades » 191
  – Les bandits 193
  – Les amitiés masculines 197
  – L'amie 200

Chapitre XII - LE NAUFRAGE 205
  – Les beaux-parents 209

TROISIÈME PARTIE

SOCIÉTÉ ET DÉVIANCE

Chapitre XIII - ETHNOGRAPHIE IV 213

Chapitre XIV - USAGE DES PSYCHOTROPES 221

  – Généralités 221
  – *Yamba* 225
  – *Sàngara* 226
  – "Pions" 230
  – Autres psychotropes 235

Chapitre XV - SOIGNER
            Ethnographie V (suite et fin) 237

  – 1989 237
  – 1990 240

– 1991 242
– 1992 247
– Action thérapeutique 248
– La maladie « illness » 249
– La maladie « disease » 251
– La maladie « sickness » 253
– Résultats 256

Chapitre XVI - DÉVIANCE, SOCIÉTÉ, ÉTAT 259

– La construction de la marge par le centre 260
– Le point de vue des usagers 264
– Entre État et société, la drogue comme enjeu 268

CONCLUSIONS 273

BIBLIOGRAPHIE 279

LISTE DES FIGURES 288

ÉDITIONS KARTHALA

(extrait du catalogue)

Collection *Hommes et sociétés*

Sciences économiques et politiques

A. DUBRESSON et coll., *Abidjan « côté cours »*.
J. COPANS et coll., *Classes ouvrières d'Afrique noire*.
E. LE BRIS, F. LE ROY *et al.*, *Enjeux fonciers en Afrique noire*.
B. CROUSSE et coll., *Espaces disputés en Afrique noire*.
F. MÉDARD *et al.*, *États d'Afrique noire*.
C. SAVONNET-GUYOT, *États et sociétés au Burkina*.
D. BACH, *La France et l'Afrique du Sud*.
J. ADDA et M.-Cl. SMOUTS, *La France face au Sud*.
A. ROUQUIÉ, *Les forces politiques en Amérique centrale*.
R. BUIJTENHUIJS, *Le Frolinat et les guerres civiles au Tchad*.
A.-M. D'ANS, *Haïti, paysage et société*.
D. BOURMAUD, *Histoire politique du Kenya*.
G. HESSELING, *Histoire politique du Sénégal*.
A. BERRAMDANE, *Le Maroc et l'Occident*.
D. BACH, *Nigeria, un pouvoir en puissance*.
N. GRIMAUD, *La politique extérieure de l'Algérie*.
D. BIGO, *Pouvoir et obéissance en Centrafrique*.
G. ROCHETEAU, *Pouvoir financier et indépendance économique en Afrique*.
A. BERRAMDANE, *Le Sahara occidental. Enjeu maghrébin*.
A.-B. DIOP, *La société wolof*.
F. ADELKHAH, *La révolution sous le voile. Femmes islamiques d'Iran*.
M. LAVERGNE, *Le Soudan contemporain*.
D. MARTIN, *Tanzanie, l'invention d'une culture politique*.
Ph. MARCHESIN, *Tribus, ethnies et pouvoir en Mauritanie*.
Z. LAIDI, *L'URSS vue du Tiers monde*.
J.-P. THIECK, *Passion d'Orient*.
Y. LE BOT, *La guerre en terre maya*.
G. BARTHÉLEMY et C. GIRAULT, *La République haïtienne*.
S. MICHAILOF, *La France et l'Afrique*.
R. OTAYEK *et al.*, *Le radicalisme islamique au sud du Sahara*.
O. DARBON *et al.*, *La République sud-africaine. État des lieux*.
P. GESCHIERE et P. KONINGS, *Itinéraires d'accumulation au Cameroun*.
B. BOTIVEAU, *La loi islamique et le droit*.
E. GRÉGOIRE *et al.*, *Grands commerçants d'Afrique de l'Ouest*.
S. JAGLIN et A. DUBRESSON, *Pouvoirs et cités d'Afrique noire*.

Collection *Les Afriques*

Bernard LANNE, *Tchad-Libye : la querelle des frontières.*
Amadou DIALLO, *La mort de Diallo Telli.*
Jacques GIRI, *Le Sahel au XXIᵉ siècle.*
Jacques GIRI, *L'Afrique en panne.*
Jacques GIRI, *Le Sahel demain. Catastrophe ou renaissance ?*
Marcel AMONDJI, *Félix Houphouët et la Côte-d'Ivoire.*
Jean-François BAYART, *La politique africaine de François Mitterrand.*
François GAULME, *Le Gabon et son ombre.*
Moriba MAGASSOUBA, *L'islam au Sénégal. Demain les mollahs ?*
Comi M. TOULABOR, *Le Togo sous Eyadéma.*
Tidiane DIAKITÉ, *L'Afrique malade d'elle-même.*
René OTAYEK, *La politique africaine de la Libye.*
Fayçal YACHIR, *Enjeux miniers en Afrique.*
François CONSTANTIN, *Les voies de l'islam en Afrique orientale.*
Pascal LABAZÉE, *Entreprises et entrepreneurs au Burkina Faso.*
Gilles DURUFLÉ, *L'ajustement structurel en Afrique.*
François BURGAT, *L'islamisme au Maghreb.*
Christian COULON, *Les musulmans et le pouvoir en Afrique noire.*
Abdoulaye WADE, *Un destin pour l'Afrique.*
Olivier VALLÉE, *Le prix de l'argent CFA.*
C. GEFFRAY, *La cause des armes au Mozambique.*
S. ÉLLIS, *Un complot colonial à Madagascar.*
Pierre CLAUSTRE, *L'affaire Claustre.*
Ahmed ROUADJIA, *Les frères et la mosquée.*
M.-C. DIOP et M. DIOUF, *Le Sénégal sous Abdou Diouf.*
Bernard BOTIVEAU *et al., L'Algérie par ses islamistes.*
Claudine VIDAL, *Sociologie des passions (Côte-d'Ivoire, Rwanda).*
David B. COPLAN, *In Township Tonight.*
Éric DE ROSNY, *L'Afrique des guérisons.*
Jean-Claude WILLAME, *L'automne d'un despotisme (Zaïre).*
J.-F. BAYART *et al., Le politique par le bas en Afrique noire.*
Fabien ÉBOUSSI BOULAGA, *Les conférences nationales en Afrique.*
Jean-Pierre WARNIER, *L'esprit d'entreprise au Cameroun.*
Bogumil JEWSIEWICKI, *Naître et mourir au Zaïre.*
J.-F. BAYART *et al., Religion et modernité politique en Afrique noire.*
Emmanuel S. NDIONE, *Dakar, une société en grappe.*
Saïd TANGEAOUI, *Les entrepreneurs marocains.*

Achevé d'imprimer par Corlet, Imprimeur, S.A.
14110 Condé-sur-Noireau (France)
Nº d'imprimeur : 9008 - Dépôt légal : février 1994 - *Imprimé en C.E.E.*

Enrichissement typographique, mise en pages :
Vire-Graphic
Z.I., rue de l'Artisanat, 14500 Vire